JN278311

日本の歴史 一

列島創世記

松木武彦
Matsugi Takehiko

小学館

日本の歴史

列島創世記

第一巻

アートディレクション　原研哉
デザイン　竹尾香世子
野村恵

凡例

- 年代表示は原則として西暦を用い、適宜、和暦を補いました。
- 本文は原則として常用漢字および現代仮名遣いを用いました。また、人名および固有名詞は、原則として慣用の呼称で統一しました。なお、敬称は略させていただきました。
- 歴史地名は、適宜、（　）内に現在地名を補いました。
- 引用文については、短歌・俳句などを除いて、読みやすさ、わかりやすさを考えて、句読点を補ったり、漢字を仮名にあらためたりした場合があります。
- 中国の地名・人名については、原則として漢音の読みに従いました。ただし慣習の表記に従ったものもあります。
- 朝鮮・韓国の地名・人名は、原則的に現地音をカタカナ表記しました。ただし、歴史的事柄にかかわる地名・人名などは漢音読みにした場合があります。
- この巻が扱っている時代の年表を巻末に掲載しました。
- 図版には章ごとに通し番号をつけ、それぞれの掲載図版所蔵者、提供先は巻末にまとめて記しました。
- おもな参考文献は巻末に掲げました。
- 五十音順による索引を巻末につけました。
- 本書のなかには、現代の人権意識からみて不適切な表現を用いた場合がありますが、歴史的事実をそのまま伝えるために当時の表記どおりに掲載しています。

編集委員　平川　南
五味文彦
倉地克直
ロナルド・トビ
大門正克

1

ものが語る
物質文化と人の相互関係

◉**大型石ヤリ**
石を細かく打ち欠いてつくりあげた、旧石器《きゅうせっき》時代のヤリ。驚くほどの左右対称には、人びとの目をひきつける強い力がある。(長野県神子柴《みこしば》遺跡出土。約一万七、八〇〇〇〜一万五、六〇〇〇年前。長さ二五・二cm)
↓P53

2

◉火炎土器

多彩な縄文《じょうもん》土器のなかでも、もっとも派手なものが火炎土器である。その複雑な形状と文様には、濃密なメッセージが込められている。（新潟県笹山遺跡出土。約五五〇〇～四五〇〇年前。高さ四六・五cm）

↓P97

3

◉日時計

縄文時代の人びとは、太陽の運行や季節のめぐりを強く意識していた。日時計も、そうした意識を目にみえる形にしたものである。(秋田県大湯《おおゆ》遺跡。約四五〇〇～四〇〇〇年前)

↓P143

●遮光器土偶
縄文時代の終わり近くに出現した謎《なぞ》の土偶。人間ばなれしたその姿の意味を、縄文時代の人びとは正確に理解できたのだろう。(青森県亀ヶ《かめが》岡《おか》遺跡出土。約三〇〇〇年前。高さ三四・五cm)
↓P133

後円部の土の中に置かれた石室に
眠る人物。その身のまわりには、
さまざまな品が置かれている。
身を飾る美しい品々が、
古墳の大きさとともに
有力者の威信を示すものとなった。
巨大古墳は、文字以前の社会の
ひとつの到達点だといえる。

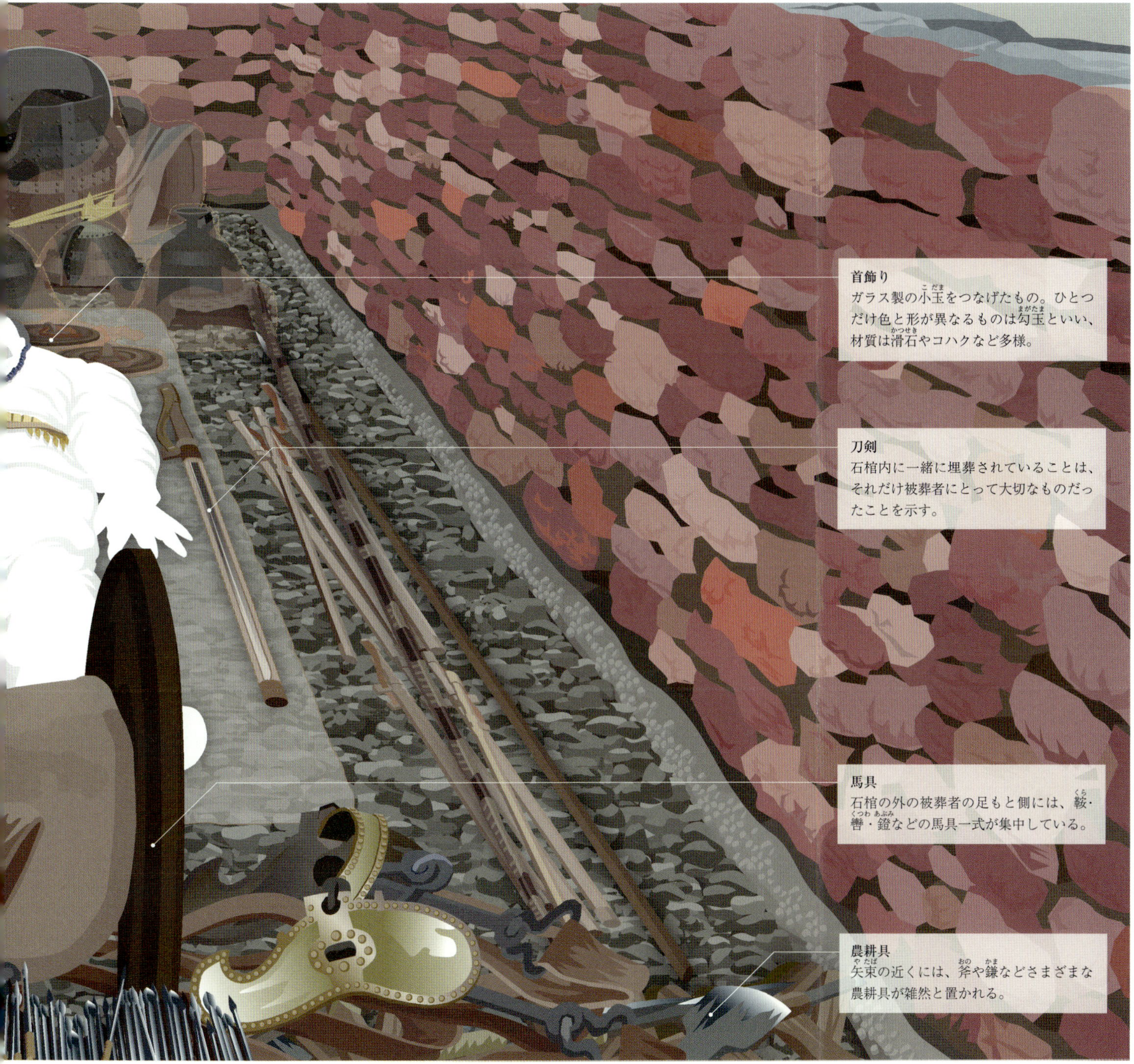
首飾り
ガラス製の小玉《こだま》をつなげたもの。ひとつだけ色と形が異なるものは勾玉《まがたま》といい、材質は滑石《かつせき》やコハクなど多様。
刀剣
石棺内に一緒に埋葬されていることは、それだけ被葬者にとって大切なものだったことを示す。
馬具
石棺の外の被葬者の足もと側には、鞍《くら》・轡《くつわ》・鐙《あぶみ》などの馬具一式が集中している。
農耕具
矢束《やたば》の近くには、斧《おの》や鎌《かま》などさまざまな農耕具が雑然と置かれる。

石棺《せつかん》
石室の中に置かれた、死者を埋葬する棺《ひつぎ》。左の図では、副葬品が見えるように石室を省略している。

＊復元図について
５世紀中ごろの古墳時代中期に、近畿地方でつくられた前方後円墳の石室内を想像復元したものです。規模は全長二百数十メートル、被葬者は倭王《わおう》に次ぐレベルの大酋長《だいしゆうちよう》を想定しています。

三世紀なかばに突然出現した
大型の墳墓である古墳《こふん》は、
物理的な機能よりも
人の心に働きかけることを
目的とした巨大モニュメントである。
前方後円墳の前方部に立てば、
圧倒的な迫力で後円部が迫ってくる。

5

◉銅鐸
弥生《やよい》時代のまつりの道具であった銅鐸《どうたく》は、小型で実際に鳴らすものから、大型化して視覚に訴えるものへと変わっていく。(伝香川県出土。紀元前二～一世紀。高さ四二・七㎝)→P285

◉布が付いた鏡
鏡を入れた巾着状の布の一部が残ったもの。
（奈良県下池山《しもいけやま》古墳出土。四世紀）

◉耳飾り
ほかにも冠・沓《くつ》・腕輪など、装身具は多彩である。（奈良県新沢《しんざわ》一二六号墳出土。五世紀）

甲冑《かっちゅう》
石棺の外の被葬者の頭部側に何セットか置かれる。鉄製で、ひとつずつ布にくるまれている。真ん中の冑《かぶと》から出ている黄色のものは、三尾鉄《さんびてつ》と呼ばれる金具に付けられた鳥の羽のついた飾り。
鏡
石棺内の被葬者の頭部側に収められる。1面ずつ巾着《きんちゃく》状の布に入っている。
帯金具《おびかなぐ》
金銅製の飾り金具がついた帯。国際的に通用する身分の証《あかし》になったと思われる。
刀剣・弓・ヤリ・矛《ほこ》
石棺の外の左右にも、複数の武器が並ぶ。
矢束
束ねたり、矢筒に入れたりした矢を大量に積み重ねたもの。

7

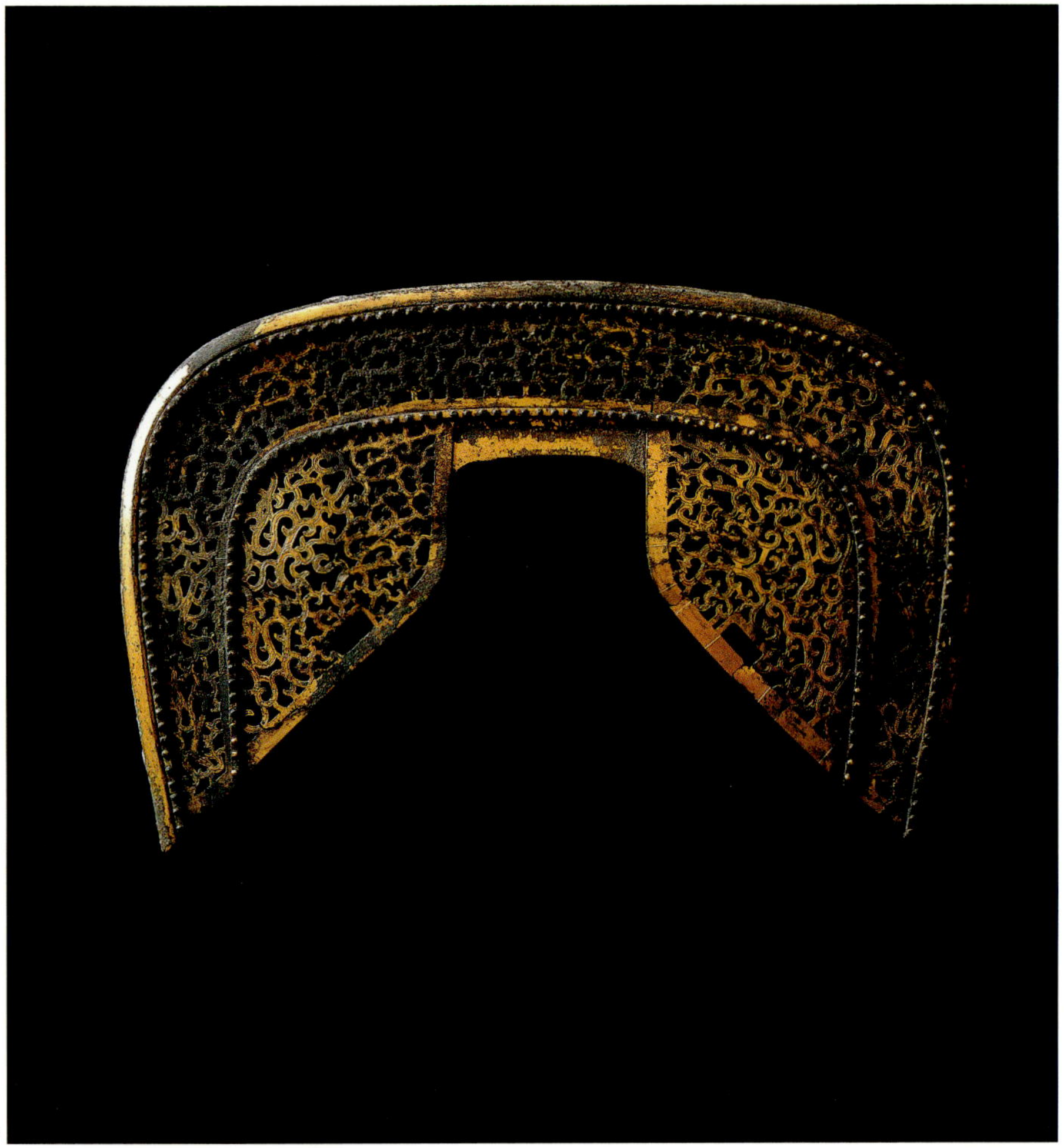

◉金銅製透彫鞍金具

馬にかかわる文化は、朝鮮半島から伝わった。馬を豪華な飾り馬具で装飾することが、有力者の権威の象徴となっていった。（大阪府誉田《こんだ》丸山《まるやま》古墳出土。五世紀。幅四三・〇cm）

↓P330

目次

日本の歴史 第一巻

列島創世記

列島創世記

はじめに

無文字社会のヒト・もの・心

この巻で描きだすのは、ヒトの最古のたしかな足跡が確認される旧石器時代《きゅうせっき》から、巨大古墳《こふん》が築かれる五世紀までを中心とした、およそ四万年間の日本列島の人びとと社会の歩みだ。

そのようにいうと、始まりはよしとして、結びを五世紀とするのはなぜだろう、ほんとうにそこでキリがいいのかしら、と思われるかもしれない。理由は簡単。五世紀までは、残された文字記録（文献史料）の量や信憑性《しんぴょう》がまだ十分でなく、列島の歩みを復元するためには、物質資料（考古資料）に多くを頼らなければならないからだ。六世紀に入ると、文字記録の量と信憑性がしだいに増していく。もちろん、文字に書かれていないことを補い、記録の誤りやゆがみを見つけて正すために、それ以降になってもなお物質資料は大切だ。しかし、物質資料は雄弁さの点で文字記録に遠く及ばないから、物質資料だけを用いて人びとや社会の動きを描きだす考古学の独壇場ともいえる時代は、日本の場合、だいたい五世紀までとみていい。もっとも、東北北部や北海道、そして沖縄などでは、この時代がもっと長く続くのであるが。

文字記録が少ないか十分かなどということは歴史の動きと関係がない、そんなことで時代を切ってしまうのはご都合主義ではないか、という人がいるかもしれないが、そうではない。文字がふんだんに使われる社会とそうでない社会とでは、社会そのものの性質が違う。文字をもたない、あるいはまだ十分に用いない段階では、文字を必要とするような複雑で安定した制度を保てないから、社会の仕組みは単純で、ともすれば移ろいやすい。こうした社会では、制度のかわりに、しばしば壮大な建造物や魅力的な道具を用いた儀礼が人びと同士を結びつける役割を演じたり、服飾や持ち物が個人の地位や身分を明確に示したりする。文字不在のもとで、社会のまとまりや仕組みを保つ機能が、物質文化、すなわち道具や建造物に、より強く託されているのである。

この巻で結びとする五世紀は、見る者を圧する巨大古墳の築造が頂点に達した時期だ。同時に、鏡や玉《たま》や武器など、有力者の身辺を飾る魅力的な器物が、もっとも珍重されたときでもある。そのような意味で、五世紀は、その仕組みやまとまりを物質文化に大きく頼る社会の、最後にしてもっとも発達した段階だったといえる。日本列島太古から長く続いた前文字社会のひとつの到達点としてよい。たしかに、文字の存在を前提とした複雑な制度に埋め込まれた私たちの社会とは大きく違う。しかしまた別の複雑さをもって、それなりに完成していた社会だ。

ヒトの歩みをみると、人目をひく巨大な建造物や、心をとらえる芸術的器物を生む社会が、先史から古代に至るある段階で地球上の各地に現われたことがわかる。イギリスのストーンヘンジ、エジプト古王国時代のピラミッド、南アメリカ古代文明の神殿や都市、北アメリカ原住民文化の大墳丘墓《ふんきゅうぼ》、そして日本の前方後円墳《ぜんぽうこうえんふん》などは、その典型例だ。そして、少

1

◉**最初の巨大古墳**
三世紀中ごろに出現した、墳丘《ふんきゅう》の全長が約二八〇 mという大型前方後円墳《ぜんぽうこうえんふん》の箸墓《はしはか》（奈良県桜井市）。巨大古墳のさきがけであり、はじめての倭王《わおう》の墓とも考えられている。

しの例外や時間差はあるにせよ、このような段階を経たあとに文字の支配制度に基づく国家社会が続く。これが、そののち近代文明に至った社会にとっては、かなり普遍的な経路だったようだ。では、その文字文明への助走路ともいうべき、文字以前の物質文化の発達はどのように始まり、どのようなメカニズムや道筋で進んだのだろうか。

ヒトは、猿人《えんじん》といわれる段階から道具を使っていたと考えられるが、原人《げんじん》段階になると見事にデザインされた石器を生み出し、旧人《きゅうじん》段階では周到な石器製作技術や墓をもった。そして新《しん》人《じん》の段階に入ると、さらに高い技術による複雑な道具や住まいの施設をつくり、絵や像などの象徴的な表現を器物に盛り込むようになった。こうしたプロセスの延長上に、発達した物質文化がそのまとまりや仕組みの多くを引き受ける、複雑な前文字社会が現われたといえるだろう。

猿人から新人に至る器物の進化と、新人の段階で一気に加速するその規模や複雑さや象徴性の発達プロセスを具体的にあとづけるのは、考古学の仕事だ。さらに、そのような物質文化の進化が、ヒトやその社会の進化とどのように相互にかかわりあったのかを考えることもまた、考古学に与えられた課題である。巨大古墳の時代を到達点とする日本列島の複雑化社会は、旧石器時代以来、物

2

●ストーンヘンジ
イギリスに多い巨石遺跡の代表的存在。直径約三〇mの環状に、四〇〇〇年以上前に置かれたという数十もの巨石が並ぶ。石の配列は太陽の運行と関係しているが、遺跡の用途は不明。

（物質文化）とヒトとの双方向的な関係形成のなかから、四万年の歳月をかけてどのように組み上げられていったのだろうか。一貫した理論でそれを復元することは、現在の日本考古学にとっては大きな挑戦である。

これまでの日本考古学では、旧石器・縄文《じょうもん》・弥生《やよい》・古墳という四つの時代は、それぞれ別々の研究者たちにより、その時代に固有の別々の枠組みで、ほとんど独立して研究されてきた。もっとも、二つ以上の時代にまたがって取り組む人もいるし、二つの時代間の移行過程に焦点を当てた研究も少なくはない。また、集落・墓・交易などといった特定のテーマで、旧石器時代から古墳時代までの道筋がたどられることもある。

ただし、縄文時代以前と弥生時代以降では、これまでの考古学の研究方法には隔たりがあった。文字記録が出てくる弥生時代以降は、文字記録によって物質資料を解釈したり、文字記録の欠けている部分を物質資料で補ったりする方法論が主流となっているが、縄文時代以前は文字記録がないため、この方法が適用できない。四万年を一貫した方法論で描くには、文字記録によらず、物質資料のみを対象とする必要がある。しかし、文化と社会の全体を対象に、一貫した物質資料の分析と解釈の方法論を軸として、ひとりの者が日本列島四万年の歩みを綴《つづ》ろうとする試みはまれだ。その意味で、私にとってもこの本の執筆は、能力の限界ぎりぎりに奮迅する大仕事となる。

この大仕事にあたって、私は三つの指針を掲げた。それは、四万年分の長大な記述にゆるぎをなくすための柱でもある。
もっとも太い柱となる第一の指針は、歴史科学の再生だ。歴史を、ただの物語でなく、過去の人びとの歩みから現代を見据え、未来を客観的に展望するための人文科学とする試みは、もちろんこれまでにもなされてきた。カール・マルクスやフリードリヒ・エンゲルスが一九世紀に打ち立てた史的唯物論は、その最大の試みである。それは、世界各地で社会主義国家体制を生み出し、日本においては戦後歴史学の理論的支柱のひとつとなるほどの大きな影響力をもった。しかし、それを支えるべき人間自体の科学的探究——ヒューマン・サイエンス——がそののちに長足の進歩を遂げたにもかかわらず、史的唯物論はその成果を取り入れて止揚されることなく教条化し、科学としての力を弱めてしまった。ヒトが、感情と欲望に左右され、神や迷信からなかなか逃れられない存在である事実を軽んじたことが、史的唯物論によって立つ社会体制が不成功に終わった一因ではないだろうか。

感情・欲望・神・迷信などを含むヒトの心の現象を科学的に分析・説明できるようになってきたのは、二〇世紀の後半以降のことである。それを出発点として、数百万年もの進化がつくったヒトの心の普遍的特質の理解をもとにヒトの行動を説明しようとする「心の科学」（認知科学）が生み出された。心の科学は、自然科学と連携して人間の本質を追究する新しいヒューマン・サイエンスの中心をなす方法論として、人類学・経済学・歴史学などに新たな潮流をもたらしている。考古学の分野でも、人工物や行動や社会の本質を心の科学によって見きわめ、その変化のメカニズムを分析する認知考古学の発展が目覚ましい。この本では、認知考古学の成果を取り入れ、そうした方法論を一貫した軸として、新しいヒューマン・サイエンスの一翼を担うべき人類史と列島史の叙述をめざす。

第二の指針は、地球環境の変動が歴史を動かした力を、もっと積極評価することだ。ヒトもまた地球上に生息する一生物種である以上、気候や植生など、環境の影響から逃れられない存在である。とくに、環境変動による人口の増減やその分布の流動・定着のリズムは、社会の構造化やその変化の、最大の原動力といえるだろう。これは、環境が歴史を決定するというのではない。地球の環境は宇宙が動かすもので、もちろんそれ自体にヒトの力は及ばないが、時に激しく変化する地球上の環境にできるかぎり適応するように、ヒトはみずからの数さえ変え、生き方を編み出し、それに根ざしたさまざまな形の社会をつくってきた。局所的にはその社会の形に合わせて逆に環境に手を加えるという、ほかの生物種がなしえない行為にまで至りながら、時には環境からの反動に負けて社会を崩壊させてしまったり、つぎの新しい形の社会を手探りしたりしてきたのである。「生産力の発展」という大出力エン

3

◉シルクロード由来のガラス製品
世界規模の物の動きと、五世紀の列島も無縁ではなかったことを示す、古墳の副葬品。（奈良県橿原《かしはら》市新沢《しんざわ》一二六号墳出土）

ジンの車で歴史街道を驀進《ばくしん》してきた「ハイウェイ・スター」ではなく、環境との対立と妥協を繰り返しながら「ロング・ワインディング・ロード（長くて曲がりくねった道）」をこつこつと歩んできた旅人としての、人間の軌跡をたどってみたい。

第三の指針は、科学的な歴史をめざす者にとっては当たり前だが、「日本」という枠組みを固定的に連続したものとしてとらえないことだ。もちろん、記述の対象とするのは、現在日本語を母国語とする人びとが住んでいる範囲、すなわち北海道・本州・四国・九州の四島およびその周囲の島々と、南に連なる南西諸島である。現在の「日本国」の領域とほぼ重なる。この本で描きたいのは、そうした「日本国」の歴史というより、その枠組みがどのようにして現われ、つくりあげられてきたのか、その最初のいきさつだ。縄文時代や弥生時代の人びとに「日本人」「倭人《わじん》」というような国民意識はなかっただろうし、それを共有できるような社会の一体性も、一体性を保証する周辺社会との意識上の境界も、長いあいだ曖昧で流動的だっただろう。そういう意味で、「日本」という枠組み自体が歴史的な積み重ねの産物であることを十分に認識し、国家の歴史を超えた人類史のなかの日本列島史を綴ってみたい。それを通じて、日本の歩みやその現在と未来とを、せせこましい愛国主義ではなく、国際的な場で恥ずかしくない客観的な知性をもって眺めるためのよりどころを提供できればうれしいことだ。

第一章

森と草原の狩人

旧石器時代

アフリカからの旅路

五万年前のビッグバン

今から七〇〇万年ほど前まで、ヒトの先祖とチンパンジーやゴリラの先祖とは同じ動物だった。その後、ヒトはそこから分かれて進化し、現在の私たちのような姿になった。いっぽう、チンパンジーやゴリラもそれぞれ別に進化して、今のようになった。結果、ヒトのつぎにかしこい動物としての地位を保ってはいるが、知能に関していえばヒトに遠く及ばない。

大型のサルのような動物から、ヒトだけが、複雑な道具や言語をあやつり、音楽をたしなみ、都市や国家を生み出すまでになった。地球の表面は、ヒトがつくったもの、すなわち家や町や道路や橋などの建造物や道具の山で満ちあふれている。ほかの動物には、こんなことはない。ヒトは、環境に適応するために自分たちの体の外側に道具や建造物をつくりだす能力をもったからこそ、ほかの哺乳類《ほにゅうるい》とは違って、熱帯から寒帯までの地球上どこにでも住めるようになった。生物の身体とそれがつくりだしたものの総容量をバイオマスというが、今日《こんにち》、ヒトのバイオマスは圧倒的だ。

化石人骨をもとにヒトの進化の道をさぐる考古人類学の成果によると、ヒトのバイオマスがとくに膨張しはじめたのは、約一五万年前といわれる新人《しんじん》（ホモ・サピエンス＝現生人類＝私たち）の出現以降である。新人たちは、石や動物の骨・角《つの》でつくった多彩な道具を装備して生存能力をにわかに高め、旧人《きゅうじん》がほとんど踏むことのなかった高緯度の寒冷地へも進出した。

このようなバイオマス膨張がとくに目立ちはじめるのは、約五万年前になってからのことだ。注意したいのは、それ以降の新人の遺跡を掘ると、それまでにはまれか皆無だった、ビーズ・彫像《ちょうぞう》・洞窟壁画《どうくつへきが》・幾何《きか》学文様《がくもんよう》を刻んだ道具など、機能とは関係のない実用外の象徴的な表現を盛り込んだ人工物が見つかることだ。これらを残した人びとは、抽象的な観念をもとに架空の存在を頭の中に生み出したり、なんの腹の足しにもならぬ物体の形や文様にひきつけられたり、身体を使ってそれらを物質的に表現するなど、ほかの動物にはみられないヒト固有の複雑な認知と身体でもって社会を織りなしはじめていた。

架空の存在は「神」の、形や模様への魅惑は「美」の、表現は「芸術」の源《みなもと》だとすれば、のちの文化や社会の複雑化に重要な役割を果たしたこれらの要素を、すでに五万年前の旧石器《きゅうせっき》社会はもっていたことになる。五万年前ごろに一気に加速するこれら物質文化の象徴的要素の拡大は、しばしば宇宙の大爆発に

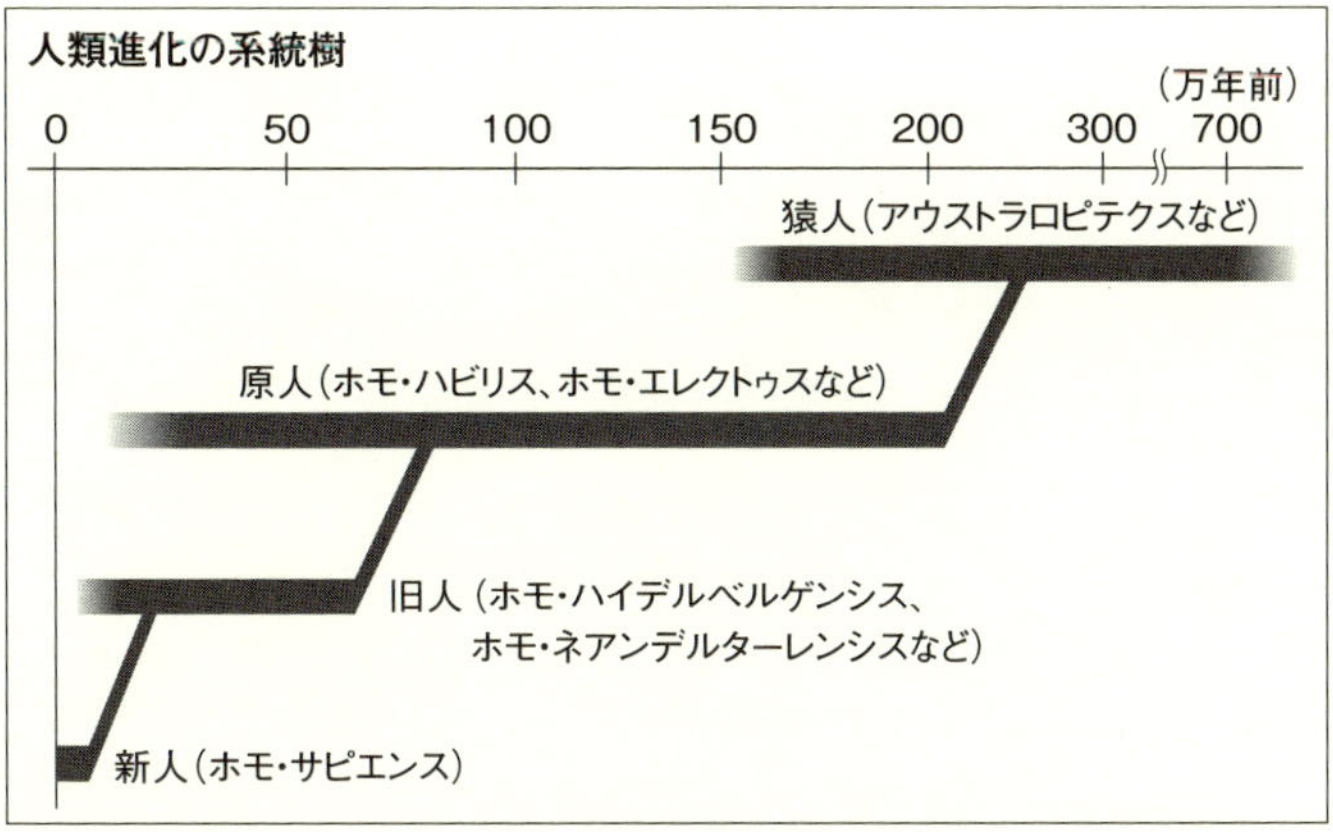

◉**人類の進化**
人類の進化は「猿人→原人→旧人→新人」という単純なものではなく、時には複数の種が併存しながら枝分かれと絶滅を繰り返してきた。そのなかから残ったのが新人（ホモ・サピエンス）である。

なぞらえて「ビッグバン」などと呼ばれる。

　このビッグバンの火種、すなわち神や美や芸術を生み出した源は、五万年前の新人たちも、私たちも、地球上のどの人びとも、心の中に共通してもっている。なぜなら、それは、ホモ・サピエンスが長い進化の過程で獲得した特徴だからだ。身体の特徴と同じように、脳の働き方の特徴もまた、生存のために有利なものが生き残っていくと考えるのが、最近の新しい進化論である。身体の特徴だけでなく、心の特徴もまた進化の産物だというわけだ。そうだとすると、架空の存在、美の感覚、象徴化の傾向などをいだく私たちの心は、どのような環境のなかで進化してきたのだろうか。

　日本の古墳《こふん》時代へ至る社会形成を説くのに、なぜ進化や脳の話が出てくるのか、という人がいるかもしれない。たしかに、旧石器・縄文《じょうもん》時代についてはさておき、弥生《やよい》時代から古墳時代への歴史叙述は、ヒトの進化や認知の研究とほとんど接点をもってこなかった。しかし、古墳時代こそ、神のような架空の存在や力を信じて巨大古墳築造という大土木作業に血道をあげ、

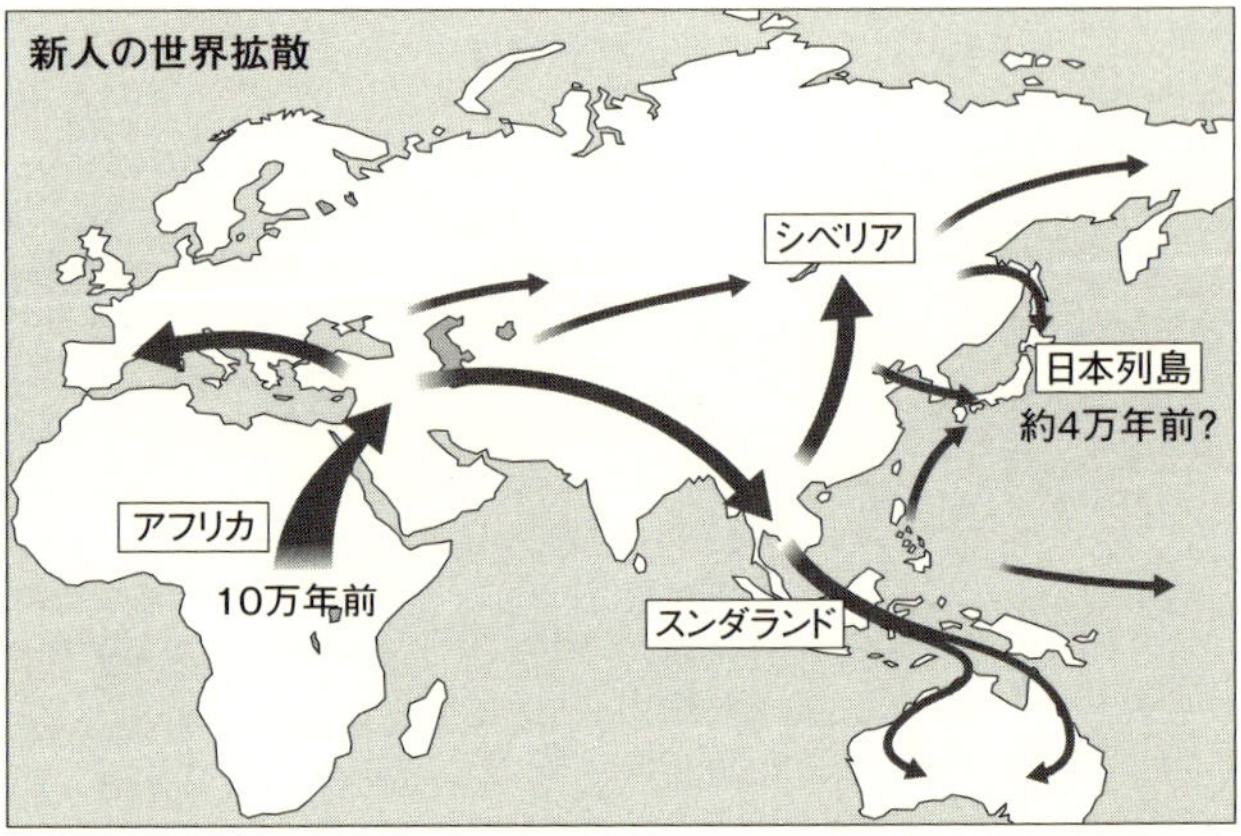

◉アフリカからの歩み
アフリカで誕生した新人は、長い時間をかけて世界中へと移り住んでいった。日本列島へは、東南アジア経由で中国から、あるいはユーラシア大陸経由でシベリアから渡ってきたと考えられる。（篠田謙一『日本人になった祖先たち』より作成）

美がいざなう鏡や玉《たま》に熱中し、それらの物質文化が人びとの間の関係や社会をつくるのにもっとも大きな力を発揮したときである。つまり、ビッグバンによって物質文化の形で人びとの脳から外の世界へと一気にあふれでた神や美の表現が、長い発達の過程の末にひとつの極致に至った社会といえるのだ。そのような意味で、神と美と芸術に満ちた古墳時代の社会の根本には、やはり、物質文化のビッグバンとして現われたホモ・サピエンス固有の心の仕組みがしっかりとからみついている。これを解きほぐさずして、文字以前の複雑社会が古墳時代へと至る道筋を、真底から理解することはできないだろう。

美を求める人びと

架空の存在、美の感覚、芸術的表現。生命の維持とは無関係にみえるこのような脳の働きを、自然はなぜ、進化の過程でヒトに植えつけるに至ったのだろうか。生きるためには一見無駄なことを考えるようプログラムされた人びとがより多く生き残り、今日《こんにち》の私たちにつながったのはなぜだろうか。つながったゆえに、私たちは、星占いを気にし、携帯プレイヤーで音楽を聴きながら通勤し、休日には美術館ものぞき、お盆には先祖の墓に参り、正月には初詣《はつもう》でに出かける。架空の存在を信じ、美をめでるという脳の性向は、具体的な内容や社会的な制約の強さはいろいろだが、世界中の現代人も、旧石器《きゅうせっき》・縄文《じょうもん》から弥生《やよい》・古墳《こふん》時代の人びとも同様だ。みな同じホモ・サピエンスだからである。

チンパンジーやゴリラの脳に、このような性向はない。かれらの先祖と約七〇〇万年前に分かれた当時、ヒトも同じだったろう。当時の道具はわかっていないが、今のチンパンジーが使うシロアリ釣りの棒や石のハンマーのように、自然の棒切れや礫《れき》などを、ほとんどそのまま利用するものだったと思われる。この時代は数百万年続いた。

二六〇～二五〇万年前になって、最古の石器が登場する。オルドワンと呼ばれるもので、発見地はアフリカ。製作者が、発達した猿人《えんじん》（アウストラロピテクスの仲間）か初期の原人《げんじん》（ホモ・ハビリス）かは、まだわからない。礫を打ち割って鋭い刃をつくり、動物の肉こそぎなどに使ったもので、ヒトの食物獲得能力を大きく高めたのは確かだろう。とくに肉の摂取量が増えたことは、脳の進化に大きな意味をもった。タンパク質は大きな脳の維持に欠かせないからだ。ただし、石器自体の形は単純素朴で、実用としての必要以上に手を加えた「凝《こ》り」のようなものを見いだす余地はない。そういう意味で、オルドワンの石器にはまだヒトの道具のにおいが希薄である。

つぎの段階の石器はアシューレアンと呼ばれ、ホモ・ハビリスから進化した原人のホモ・エレクトゥスの仲間が生み出したものだ。出現したのは約一六五万年前のアフリカ。両面を打ち欠いて薄く仕上げ、縁《へり》を刃にした道具で、上端を尖《とが》らせた握《にぎ》り斧《おの》（ハンドアックス）、直線的にした切開具（クリーヴァー）などの種類がある。

実用を超えた「凝り」の出現

約六〇万年前以降、後期アシューレアンと呼ばれる段階になると、握《にぎ》り斧《おの》のなかにとくに丁寧につくられた精製品が現われる。つくったのは、ホモ・エレクトゥスの仲間から進化したホモ・ハイデルベルゲンシスの可能性が高い。アフリカだけでなく、地中海東部沿岸から東はインド、西はヨーロッパにわたってこれらが分布することは、アフリカを出てヨーロッパや西アジアの各地に広がったホモ・ハイデルベルゲンシスの足跡を示すかのようだ。

　これら精製握り斧は、おそらく木か骨のハンマーを用い、高度な技術と時間をかけて細かい打ち欠きの作業（調整剥離《はくり》）を重ね、ほぼ完璧《かんぺき》な左右対称と、精緻《せいち》な打《だ》製石器《せいせっき》独特の表面の質感を実現した逸品だ。動物を解体して肉をはずすという機能に、ここまで注意深く手の込んだ細工はいらない。ただ使うだけの目的には不必要な「凝《こ》り」だろう。

　考古学者のマレク・コーンとスティーヴン・マイズンは、この凝りが異性をひきつけるためのものだと考えた。精製握り斧が男性の手になるものとみた二人は、この凝りこそが、「おれはこんな見事な道具をつくる力と余裕がある、だから食べ物もたくさん手に入れ、よい子供をつくって養うことができる」と、女性に対してアピールするメッセージだと説明した。オスのクジャクの羽と同じ意味が、道具に託されたというわけだ。

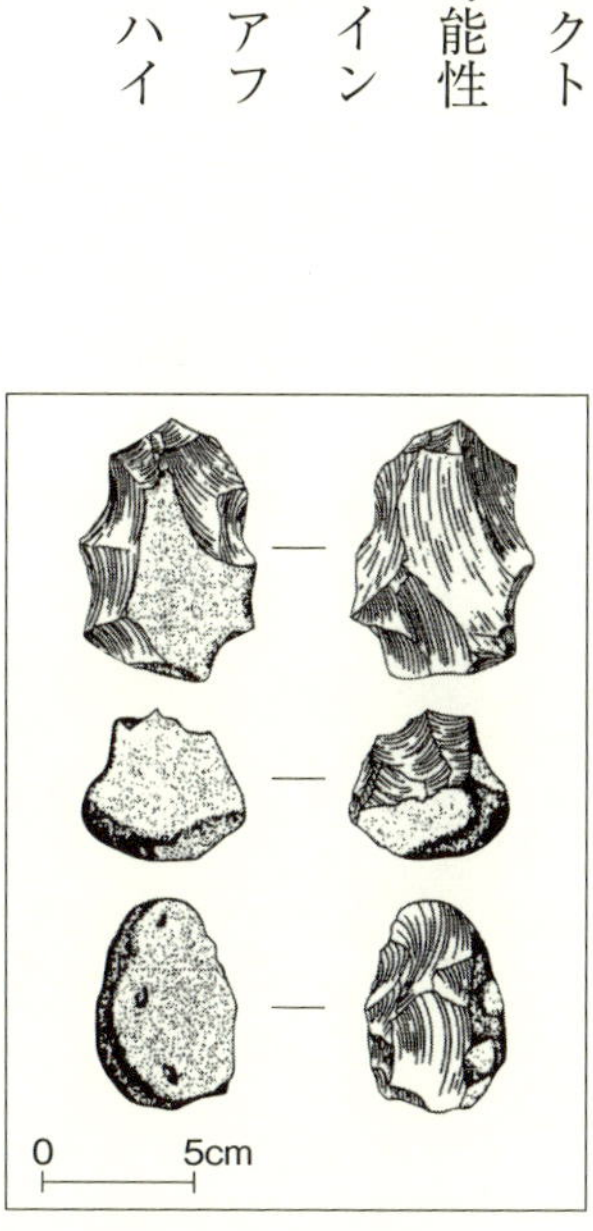

◉オルドワン石器
アフリカのエチオピアで見つかった世界最古の石器の数々。線で結んだ図は同じ石器の表裏を示す。鋭く尖っているところが打ち割って刃にした部分。（『Nature』一九九七年一月二三日号より作成）

この説には、批判もある。精製握り斧がそれほど特別のものだった証拠は不十分、などというものだ。だが、機能よりも視覚に訴える凝りを、後期アシューレアンの精製握り斧がもっていることは疑いない。実用を超えた凝りをどこかに盛り込むという、ヒト固有の道具のはしりといえる。

ヒトが初期に獲得した美の感覚のひとつに、左右対称があるという。配偶者を選ぶとき、病気や寄生虫におかされていないしるしとして、左右対称の顔や体に誘引される性向が進化した、という説だ。このような、心理的に人がひきつけられる要素のことを、専門用語で認知的誘引性という。後期アシューレアンの精製握り斧は、この左右対称のもつ認知的誘引性を物質に表現したものといえる。

さらに、表面全体を細かく調整剥離した独特の光沢は、自然界にない質感ゆえに知覚上の注意をひきやすい。きらきら目立つという知覚的特性もまた、美の感覚を生んだ根源のひとつだ。くわえて、斧の全周に刃がつくられていることも、実用の観点からは奇妙だろう。握るときに危ないからである。むしろこの「刃の危なさ」という認識が、刃の鋭さを知り、それで怪我《けが》をした経験などとも相まって、この石器を見る人びとの心に特定の感興や連想を呼び起こした可能性が高い。カッターナイフの刃や出刃包丁を目にしたときの私たちの反応と同じことだ。

1

◉実用を超えた「凝り」
フランスで発見された後期アシューレアンの精製握《にぎ》り斧《おの》。長さ三〇cm。美しいまでの左右対称と表面の独特の光沢は、実用上の機能を超えた「凝り」によるものといえる。

このように、後期アシューレアンの精製握り斧は、用途についての認識だけではなく、美の感覚や刃からくる感興など、さまざまな観念をヒトの心に呼び起こす。形や質感への凝りによって多様な意味を含ませた未曾有《みぞう》の道具だ。これをつくったり持ったりすることは、コーンとマイズンの説のように男女の恋のゲームにかかわるものかどうかは不明だが、なんらかの社会的なメッセージとして働いたと考えられる。

こうして、約六〇万年前以降、ホモ・ハイデルベルゲンシスの段階に、道具はたんなる道具という枠を超え、いろいろな社会的意味を託されて、人びとの間の関係づくりにひと役買うようになった。「物質文化」の誕生、もしくは、人びとの社会的な関係を物質的に表現するようになった始まりだ。その背後には、脳の進化によって道具が発達し、多くの食物を得て人口が増え、社会関係が複雑化した様子がうかがえる。機能以上の意味を道具に盛り込む術《すべ》を身につけたことで、ヒトは、このような複雑な社会関係の一部を、物に託して表現するようになった。その意味で、後期アシューレアンの精製握り斧の登場は、物質文化の社会的意味が大きな役割を演じる、文字以前の複雑社会への扉だったといえる。

技を伝える人びと

後期アシューレアンの時代は、その後、二五万年前ごろまで続いた。右にみたように、それは人類史の大きな画期となった。だが、冒頭で触れた約五万年前のビッグバンまでには、まだ二〇万年ほどの年月が流れなければならない。

この間のヒトの進化経路は、複雑でダイナミックだ。二五万年前の時点、アフリカからユーラシアに広がっていたホモ・ハイデルベルゲンシスのなかから、ヨーロッパでホモ・ネアンデルターレンシス（ネアンデルタール人）が分かれて栄えていた。アフリカや西アジアにはホモ・ハイデルベルゲンシスが残っていたが、のちにそこからホモ・サピエンスが派生することになる。

いっぽう、東南アジアや東アジアには、ホモ・エレクトゥス直系のジャワ原人《げんじん》や北京《ペキン》原人の流れをひき、典型的な握《にぎ》り斧《おの》をもたない別系統の旧人《きゅうじん》たちがいたらしい。このように、もとはホモ・エレクトゥスを先祖とする旧人たちが、アフリカ、ヨーロッパ、アジアの各地でそれぞれに進化したというのが、約二五～一五万年前ごろまでの展開である。ただし、こうした旧人段階のヒトが日本列島に達していた確実な証拠はまだない。

この段階の道具は、ヨーロッパでいちばんよく見つかっている。握り斧は下火になり、かわって、ヤリの先などにつけたらしい小型の尖頭器《せんとうき》（先の尖《とが》った石器）が現われる。じつは、ルヴァロワ型と

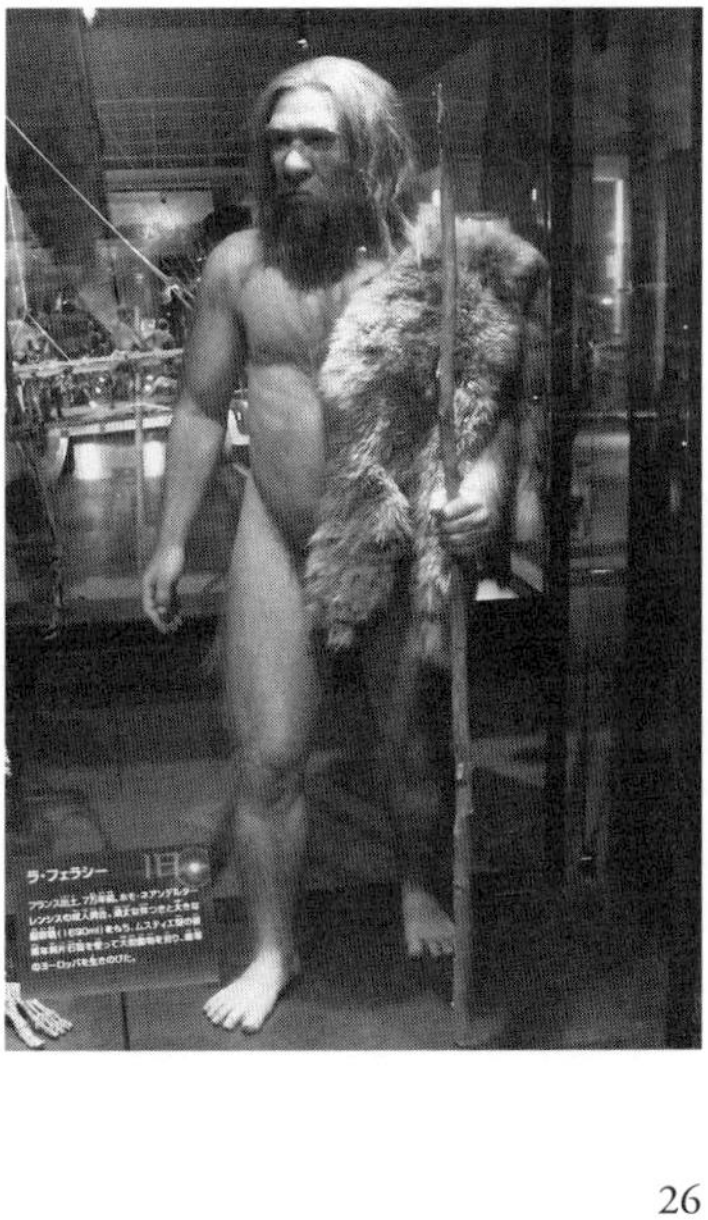

2

◉ネアンデルタール人復元像
私たちホモ・サピエンスに比べると胴体が長く、四肢は短いが筋肉質で力は強かっただろう。頭蓋骨《ずがいこつ》は、顎《あご》の先の突出が少ないなどの特徴はあるが、ホモ・サピエンスとさほど大きな違いはなく、脳の容量もほぼ変わらない。

呼ばれるこの小さな石器に、ヒトの脳がこの段階にさらに進化した跡をみることができる。できあがりの形を思い描き、それをつくりだすための打ち割りの箇所と順序とを前もって定めるという、いわば脳の中でつくりあげた複雑な設計図つきの石器なのである。知識に基づいて結果を予見し、それに合わせて行為を計画できる緻密《ちみつ》な脳がないとつくれない道具だ。また、この種の尖頭器が、長い間、広い範囲で普遍的にみられる事実から、このような込み入った知識と技術の体系を世代や集団を超えて共有し伝えあう社会を、当時の人びとが営んでいたことがわかる。複雑な情報の共有・伝達システムという、その後の人類社会が複雑に拡大することを可能にした最大の秘訣《ひけつ》を、この段階のヒトはすでに手に入れつつあったようだ。

　ルヴァロワ技法は、主としてヨーロッパから西アジアにもやってきたホモ・ネアンデルターレンシスのものと考える人が多い。しかし、旧石器《きゅうせっき》考古学の稲田《いなだ》孝司《たかし》らによると、同じような技法は同時代の東アジアでも認められるという。そもそも、どの石器の型式がどの系統のヒトに対応するのか、という問題は、たいへん難しい。むしろここでは、別々の系

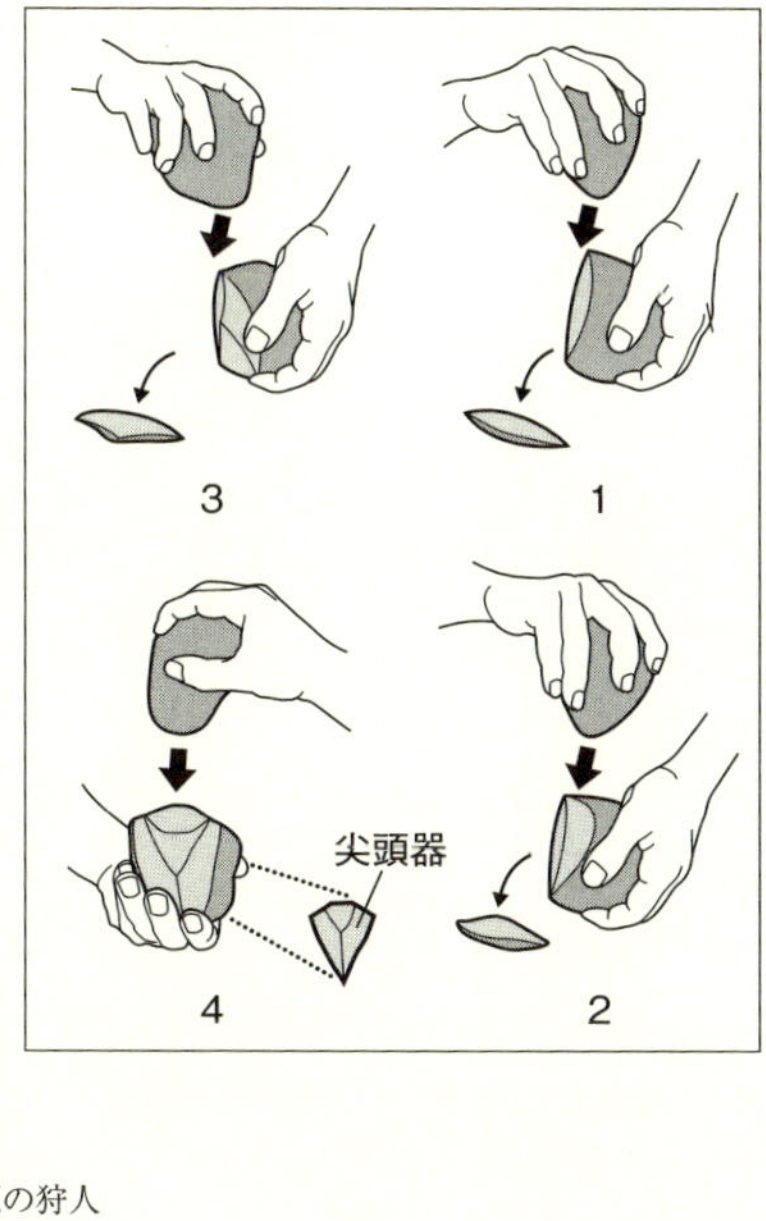

◉ルヴァロワ技法の手順
あらかじめ石を叩く部分を決めてから何回か打ち割って峰状に尖った部分をつくり（1〜3）、最後にそこを叩いて尖頭器を割り出す（4）。（スティーヴン・ミズン『心の先史時代』より作成）

統のヒトたちが住んでいたヨーロッパからアジアにまで、同様の複雑な技術による石器が広くみられる点に注意すべきだろう。石器の技術のような情報がヒトの系統の差を超えて伝わることがあり、程度の差はあれ、この段階の各系統のヒトたちにそれを受け入れる素地があった可能性を示すからだ。

　このように、約二五～一五万年前ごろまでのヒトは、ルヴァロワ石器にみられるような理にかなった緻密な技法を、ものづくりに駆使するようになっていた。観察と経験に基づく、かれらなりの科学的合理性の産物だ。また、ルヴァロワ技法のような複雑な文化情報を共有・伝達する仕組みを築きつつあった点も、旧人段階の大きな進歩である。

神を思う人びと

　いよいよ、五万年前のビッグバンに近づいた。日本列島へのヒトの登場もまもなくだ。

　約一五万年前、アフリカのホモ・ハイデルベルゲンシスのなかから、新しい特徴をもった人びと

人類の進化と石器技法

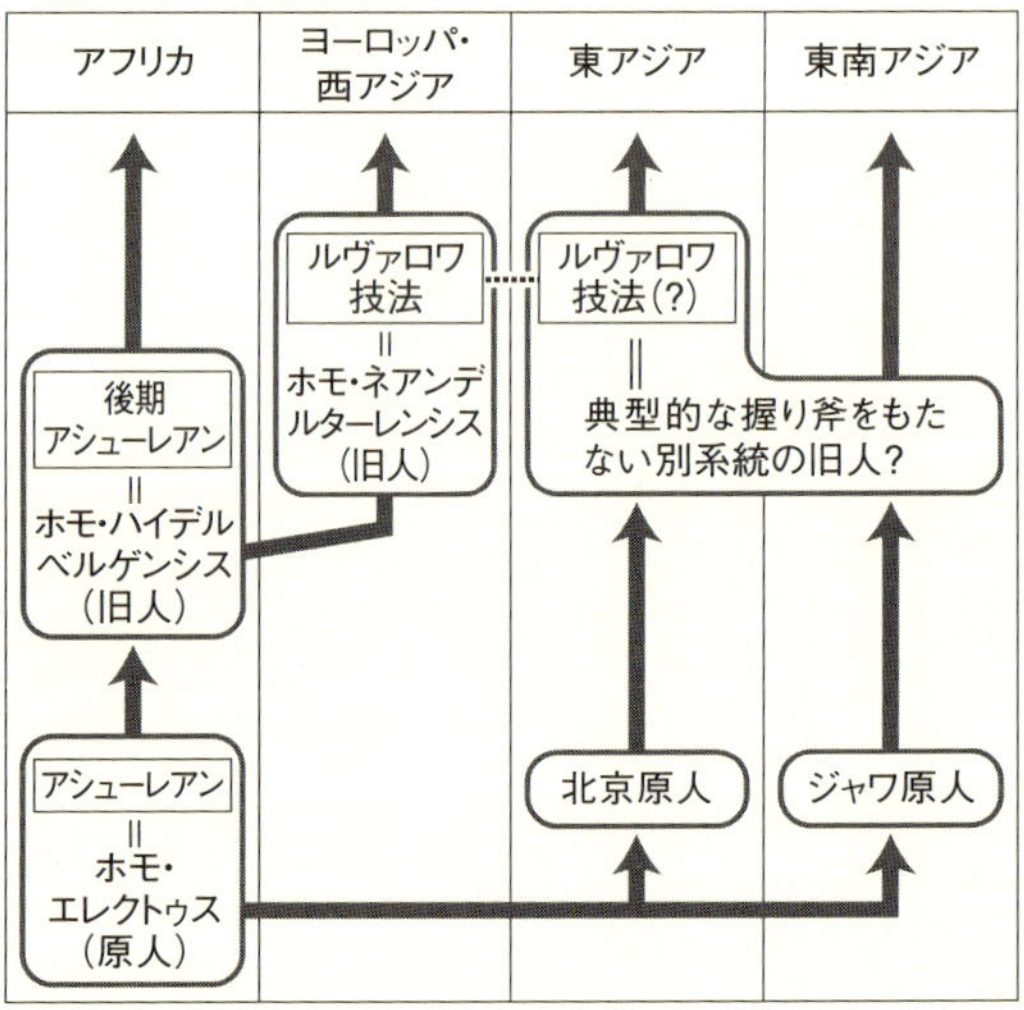

◉系統によって異なった技術
旧人は世界各地で別々に進化し、石器づくりなどの技術も旧人の系統によって異なったとされる。だが、ルヴァロワ技法のように、系統の差を超えて技術が伝わることがあった可能性もある。

が現われる。ホモ・サピエンス、つまり私たちだ。丸く高い頭蓋骨《ずがいこつ》、平たい顔面とはっきりとした顎《あご》の突出、比較的長い手足、などの身体的特徴のほか、著しいのは脳の進化である。

ホモ・サピエンスすなわち新人《しんじん》（現生人類）の脳の発達は、やはり、かれらが生み出した道具から読みとることができる。ひとことでいえば、原人《げんじん》の段階で獲得していた美の感覚やそれを物質に表わそうとする性向と、旧人《きゅうじん》段階のものづくりで顕在化していたさらに合理的な知識体系とが新人段階において総合された、とでも表現できるだろうか。具体的にみてみよう。

まず目立つのは、道具の緻密《ちみつ》さだ。打ち割った石の本体ではなく、かけら（剝片《はくへん》）のほうに手を加えた石器（剝片石器）は、すでに旧人の段階からしだいに増えてはいる。だが、ホモ・サピエンスの段階になると、石材の目を知りつくし、特定の箇所に絶妙にコントロールした打撃を加えてやることによって、石刃《せきじん》と呼ばれる形のそろった長い剝片を連続的にとる技法が確立した。かれらなりの科学と物理の経験的知識を織り込んだ高度なものづくりだ。旧人のルヴァロワ技法の合理性をもっと徹底させたものといえるだろう。

つぎに注目すべきは、旧人段階の握《にぎ》り斧《おの》にみられた左右対称と表面の質感とがさらに強調された精製の石器である。ヤリの先だというのは間違いない。しかしこれが、実用に要する程度を超えて形や質感に凝《こ》り、認知的誘引性を追求した末の産物であることもまた疑いない。技術の進歩と相まって、美の物質的表現もさらに顕著になったということだ。

そして、ホモ・サピエンスの物質文化の最大の特徴といわれるのが、「象徴的器物」と呼ばれる一群である。人間や動物、あるいは半人半獣の塑像《そぞう》・洞窟壁画《どうくつへきが》・装身具など、生産や生活のための実用機能をもたない、見て感じるということだけのためにつくられた人工物だ。とりわけ、半人半獣の塑像は、このような架空の存在を頭の中に生み出す抽象的思考やアナロジー（何かの形状を類似する別物になぞらえること）の能力、すなわち認知特性をかれらが進化の過程で獲得していたことを物語る。

こうした架空の存在やそれがもつ超自然の力を信じることと、人びとの生得的な欲求や望みとが結びつくところに、神や宗教の源《みなもと》があるに違いない。半人半獣像の出現は、ホモ・サピエンスの認知特性のなかに、神や宗教を生み出す素地が織り込まれていたことを示す。この素地と、石刃技法に示される技術の進歩、および精製石ヤリにみられる美の表現志向の三者が総合されたことが、物質文化のビッグバンと呼ばれる現象なのである。

3

◉ライオン人間
ドイツで見つかった、三万数千年前の象牙製の半人半獣像。高さ三〇cm。架空の存在を頭の中に生み出す抽象的思考能力を、当時のホモ・サピエンスはすでにもっていた。

なぜ人工物は進化するのか

ただし、ホモ・サピエンスの登場と同時にビッグバンがみられるわけでないことには注意がいる。ホモ・サピエンスの登場は一五万年ほど前。今のところ、最古の確かな象徴的器物といわれるのは、南アフリカのブロンボス洞窟《どうくつ》で見つかった線刻文様《せんこくもんよう》つきのオーカー片（赤色顔料の原料となる酸化鉄鉱石）と巻貝《まきがい》製の玉飾りで、約七万五〇〇〇年前のものだ。石刃《せきじん》や塑像《そぞう》などとともにビッグバンが本格化するのは約五万年前。精製石ヤリや洞窟壁画は三万年前より新しいものがほとんどだ。

　この時間差については、諸説ある。なかでも、化石人骨からわかる身体の形よりも、そこからはわからない脳の内部の仕組み、すなわち認知のほうが遅れて進化したとする考えは、有力な見解のひとつだ。ビッグバンを生んだ脳の急速な進化を、一種の突然変異の結果とみる説もある。二〇〇五年（平成一七）にイギリスのシェフィールドで開かれた理論考古学会の基調講演では、超新星の爆発による地球への物理的影響がその引き金になったとする仮説が紹介され、参加者を驚かせていた。

　そのような可能性も皆無ではないだろう。しかし、人工物は、あくまでも社会的な行為の産物だ。半人半獣の塑像に代表される、ビッグバンと評されるような複雑で精緻《せいち》な人工物も、ホモ・サピエンスの進化した脳と身体から生じてはいるが、直接にはそれを必要とする複雑な社会関係が導き出したものと考えなければならない。脳と、それが生み出す人工物の進化を導いた直接要因は、社会関係の進化だ。そしてさらに進化した脳が、複雑になった——美や神を体現した——人工物を媒介とし

4

◉最古の「象徴的器物」
南アフリカで見つかった、線状の文様がついた七万五〇〇〇年前のオーカー片。実用機能とは無縁の象徴的な意味をもたせた器物としては、人類最古のものとされる。

て、より複雑な社会を織りなすようになったのである。

猿人《えんじん》から私たちホモ・サピエンスまでの身体・脳と人工物の進化史を長々と述べた。早く日本列島の歴史を語らないか、とイライラしてきた読者も多いだろう。しかし、ラジオの回路についての知識なしにそこから出る音を科学的に説明できないのと同じように、ヒトの認知や身体についての理解なしに、それが生み出した道具や社会の本質を見抜くことはできない。アフリカに生まれたヒトがおよそ七〇〇万年かけて日本列島にたどり着くまでの進化の歩み、いいかえれば、日本列島に最初に現われた人びとの身体と脳の中にこそ、列島文化の基本設計と前史がある。この本でゴールとする古墳《こふん》社会とその形成過程の真の解明へと飛躍するための助走路として、ご容赦いただきたい。

列島上陸

日本列島の最初の足跡

いよいよ、日本列島最初のヒトについて語っていくことにしよう。

アフリカを発したヒトが、アジア大陸を横断し、あるいは海岸伝いに、日本列島にたどり着いたのはいつだろうか。可能性は二つ。ひとつは、二五～一〇万年前、ジャワ原人《げんじん》や北京《ペキン》原人の流れをひくアジア系の旧人《きゅうじん》が列島にまで来ていた可能性。もうひとつは、それよりのち、おそらく五万年前よりあとに、西から来たホモ・サピエンスがアジア系旧人を圧倒しながら広がり、初めて列島に達した可能性だ。

　誰もが認める列島最古のヒトの存在証明は、出土した地層の検討と理化学的年代決定法によって約四万年前のものと判定されている石器である。打ち割った石の、かけら（剝片《はくへん》）のほうに手を加えた小型の剝片石器や、ナイフのような形に整形された石器で、動植物の加工に使った道具とみられる。旧石器《きゅうせっき》時代を前期・中期・後期の三つに分けるヨーロッパの時代区分に当てはめると、後期に属する。ホモ・サピエンスの手になるものだろう。ただし、岩手県遠野《とおの》市の金取《かねどり》遺跡からは八万年前までさかのぼるといわれる石器も見つかっていて、それが確実だとすると、列島最古の石器は、ホモ・サピエンス到来以前にやってきていた旧人がつくった可能性が出てくる。

　かれらが何者であったにせよ、氷河時代といわれる現在よりはるかに寒い気候のなか、海水面も時に

ヨーロッパと日本の旧石器時代区分

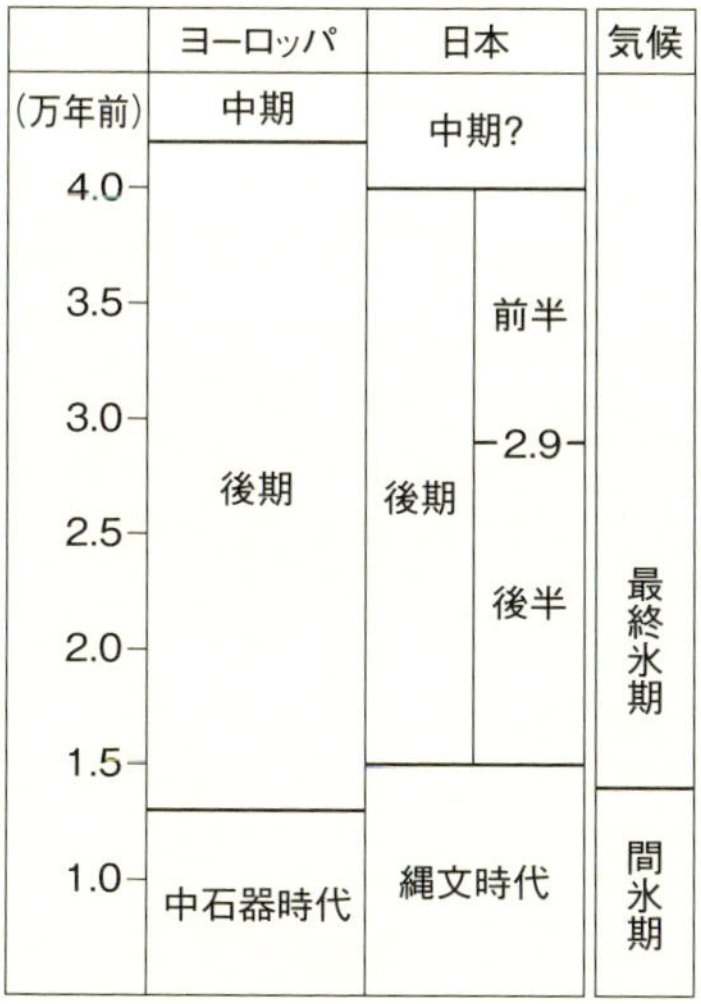

一〇〇メートルほども低くなった何度かの機会に、現われた陸地や、狭くなった海面伝いに大陸から渡ってきた人びとだというのは確かだろう。この渡来が、新天地開拓の意図をもった植民のように短期間でなされたのか、何十、何百世代もかけて生活領域がじわじわと拡大し移動した結果なのか、今の考古学では判断不能だ。

しかし、いずれにしても、このようなヒトの動きの大きな波が、人口と資源とのバランス変化によって引き起こされるものであることは疑いない。すなわち、まだ豊かだった資源をすぐれた知力で獲得しはじめたホモ・サピエンスは、アジアでも長い目でみれば順調に人口を増やし、増えたぶんだけ、新たな資源やそれをはぐくむ領域を必要としただろう。あふれた水が低いところに流れるように、当然、そこへのピープリング（ヒトの居住開始）が生じる。このピープリングがアジアの東の果て、日本列島にまで届いた最初の確実な証《あかし》が、約四万年前の石器というわけだ。

◉列島最古の石器
武蔵野台地X層と呼ばれる地層は、石器が出るもっとも古い地層のひとつである。写真は東京都小金井市中山谷《なかざんや》遺跡から出土した、約四万年前の最古期の石器。

5

ナウマンゾウを求めてやってきた人びと

約四万年前のホモ・サピエンスが新天地の日本列島に求めた資源、すなわちピープリングの呼び水となったものはなんだろうか。寒い気候のなかで、まだ恒常的な農耕の術《すべ》も、頼るべき植物資源ももてなかったかれらにとって、最高の食料は動物の肉だったに違いない。

このころの日本列島には、今は絶えて見ることのできない大型の草食動物がいた。ゾウ、オオツノジカ、ヤギュウなどである。長野県信濃《しなの》町の野尻湖《のじりこ》立ヶ鼻《たてがはな》湖底から掘り出されたナウマンゾウとオオツノジカの骨は、約四万〜三万三〇〇〇年前の人びとが湿地に追い込んで殺したものともいわれている。これだけの骨に伴う人工物がわずか数点の骨器《こつき》類であることなどから、それを疑う声もあるが、少なくとも、ナウマンゾウを求めてそこにやってきた人びとがいた可能性は高い。この時代、これら大型動物が人びとの最大の食料源、最高の獲物《えもの》になっていたことは確かだろう。

ナウマンゾウ一頭の重さは四〜五トン。肉は、内臓や脳などをどこまで食べるかにもよるが、一・五〜二トンぶんはとれるといわれる。かりに大人二人と数人の子供たちからなる現代の核家族だったら、ホルモンも込みの焼肉パーティが一〇〇〇回ほどもできる量だ。ずっとのちの時代、大型草食獣が滅んだのちに最大の狩猟対象となったシカやイノシシならば、何十頭も一網打尽にしたのと同じことである。たくさんの人に分配したり、貯蔵用に干し肉などに加工したりしなければ消費できない。このように、大型獣を狩る社会は、一度の実入りが爆発的に大きいことが特徴だ。

このことは、当時の社会の仕組みを推しはかる手がかりになる。これまでの歴史学では、原始社会において、暮らしをともにする基礎的な社会単位が、何組ものカップルと子供たちを含む大きな集団だったのか、一組のカップルとその子供からなる小さな家族だったのか、という議論があった。

しかし、すべての原始社会に同じ社会の仕組みを想定する必要はない。むしろ、一度に得られる主要資源の量とその頻度、分布のしかたによって、基礎的な社会単位の大きさは柔軟に変化したと考えられる。のべ数千人分もの食料が一度にとれる大型獣をねらった日本列島最初の社会は、狩りにも多くの人手がかかるが、その実入りもまた多くの人で分かち合える、「みんなで労働、みんなで分配」型の経済構造をもっていただろう。もちろん、一カップルとその子供たち、という最小単位は存在したはずだが、この単位がいくつも集まった多人数からなる集団の絆《きずな》が、比較的はっきりしていた社会だったと想定できる。

　このころ、すなわち約四万年前の日本列島は、まだ人口も少なく、大型獣の骨が累々と出た野尻湖の様子からも推しはかれるように、動物資源も豊かだっただろう。動物のほか、冷温帯の森でとれるクルミやハシバミ（ヘーゼルナッツの仲間）などの木の実、ヤマブドウなどの果実も、おりおり口に入ったに違いない。一年一年をみれば、動物の移動経路が変わったり、木の実が不作だったりして厳しいときもあっただろうが、長い目でみれば、資源と人口とのバランスに、当初は十分なゆとりがあったと考えられる。このゆとりのもとで人口が着実に増えていったことは、その後、三万年前ごろまでに、遺跡や石器がその数と広がりを増している点からも明らかだ。

6

◉野尻湖の骨器

野尻湖からは、ナウマンゾウの骨を割ってつくった骨器が何点か出土している。日本の土壌は酸性のため、土中の骨は溶けてしまい、骨器が見つかることは少ない。

旧石器時代の農耕の可能性

日本列島に広がった人びとが残した石器は、北海道から九州まで、初めは同じような形をしている。上縁を刃にした台形の石器、ナイフのような形の石器、および石を打ち欠いて形を整え、部分的に磨いて仕上げた局部磨製《きょくぶませい》の石斧《せきふ》だ。柄《え》をつけ、重さと遠心力を利用して対象物を切ったり砕いたりできる高度な道具で、材質を別にすれば、現代の斧とほぼ同じ機能をもっている。台形やナイフ形の石器は動物や木材の加工に用いたらしいが、局部磨製石斧の役割については論争がある。

ひとつは、大方の読者が予想するように、樹木の伐採や加工に用いたという説だ。しかし、まだ農耕開始前で耕地も切り開かれず、大がかりな家屋もなかったはずの暮らしに、なぜ石斧が必要だったのか、という疑問は出る。そもそも、旧石器《きゅうせっき》時代のこれほど古い段階に柄つきの石斧をもつ地域など、世界でもごくまれなのだ。こういう疑問をいだいた研究者がとなえるもうひとつの説として、ナウマンゾウなどの大型動物の解体に使ったのではないか、という考えがある。

目下、二つの説はがっぷり四つで相譲《あいゆず》らずの感がある。だが、両者のどちらにとっても都合が悪いのは、この石斧が三万年前ごろまでには激減し、まもなく消えてしまうという事実だ。樹木の利用がなくなるとも考えにくいし、ナウマンゾウは

●局部磨製石斧
先にみたアシューレアンの握《にぎ》り斧《おの》とは、「斧」という通称は同じだが形や働きはまったく異なる。柄《え》の先に取り付けて用い、現代の斧や手斧（手《て》鍬《くわ》）とほぼ同じ機能を果たす。農耕に使われた可能性もあるかもしれない。（千葉県四街道《よつかいどう》市出口《でぐち》・鐘塚《かねづか》遺跡出土）

二万年前より新しい時期まで生存している。局部磨製石斧消滅の理由は、どちらの説でもうまく説明できない。

そこで浮かび上がる第三の説は、縄文《じょうもん》時代の打製石斧《だせいせきふ》について考えられているような、土掘り具または耕作具とする案だ。旧石器時代に農耕があった、などというのは突拍子もなく聞こえるかもしれないが、近年の考古学界には、そのひそかな可能性をほのめかす意見がある。たとえば、新しい進化論にも基づいて先史時代を研究するピーター・リチャーソン、ロバート・ボイド、ロバート・ベッティンガーの三人は、後期旧石器時代に農耕が根づかなかったのは、この時代特有の気候の不安定さのためだったと説く。海底の堆積物《たいせきぶつ》などを用いた過去の気候変動パターン分析によると、旧石器時代には、五〇年以下、あるいは一〇年に満たない短いサイクルでの大きな寒暖の波があったという。ところが、農耕定着のための知識の蓄積や技術の整備には、もっと長く何世代もの時間がかかる。寒いことそのものよりも、激しく寄せ返す寒暖の波がそれを許さなかったことが、農耕が根づかなかったほんとうの原因だというのだ。

この考えによると、旧石器時代の人びとは、農耕をやらなかったのではなく、やろうとしたが定着しなかったということになる。この人びとは、その年代からみてホモ・サピエンスであることは明らかだ。先にみたように、かれら＝私たちは、ものの観察に基づいた合理的な知識と洞察力を備え、類推や象徴的思考の能力をもっている。石の性質を熟知して精緻《せいち》な道具をつくり、動物の行動を分析して狩りを成功させたかれらが、植物に対してはただその実りを受けとるだけで積極的な働きかけを試みなかった、とは思えない。完全な農耕とまではいかなくても、埋めた木の実が芽生えるように土をやわらかくしてみたり、若芽を挿してみたり、下草を掘りのけたりして、よりたくさんの実入りを企てていた可能性はかなりある。ホモ・サピエンスにとって、農耕の存否は、それをある段階で考えつくことができたかどうかだけにかかっていたのではない。もって生まれた植物への興味・知識や働きかけの意欲が、農耕という活動にまで高まることを、そのときどきの環境が許すかどうかにかかっていたとみる視点も必要だろう。

その観点からみれば、日本列島の旧石器時代の局部磨製石斧は、右のような植物管理に用いられた道具とは考えられないだろうか。寒暖の波は激しかったに違いないが、この時代の日本列島は、そのための道具が現われるほどの植物管理が可能な条件に恵まれていたとみる余地がある。おそらく、三万年前ごろまでの日本列島の人びとは、ナウマンゾウやオオツノジカのような大型獣を中心とした狩りと、クルミ、ハシバミ、ヤマブドウなどの採集、およびそれらも含む植物の維持管理を生活の糧《かて》としていたのだろう。そののちに石斧が減っていったのは、気候変動の研究成果が示すように、全体としてますます気候が寒冷化し、寒暖の波も激烈化することによって、植物管理

8

◉オオツノジカ
ナウマンゾウとともに、後期旧石器時代を代表する大型草食動物。オスは手のひらのような形の角をもつ。写真は、野尻湖ナウマンゾウ博物館（長野県）が復元したもので、肩までの高さが約一・七m。

がしだいにうまくいかなくなったためと推測される。狩りへの依存が高まった様子は、ナイフ形石器や石ヤリなど、動物を倒したり解体したりするための道具が発達していくことにも見てとれる。

環に集う人びと

ここまでみてきたような、三万年前ごろまでの人びとの居所《きよしよ》の跡が、いくつか発見されている。かれらの生活の一端と心の内側を、そこから読みとってみよう。

かれらの居所を発掘すると、使った石器や、それをつくるときの剝片《はくへん》や石核《せつかく》（剝片をはがしたもとの石のかたまり）がたくさん散らばっている。これらがとくに集中する場所は「ブロック」と呼ばれ、石器の生産地点、あるいはそれも含め、石器を用いた生活場所だと考えられている。生産と生活のどちらに重きがあったか、小屋掛けやテントのようなもので覆われていたか露天だったのか、などといった議論は尽きないが、いずれにしても、当時の人びとが暮らしを営みながら、一定の時間を過ごした場所だったことは間違いない。ただし、旧石器《きゆうせつき》時代の人びとは、

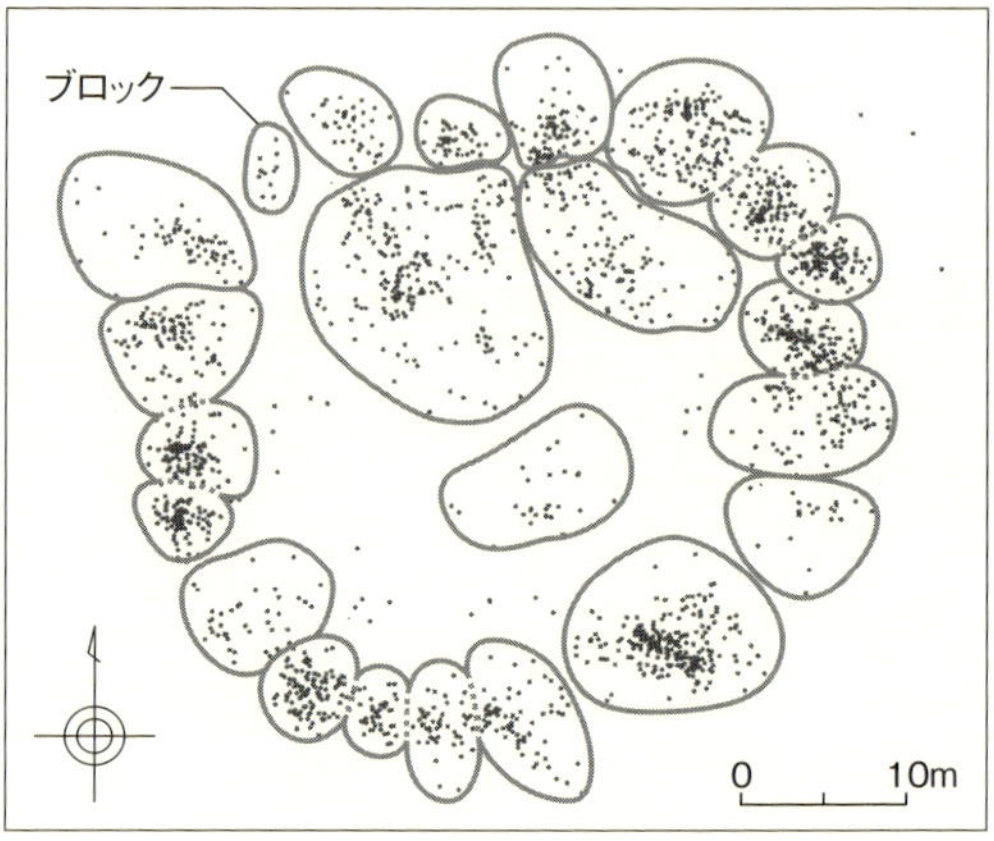

◉環状ブロック群
群馬県赤堀《あかぼり》町の下触牛伏《しもふれうしぶせ》遺跡では、石器やそれをつくるための石くずが環状に分布して見つかった。そこから、三万年前の人びとの生活場所を示すブロックや、それが複数つながったブロック群が、環を描いて並ぶことがわかる。

定住と呼べるほど長い期間、特定の場所に定着することはなかった。こうした居所も、一時的な集住の場である。

重要なのは、このブロックやその群《ぐん》が、環《わ》を描いて並ぶという点だ。おそらく、小屋掛けやテントのような、痕跡《こんせき》をほとんど残さない簡単な施設が数基から十数基、広場を真ん中にして円く並んだキャンプ地のような外観だっただろう。そのテントの一つひとつが、個人か一組のカップル、あるいは一カップルとその子供たちといった家族単位の居場所だったと考えられる。そして、それらが数組から十数組も集まってキャンプを張っている状態は、たとえば大型獣の狩猟や解体のような大仕事を行なうために、互いに近しい個人や家族が集《つど》った様子を反映している可能性が高い。

それらが環になるという現象には、深い意味がある。環になって顔を見せあうことは、ヒトがその進化の初期から獲得したと思われる、もっとも親密なコミュニケーションのとり方だ。対等の話し合いを円卓会議というように、環のまわりは、本来はどの場所も区別がない。親しみと対等性を醸《かも》し出す、自然な位置関係といえる。三万年前のヒトが、居場所を環に並べたこ

9

◉下触牛伏遺跡の復元模型
環状ブロック群が具体的にどのような姿をしていたかについては、さまざまな説がある。写真は岩宿《いわじゅく》博物館（群馬県）による復元例。

とは、かれらの間でそうした対等の関係が意識され、ホモ・サピエンスならではのアナロジーの能力によって、その関係を空間的な形に表現した結果といえるだろう。

世界各地の例や歴史上からみても、環の形をした集落や村は、比較的単純で古い、共同意識の高い社会に多い。ホモ・サピエンスの脳が普遍的に生み出す社会認識と物質表現との結びつきを、そこに読みとれる。また、環の形、すなわち円形原理の物質世界が、こんどはそこに生まれ育つ人びとの認知に働きかけることによって、親密で対等な社会関係を強めるような日常行為や儀礼を生み出していったとも考えられる。

氷期を生き抜く

石器の地方色

三万年前を過ぎると、旧石器《きゅうせっき》時代を通じて進んできた気候の寒冷化は、約二万年前のどん底に向かってますますひどくなっていく。海水は北極と南極とに厚く凍りつき、日本列島付近の海面は、最終的には一〇〇メートルほども下がったようだ。瀬戸内海は完全に陸地化し、日本海も、今よりずっとせばまった津軽《つがる》・対馬《つしま》の二海峡だけで外海とつながる内海となった。水蒸気を発散する対馬暖流が流れ込まなくなったため、冬の雪は減り、太平洋側をやっとのことで北上する弱い黒潮《くろしお》に、夏の大雨をもたらす力はなかった。全体として寒く乾いた気候が列島をつつみ、針葉樹や落葉樹を中心とする林と草原が広がっていたことが、地層から出る花粉の分析などからわかっている。列島全体が、今の北海道以北のような気候になったと考えたらいい。

こうしたなかで、およそ二万九〇〇〇年前、現在の鹿児島湾を火口とする大噴火が起こり、その噴出物は東日本にまで降り積もった。この大災害が、おりからの寒冷化や人びとの暮らしにどれほどの影響を与えたのかはわからない。だが、AT火山灰（姶良《あいら》・丹沢《たんざわ》火山灰）と呼ばれるこのときの噴出物の層は日本列島の広い範囲をカバーしているので、各地の遺跡の年代やその相互関係を知るための手がかりとして役立ち、後期旧石器時代を前半と後半とに分ける指標としても使われている。

AT火山灰より上、すなわち後期旧石器時代後半の石器のもっとも大きな特徴は、東北～中部地方北部、関東、近畿～瀬戸内、九州といった

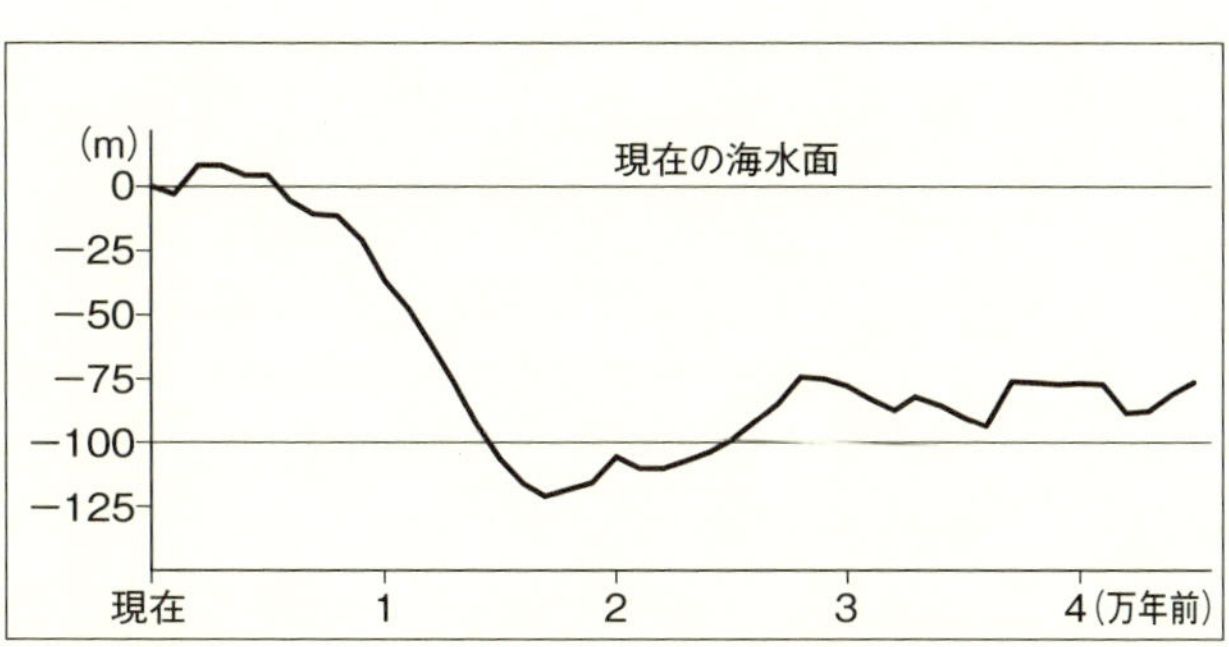

◉気候による海水面の変化
氷河の氷や湖沼の堆積物などをもとに気候を復元し、海水面の変化を推定したもの。寒冷化に伴い海水面が低下していくのがわかる。（小野有五「最終氷期の日本列島と東アジアの古環境」より作成）

地方ごとに、差異がはっきりしてくることだ。大事なのは、この地方差が、道具としての機能の違いではなく、同じ種類の道具のなかの形や技法の違いだという点である。つまり、北海道を除いてどの地方でも、ナイフ形石器という、ヤリ先としてもナイフとしても使える同じ機能の石器が道具の中心になっていくのだが、それをつくるときの技法と、できあがった形の細部に違いを見せるのである。

地方色を生み出す技

こうした、形や技法に現われた地方色は、どのようにして形成されたのだろうか。一般に、物の技術や形は、複雑になるほど多様に分かれやすい。ナイフ形石器は、まず石材の目を見きわめ、絶妙の力と方向性をもつ打撃を加えて形のそろった切片《せっぺん》（石刃《せきじん》）を割り取り、つぎにその縁《へり》を細かく打ち欠いたり、シカの角などで押しはがしたりして形を整えるという、複雑な工程と技術を要する。今の私たちが急に挑んだとしても、まずかなわない芸当だ。レベル的には現代の工芸品と同じで、これをつくりつづけるには、長年にわたる技の習得と伝授が欠かせない。

地方色の形成は、このような石器づくりの複雑化に伴って、その技が地方ごとに枝分かれして発展したことを示している。集団どうしが交流しながら動くなかで、世代から世代へと同じ技を受け継いでいく範囲として、東北～中部地方北部、関東、近畿～瀬戸内、九州といった地方のまとまりがみえてくるのである。

これらの地方は、石器のほか、腐ってしまって現代までは残らない木製や骨角《こつかく》製の道具の形や技をも共有する範囲であった可能性もある。その背後には、言葉の共有もあったかもしれない。技や慣習、言葉や身ぶり、あるべきとされる物の姿などは、その社会の人びとの心に共有された「知」に基づいている。文化とは、この共有された知が目にみえる形になったものだ。各地の特色あるナイフ形石器の形もまた、そのひとつである。

沢田敦《さわだあつし》は、各地のナイフ形石器が、それを共有することで、自分たちは同じ集団だという意識を人びとにもたせる役割を果たした可能性を説いた。石器の技と形が共通する範囲では、石器だけではなく、木器や骨角器など、そのほかの道具の技と形も共通していた可能性が高いので、かれらは同じ物質世界をつくりだしていくことになっただろう。物の形が同じで

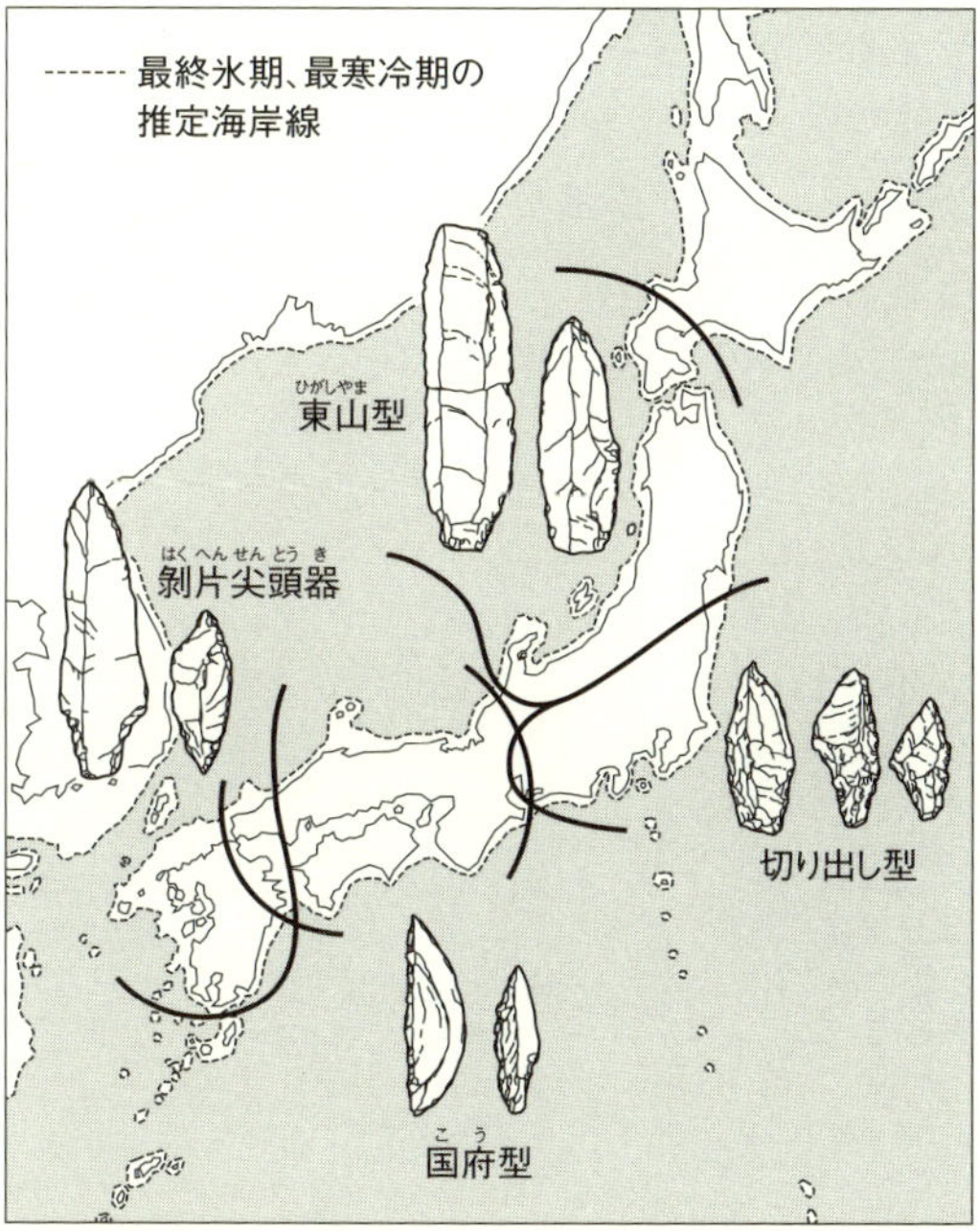

◉ナイフ形石器の地方色
断面が台形状の東山型、上半部に斜めに刃をつくりだす切り出し型、断面が不等辺三角形になる国府《こう》型、基部に着柄のための突起をつくりだした剥片尖頭器《はくへんせんとうき》。地域ごとに決まった形態の特色がみられる。（沢田敦「後期旧石器人の生活と文化」より作成）

あるという認識が、こんどはそれを共有する人びとの内輪意識のよりどころとなるのは、大いにありうることだ。このあと長い歩みを経て、最終的には国家や民族のアイデンティティへとつくりかえられていく内輪意識のうっすらとした最初の現われを、約二万九〇〇〇年前以降の後期旧石器時代後半のナイフ形石器に見てとれるのである。

ただし、この段階には、まだ日本列島全域をつつみこむような、道具の技や形などに表現された文化的まとまりの線引きはできない。石器が示す地方ごとのまとまりのうち、もっとも西の九州は、朝鮮半島と一体である。北海道ではナイフ形石器は主流とならず、石器の形や組み合わせは、シベリアなど北アジアに近い。石器に表わされた人びとの文化的なアイデンティティという視点からみれば、日本列島は、ひとつにまとまることはなく、周辺地域とも影響しあっていて、たんに地理上の枠としての意味しかもっていなかった時代だ。

石器の移り変わりの背景

以上にみてきた地方文化の発展は、気候の寒冷化によって、植物資源よりも動物資源への依存が深まった状況のなかで生じた現象である。つまり、動物を少しでもうまく狩り、解体し、加工できる石器を製作する技術が磨かれてどんどん複雑化することにより、それが地方ごとに枝分かれして、ナイフ形石器にみられるような道具の地方型式ができあがったのだ。しかし、寒冷化が底を打って温暖化に転じた二万年前以降になると、こうした動きにも変化がみられるようになる。

もっとも目立つのは、中部・関東から東北にかけて、木の葉のような形の、尖頭器《せんとうき》と呼ばれる石器が現われることだ。木の柄《え》の先に取り付け、ヤリとして用いたのは疑いない。それまでのナイフ形石器が狩猟・解体・加工のどれにでも使える万能具だったのに対し、尖頭器は、柄をつけて突き刺すという機能が重んじられ、とくに狩猟のために特化した石器といえる。そのいっぽうで、ナイフ形石器や、それと並んで解体や加工の道具として用いられてきた台形石器などの万能具は、多くの地域で小型になり、やがて消滅した。

このことは、何を意味しているのだろうか。二万年前から一万七、八〇〇〇年前までの間に、ナウマンゾウ、オオツノジカなど、長く人びとの胃袋を満たしてきた大型獣が姿を消していく。乱獲の結果という説もあるが、北海道でもマンモスゾウがいなくなったように、根本的な原因は温暖化だろう。しだいにとれなくなった大型獣のかわりに、シカ、イノシシ、ウサギなどの中小動物までをも、主たる獲物《えもの》とするほかなかったに違いない。

大型動物の希少化と中小動物への依存の高まり。旧石器《きゅうせっき》時代最後の五〇〇〇年にみられる石器の移り変わりは、列島の人びとが初めて本格的に迎えた資源と人口との緊張関係、いいかえれば環境と人間との対立のシナリオを映している。すなわち、尖頭器は、だんだんとれなくなって

◉ヤリ用の尖頭器
環境変化のために数が減少した大型獣を確実に捕獲するべく、より高い機能をめざして改良が重ねられたもの。いちばん左の長さ一〇・九㎝。（神奈川県綾瀬市寺尾遺跡出土）

きた大型獣を少しでも確実に仕留めるための技術革新の産物といえるし、ナイフ形石器などが小さくなっていくのは、獲物の小型化に応じたものと考えられるだろう。

さらに、尖頭器のなかには、細かい打ち欠きの作業（調整剥離《ちょうせいはくり》）を重ね、整った左右対称に仕上げた大型の精製品がみられる。機能よりも視覚に訴える「凝《こ》り」が盛り込まれた品だ。先に述べたアシューレアンの握《にぎ》り斧《おの》と同じように、なんらかの社会的なメッセージを発信した人工物ととらえてよい。大型動物が希少化するとき、それを狩る仕事がしだいに特別な行為と認識されるようになり、それを首尾よくやり遂げる能力をもった狩猟者は特別な人物と見なされるようになっただろう。特別な行為や人物は、しばしば、それを象徴する特別な人工物と結びつく。精製の大型尖頭器のなかには、特別な石ヤリとして、そうした役割を果たしたものがあった可能性が高い。

あとで述べるように、後期旧石器時代後半の石器は、運搬効率をよくするために、石核《せっかく》（石器の素材となる石のかたまり）などの重たい材料をあまり伴わず、製品や半製品の形で持ち歩くものが多くなる。尖頭器はその最たるものだ。特定の道具を携える時間が長くなるほど、それと持ち主との関係は深くなる。まして尖頭器は、大型の獲物を倒すという、生活と生命のかかったもっとも劇的な場で身を託す道具だ。「おれのヤリ」といった特別な所属意識が生じやすかったことも、実用を超えた凝りが盛り込まれる要因になっただろう。

人工物の凝りは、このあと縄文《じょうもん》時代から弥生《やよい》時代にかけてどんどんエスカレートし、この本のゴールとなる五世紀には、巨大古墳《こふん》やその副葬品という形で最盛期に達する。「はじめに」で述べたように、文字不在の社会では、そのまとまりや仕組みを保つ役割が人工物に託される。その最初の兆《きざ》しが後期旧石器時代後半の石ヤリだ。これが、寒冷適応した社会が温暖化という地球規模の変動に直面することによって、環境と人との間の緊張が高まった状況のなかから生み落とされたものである点に、注意しなければならない。

石器が示す人びとの移動

後期旧石器時代《きゅうせっき》後半の人びとの居所《きょしょ》は、やはり石器とそれをつくるための石核《せっかく》や剝片《はくへん》が散布する場所、すなわちブロックが手がかりになる。この時期のブロックの大きな特徴は、前半期のように環《わ》になって並ぶものが、あまりみられなくなることだ。一カップルと子供たちを基本とする最小集団そのものに変化はないだろうが、それらが環になって共同キャンプを営むというような、より大きな集団の絆《きずな》は薄くなっていた可能性がうかがえる。少なくとも、寄り集まって起居する機会や時間は減ったに違いない。大型獣がいなくなったことで、それを狩るという一大共同労働の機会が減ったのが原因だろう。同時に、獲物《えもの》の小型化により、少ない人数での労働が普通になったかもしれない。

この時期の人びとがどれほど定着して住んでいたのか、あるいは激しく移動していたのか、居場所の分析から確定するのは困難だ。石器・石材の分布と流通を調べ、人びとの移動の度合いやパターンを復元しようとした研究は少なくない。しかし、同じデータから、ある人は石材獲得のための片道百数十キロメートルもの遠征を含んだ定期的遊動を説くのに対し、別の人は、狭い領域内を巡回する集団が石材をリレー式に送達する様子を想定するなど、結論が出ないのが実情だ。遺跡でみられる微細な現象に、あまり多くのことを語らせようとしすぎると、しばしば収拾のつかない理屈の争いになってしまう。

むしろここで注目すべきは、一万七、八〇〇〇年前に近づいてくると、最小の石材からできるかぎりの道具をつくりだそうとする、細石刃《さいせきじん》という新しい石器づくりの手法が各地に現われることだろう。石核から、時にはシカの角などで押しはがす技術なども用いて、幅一センチメートルにも満たない微小な石の刃をそぎ取っていく。この小さな刃を、木の柄《え》に彫った溝に植え込んで使ったらしい。柄の形と刃の並べ方しだいでナイフにもヤリにもなるという、たいへん便利な組み合わせ道具だ。その道具づくりの合理性と、究極までに洗練された技術には、先にみた凝った石ヤリとは反対方向での、ホモ・サピエンスの物質文化の真髄《しんずい》をみる思いがする。

細石刃の最大の利点は、わずかな石材と道具があれば、どこででも、必要に応じて好きな形の道具をつくりだせることだ。ただし、これは日本列島で生み出されたものではなく、南北いくつかのルートで大陸から伝わってきたものらしい。おそらく、ユーラシアの各地で、寒冷適応してきた社会が温暖化という環境変化に直面し、生き残るために考え出されたさまざまな道、すなわち生存戦略がさぐられるなかで、四季の獲物や植物の恵みを追ってひんぱんに居を移す遊動性の高い生活が一般化したのだろう。機動性と柔軟性とを最大限に追求した細石刃の手法は、このような遊動の多い生活形態に適応して発達してきた技術とみられる。
細石刃の技術とそれに応じた生活が一般化したのが、大陸から大量の人びとが渡ってきた結果なのか、もともと列島にいた人びとが積極的にそれを受け入れた結果なのか、判断は難しい。だが、細石刃そのものが物語る生活の遊動的性格からみて、前者の想定、すなわち、かなりの人口が大陸から列島へと移動してきた可能性を考えておくべきだろう。

岡山県北部の鏡野町《かがみの》にある恩原《おんばら》遺跡では、東北以北に由来する細石刃技術をもった石器が、東北産とみられる石材と一緒に出た。調査にあたった稲田《いなだ》孝《たか》司《し》は、東北から日本海沿いにはるばる数百キロメートルも遊動してきた集団がそこにいたと説く。当時の集団のダイナミックな遊動性を裏付ける資料だ。こうした遠距離遊動は、列島内部だけでなく、時には大陸から列島へ、列島から大陸へという広い範囲に及ぶこともあったに違いない。

以上のように、日本列島の旧石器時代が終わりに近づいたころの人口流動性の高さは、かなりのもの

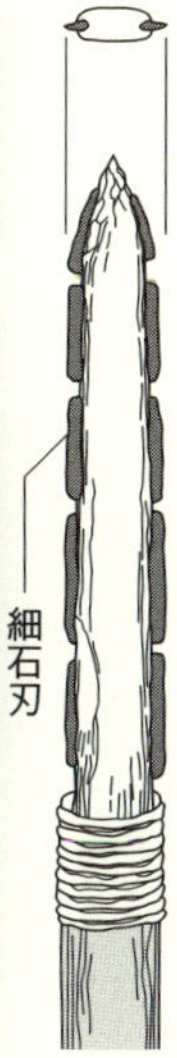

11

◉細石刃の使い方
細石刃《さいせきじん》は、木あるいは骨角の柄《え》に彫った溝に埋め込んで、ナイフやヤリとして使われたとされる。国内では細石刃が埋め込まれた状態での出土例はないが、海外では出土例がある。写真はシベリアで見つかったもので、柄は鹿角製。

だったと想定できる。この流動性の高まりと、先に考えた小集団の自立の強化、およびそれらをまとめる大集団の絆の衰退には、密接な関係があるだろう。大陸からの流入も含んだ激しい人の動きと、それに伴う伝統的な集団間関係の弱体化は、ナイフ形石器の時代に生み出されていた地方の文化的なまとまりや地縁的な内輪意識を、ひとたび押し崩すことになったようだ。

縄文前夜

温暖化と神子柴型石器の登場

一万七、八〇〇〇年前より新しい時期になると、温暖化はさらに加速する。それまで多かった寒々しい針葉樹は減り、ナラ、ブナ、クリなどの落葉樹が、桜前線さながら列島を北上するように増えていったことが、出土花粉の分析などからわかっている。海面は上昇して、広くなった対馬《つしま》海峡から日本海に暖流が流れ込むようになり、太平洋側を北上する黒潮《くろしお》も力を増した。四国と中国の間にも海水が入り込んで、瀬戸内海ができた。それに伴い、後期旧石器《きゅうせっき》時代の人びとの生活跡の多くが海の底に沈んでいった。つまり、旧石器時代の研究は、当時の高地に住んでいたひと握りの人びとの遺跡だけを相手にせざるをえないという限界があるのだ。これから述べる縄文《じょうもん》時代への移行のときに、どのような人口変動があったのかという肝心の点が、残念ながらわからない。

しかし、いくつかの注目すべき現象がある。石斧《せきふ》の再登場や石ヤリの「凝《こ》り」の究極化などだ。これらの要素が複雑に入り組んで現われるのが、旧石器から縄文に移り変わる時代の大きな特徴といえる。

石斧と石ヤリは、一万七、八〇〇〇年前から一万五、六〇〇〇年前に、列島の広い範囲で目立つようになり、しばしば一緒に出土する。石斧は、打ち叩《たた》きによってだいたいの形をつくったあと、刃の周辺を研《と》ぎ出して仕上げた局部磨製《きょくぶませい》の石斧だ。かたや石ヤリは、細かい打ち欠きにより、驚くほど薄く大きく左右対称に仕上げられていて、凝りを究極にまで推し進めた精製品である。この印象深い大型石ヤリと石斧は、最初に調査された長野県南箕輪《みなみみのわ》村の神子柴《みこしば》遺跡の名前をとって、神子柴型と呼ばれている。神子柴型の大型石ヤリと局部磨製石斧は、関東・中部高地など東日本を中心に広がるが、西日本にもある。

これと並行して、前の段階からの細石刃《さいせきじん》を主体とする遺跡も見つかるので、おもに細石刃を装備する集団と、大型石ヤリと局部磨製石斧とをもつ集団とが、各地で相対峙《あいたいじ》していたかのようにみえる。両者の石器の対照的なあり方が、生活の形の違いまで反映しているとすれば、激動する環境のなかで生存戦略を異にする二つのタイプの集団がせめぎあっていた様子を想定できるかもしれない。

ただし、双方の石器をもつ遺跡も見つかっているので、実際には相互の交流もあり、互いに開放的で、両方の戦略を取り入れた折衷的な人びともいたと考えるべきだろう。

道具に現われた生活の違い

二つのタイプの集団にみられるそれぞれの生存戦略とは、具体的にはどのようなものだったのだろうか。細石刃《さいせきじん》の背後に想定できるのは、先にもみたように、最小限の装備を携えて遊動する、機動性の高い生活だ。「凝《こ》り」よりも機能的合理性を、道具に求める社会である。フットワーク重視の社会といえるだろう。

これに対し、神子柴《みこしば》型の大型石ヤリと局部磨製石斧《きょくぶませいせきふ》をもつ社会は、道具への凝りやこだわりが著しい。派手な物質文化をもつ社会、ともいえる。大きく美しく、ひたすら見た目を追求した大型石ヤリは、かなりの石材と手数と時間とをつぎ込んだわりに、薄くて壊れやすいという機能的欠点をもち、経済的には不合理な人工物だ。使うことよりも、つくることそのものを楽しみ、技を競い、出来栄えに陶酔し、「ほら見ろ」と誇示するための道具にみえる。つまり、経済的な実質価値より

12

◉神子柴型石器
左が神子柴遺跡出土の大型石ヤリ（全長二五・二cm）。「凝り」を究めた左右対称が印象的。だが、薄くて壊れやすく実用性には欠ける。右は長野県上田市の唐沢《からさわ》B遺跡出土の局部磨製石斧（全長二三・五cm）。

も、そのような認知上の付加価値、メッセージ性に満ちた品物なのである。

先にみた神子柴型より前の大型石ヤリ（尖頭器《せんとうき》）は、大型獣が減るなかで、それを狩るという仕事や狩猟者が特別視されるようになったり、そのなかで狩猟者との個人的な結びつきが強まったりしたしるしとして、凝りが生じたと考えた。神子柴型の大型石ヤリの凝りも、おそらく同じように、特別な狩りの道具という意識から発したものだろう。違うのは、その凝りがエスカレートしてついに実用的機能を失うまでに至った点のほか、特定の箇所に集められたり、埋め置かれたりした状態で見つかる場合があるということだ。

これこそは、神子柴型の大型石ヤリが、先にみたメッセージ性ゆえに、当時の社会のなかでも特別な場で用いられたことの証拠だろう。それが儀礼の場だったのか、交換のための備蓄所だったのか、具体的なことは知る由《よし》もない。ただ、純粋な生産活動のなかではなく、財のやりとりやまつりなどの社会的コミュニケーションのなかで、大型石ヤリが重要な役割を演じていた可能性を指摘できれば十分だ。

ネットワーク社会へ

大型石ヤリのような、実質上の機能よりも認知上の付加価値、すなわちメッセージ性が高い人工物の発達は、このような社会的コミュニケーションが活発になり、言葉や行為に加え、人工物もまたそこで重要な働きをするようになった社会を反映している。人と人との関係づくりに物が大きな役割を果たすようになり、ついには、そうした役割を演じるべくつくられる品物が現われた社会、ともいえるだろう。さらに、大型石ヤリが特別な場で用いられた痕跡《こんせき》が、神子柴《みこしば》遺跡などでは、集落から離れた見晴らしのいい場所で見つかることから、社会的コミュニケーションが、集団内部だけでなく集団どうしでも盛んだった様子がうかがえる。

大型石ヤリに伴う局部磨製石斧《きょくぶませいせきふ》は、刃先が丸ノミのように湾曲する鋭いものを含み、後期旧石器《きゅうせっき》時代前半の石斧よりは、伐採具や木材加工具としてふさわしいものが多い。だとすると、神子柴型の集団は、森を切り開いて木材で住まいを仕立てるような、あまり遊動性の高くない生活をしていたことになる。少なくとも、道具の「凝《こ》り」や無駄を切りつめて機動性を追求する細石刃《さいせきじん》の社会とは、大きく異なった生活戦略をもっていた可能性が高い。つまり、それぞれの集団が高いフットワークで資源を追いかけるのではなく、ある程度腰を落ち着けたうえで、ほかの集団との活発なコミュニケーションを通じてネットワークを築き上げ、それを互いに利用して危機を乗り越えていくというタイプの社会を、神子柴型の集団は志向していたようなのだ。

旧石器時代の末期に起こった温暖化という変化は、人と環境との緊張関係を醸《かも》し出し、そのなかからさまざまな生活戦略が生み出された。細石刃の集団のようにフットワークを追求するのも、神子柴型の集団のようにネットワークを強化するのも、ともに環境の変化への対応の新たな展開といえる。両者が複雑に入り混じって盛衰を繰り返すようにみえるのは、この温暖化が、時に寒冷な時期もはさんで激しく揺れ動きながら進んだことと関係しているのかもしれない。

しかし結局、つぎの縄文《じょうもん》時代にたくさん生き残り、その主役となっていったのは、ネットワークを重視するタイプの社会だった。腰を落ち着けての生活に必要なたくさんの道具や不動産をつくりだし、個人どうしや集団相互の関係づくりに大きな役割を果たすためのさまざまな凝りを人工物に盛り込むネットワーク社会のひとつの典型が、これからみていく縄文社会だ。生活の定着と人工物の凝り。それを先取りするかのようなネットワーク強化の社会が、フットワーク追求の社会と張り合いながらも、すでに縄文前夜の列島各地で一定の展開を見せていたことが、旧石器から縄文への移行を考えるうえで重要だろう。

おもな石器の変遷

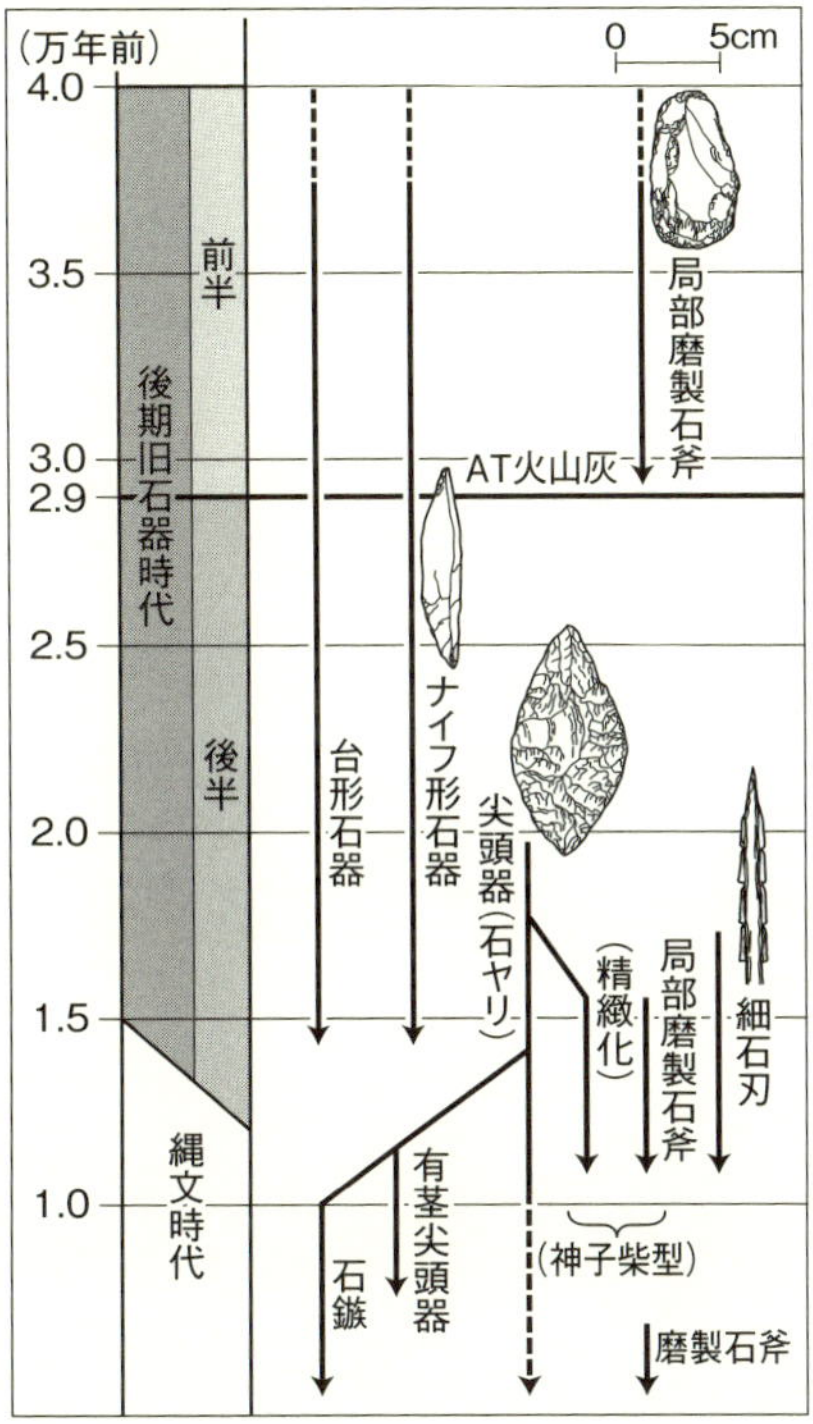

コラム1

物の年代はどうしてわかるか?

遺跡を調査して土器や石器などを掘り出しているとき、見学者からもっともよく聞かれるのは、「なぜそれらの年代がわかるのですか?」という質問だ。

考古学で扱う年代には、相対年代と絶対年代とがある。物と物とを比べて「どちらが古いか」というのが相対年代、ある物が「どれぐらい古いか」というのが絶対年代である。絶対年代は「何年前」「何世紀」といった数値で表わされるが、相対年代には数値がない。

相対年代を導くのは、考古学だけの仕事だ。この仕事には、型式学・層位学という二つの柱がある。型式学は、物を分類し、形の変化を見定めて新古の順に並べる方法論で、その作業を編年という。層位学は、下の地層ほど古いという地質学の原則に基づいて、遺跡の地層の形成過程を追う方法論だ。型式学で古いと判断された物が下層から、新しいと判断された物が上層から出れば、編年の正しさが証明される。

型式学と層位学とで新古の判断が異なった場合、層位学の判断を優先すべきとする人が多い。型式学の判断が研究者の認識によるのに対し、層位学の判断は物理的な絶対性に基づくからだ。ところが、層がかき乱されていたり、人や動植物などによって物が別の層に動かされたりしたことを見破れなかったとき、層位学優先の判断も誤りに陥る。二〇〇一年（平成一三）に発覚した旧石器《きゅうせっき》遺跡発掘捏造《ねつぞう》事件は、ある研究者が、深い（＝古い）地層に故意に埋めておいた新しい時代の石器を、そこから発見されたように偽装した出来事だ。多くの研究者は、これらの偽装石器が、深い層から出たものとしては型式学的に新しいと認識はしていた。だが、層位学優先の姿勢、出土状況の確認不足、ならびに考古学研究者によくある「すごい物を見つけたい」との野心から、新しい型式の石器が古い時代にもあった、という魅惑的な、しかし間違った判断に走ってしまったのである。

絶対年代には、年号を記した品物（記年資料）を手がかりに、その周辺の物の年代を決めていく考古学的な手法と、物やそれを含む地層を科学的に測定して年代を導き出す理化学的な手法とがある。物の有機質に含まれる放射性同位元素炭素14の量からそれが由来する動植物の死亡年代を測る放射性炭素年代測定法、年輪幅の広狭のパターンから木材の伐採年を知る年輪年代法などが、日本ではよく用いられている。

国立歴史民俗博物館（歴博）の研究グループが二〇〇二年以降に公表しつづけている放射性炭素年代測定法のデータは、微量の炭素で迅速に測定できるＡＭＳ

という新手法を取り入れたものだが、弥生《やよい》時代の開始が従来の測定値より約五〇〇年もさかのぼるなど、予測よりもずっと古い年代を出すので、考古学界に衝撃を与えている。記年資料からリレー式につなぐ考古学的手法によってきた研究者と、歴博のグループやそれを支持する研究者との間で激しい論争が展開されていて、決着はやや先になりそうだ。この本では、歴博側のデータを私なりに調整した年代を用いておくことにした。

年代をめぐる論争は、考古学の方法論を鍛えるよい機会だと思う。私は、どちらの側が感情的なこだわりをもたずに冷静な言葉で議論をしているか（つまり、科学的な判断ができているか）、という点に注意しながら帰趨《きすう》を見守っている。

◉銅鐸の編年

銅鐸《どうたく》は、吊り手（鈕《ちゅう》）の形状によって新古が定められている。断面が菱形で装飾のないAがいちばん古く、薄い外縁《がいえん》のついたB、外縁と内縁がついたC、外周に高く突出した線（突線《とっせん》）がついたD、突線が肥大したE、と新しくなる。

1
A　菱環鈕(りょうかんちゅう)式

2
B　外縁付鈕1式

3
C　扁平鈕(へんぺいちゅう)2式

4
D　突線鈕1式

5
E　突線鈕4式

第二章

海と森の一万年

縄文時代前半

風は南から

腰を落ち着けた生活

九州最南端の鹿児島は、四季を通じて温暖で、亜熱帯植物の緑がまぶしい土地だ。列島本土のなかでもひときわ暖かいという気候上の特性は、旧石器《きゅうせっき》から縄文《じょうもん》へと時代が大きく移り変わる一万五〇〇〇年前のころも同様だった。それまでの落葉樹に交じって、照葉樹と呼ばれる、つやつやとした緑の葉が冬にも枯れ落ちない木々が、ほかの地方に先がけて茂りはじめていたようだ。

旧石器時代と縄文時代との境界線をどこにもっていくのか、という問題については、研究者の間でかなりの幅がある。たとえば、先の神子柴《みこしば》型の社会を、縄文に含める人もいる。そうしたなかで、最古級の縄文社会の遺跡と誰もが口をそろえて認めるものが、この南九州の鹿児島の地でつぎつぎと発見されている。では、どのような理由から、それは縄文社会の所産と太鼓判《たいこばん》を押されているのだろうか。旧石器の遺跡とどこが違うのだろうか。そのあたりを追究することによって、旧石器社会と縄文社会の違いや、旧石器から縄文への時代の移行がもった歴史的な意義を、まず明らかにしておきたい。

縄文時代区分表

前半期	草創期	15,000〜11,000年前
	早　期	11,000〜7,000年前
	前　期	7,000〜5,500年前
	中　期	5,500〜4,500年前
後半期	後　期	4,500〜3,200年前
	晩　期	3,200〜2,800年前

南九州でも最古といわれる縄文遺跡の代表格に、鹿児島市の掃除山《そうじやま》遺跡がある。年代は、約一万三、四〇〇〇年前。研究者は、一万年以上も続く長い縄文時代を、おもに土器の特徴の変化をものさしとして草創期《そうそうき》・早期《そうき》・前期《ぜんき》・中期《ちゆうき》・後期《こうき》・晩期《ばんき》の六つに分けるが、そのうち最初の草創期に属するものだ。

桜島《さくらじま》をのぞむ台地上にあるこの遺跡からは、斜面を直径数メートルに掘りくぼめた跡が二つ見つかった。竪穴《たてあな》住居と呼ばれる家の跡だ。掘りくぼめた内側に木の柱を立て、柱の上端どうしに横材をわたして梁《はり》とし、周囲から木を梁に立てかけて、その枠組みに屋根をかけた簡単な住居である。旧石器時代には、掘りくぼめ、柱立て、梁わたし、屋根がけという工程からなる確実な住居は認められていない。これほどの工程をかけて起居する場所をつくりつけるのは、そこで一定の期間、腰を落ち着けて過ごそうという意思の表われだろう。このような、特定の土地に落ち着く計画的意思、ないしは生活戦略がはっきりと打ち出されたことが、旧石器社会と明確に区別される、縄文社会のいちばんの特徴だ。

掃除山には、竪穴住居のほか、石を敷いた炉《ろ》のような施設もあった。また、斜面に二つ並べて穴を掘り、それらをトンネル状につないだ不思議な仕掛けも発見された。子供のころ、砂場につくったトンネルのよう

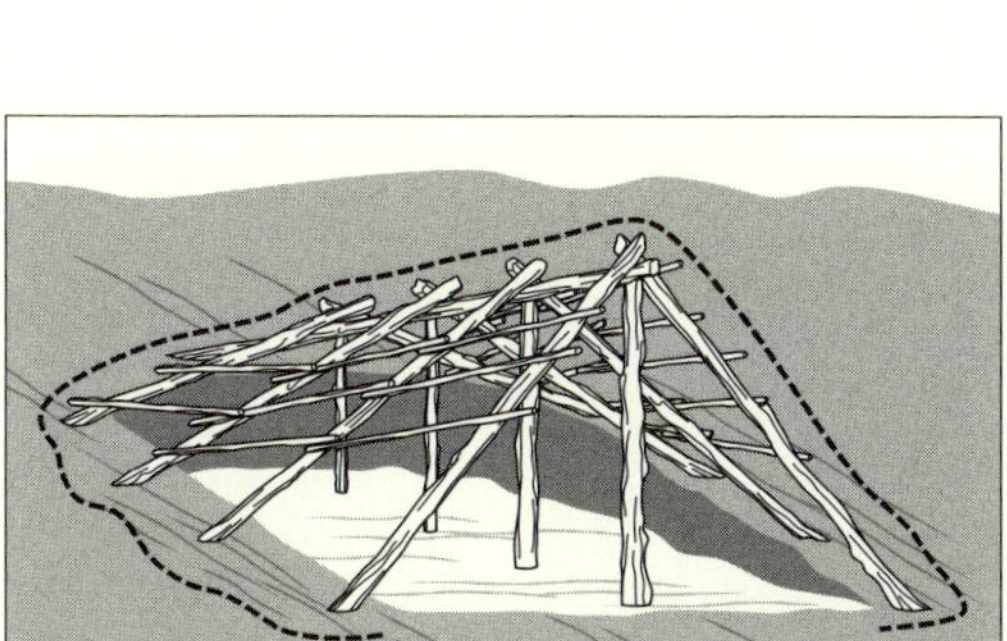

●斜面の竪穴住居
掃除山遺跡の斜面に建てられた竪穴住居の復元図。斜面の下側から出入りしたと考えられる。（浅川滋男の復元案などより作成）

だが、これは一方の穴で火を焚《た》き、もう一方の穴で肉などをいぶした、造り付けの燻製器《くんせいき》だと考えられている。いうまでもなく燻製は、生の食料を長く貯蔵しておくための方策のひとつだ。

食料貯蔵についてのさらに確かな証拠として、同じ鹿児島県の志布志《しぶし》市にある東黒土田《ひがしくろつちだ》遺跡では、ドングリを貯《たくわ》えた穴蔵《あなぐら》（貯蔵穴）が見つかっている。現代なら、さしずめ冷蔵庫というところか。このような食料貯蔵のための設備も、そこに腰を落ち着けて暮らす意思の表われといえるだろう。

家財道具の出現

特定の土地を拠点にする暮らしぶりが生み出すものとして、今述べた住居や貯蔵設備のほか、たくさんの家財道具がある。その代表が石皿《いしざら》とすり石、そして土器だ。石皿は、上面にわずかな凹《くぼ》みのある大きな鏡餅《かがみもち》のような形の石。凹みのところにドングリなどを載せ、円いこぶしのようなすり石ですりつぶす。現代のすり鉢とすりこぎにあたる、植物性食料のための調理用具だ。

土器は、旧石器《きゅうせっき》時代終わりごろの神子柴《みこしば》型の石斧《せきふ》・石ヤリにもわずかに伴う例があるが、縄文《じょうもん》時代に入ると量が増えはじめる。ゆがく・煮る、といった水を用いる加熱法が必要な炭水化物、すな

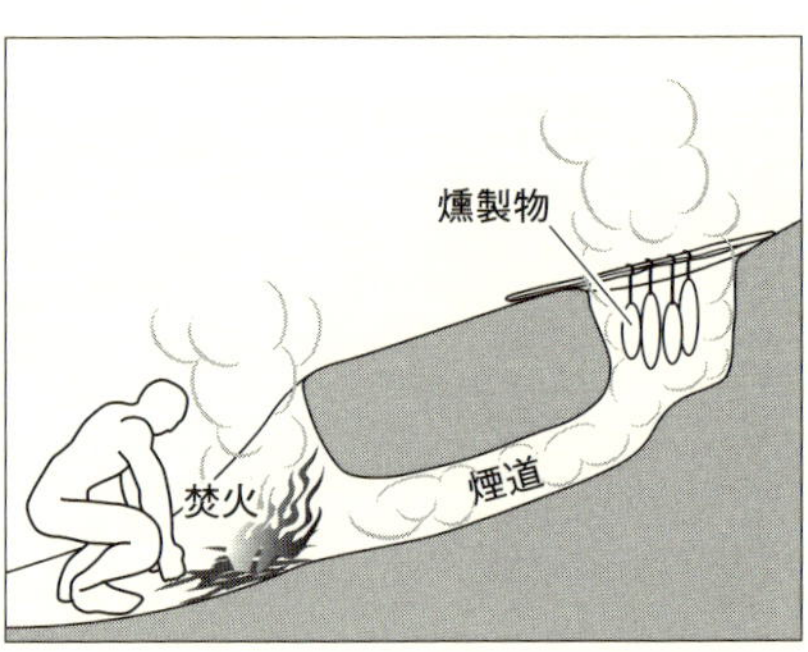

◉造り付けの燻製器
「煙道付炉穴」と呼ばれる、肉などをいぶす装置。掃除山遺跡では、斜面に建てられた竪穴住居のすぐ横の地面につくられていた。

わちドングリなどのナッツ類を中心とした植物性食料を調理する機会が、ひじょうに多くなったことの反映だろう。

　調理のための家財道具が増えると、移動は難しくなる。これもまた、腰を落ち着けた生活への志向が高まったことの表われと考えられる。ただし、掃除《そうじ》山《やま》遺跡は、住居も少なく建て替えた跡もないので、何十年間もにわたる生活場所ではなさそうだ。また、同じく縄文草創期にあたる南さつま市の栫ノ原《かこいのはら》遺跡は、たくさんの家財道具をもつけれども、涼しい北向きの斜面で竪穴《たてあな》住居の痕跡《こんせき》がないことを理由に、地上式の掘っ建て小屋で暑さをしのいだ夏の居所《きょしょ》だったという人がいる。その場合、掃除山のように暖かい南斜面で竪穴住居をもつ場所が冬の居所だったことになる。この説は、北西アメリカ原住民などにみられる「夏のムラ・冬のムラ」をヒントに、定住というにはまだ不完全な居住形態を想定したものだ。

　だが、しっかりした住居を建て、炉《ろ》や貯蔵施設をつくりつけ、石皿や土器のような重たい家財道具をもつのは、それが無駄にならない程度の期間は腰を落ち着けようという、生活拠点づくりの意思の表われだろう。夏と冬の居所を分けていた可能性も十分に考えられるが、つぎの季節がめぐりくればまたその施設に戻って暮らすという前提がはっきりし

1

●家財道具の出現
掃除山遺跡出土の、縄文土器（右）と石皿・すり石（左）。南九州の縄文草創期の土器は、このような浅鉢《あさばち》形のものが多い。

ている点で、旧石器時代の遊動とは性質が異なる。かりに季節的な住まいであっても、そこが自分たちの帰る場所だ、においと記憶がしみこんだところだ、という強い心理の芽生えが、こののち、人びとと特定の場所との間に絆《きずな》が深まっていく大きな契機となった。

暮らしのなかの狩り

気候が温暖化し、生活の定着度が高まるとともに、狩りの形も変わった。暖かい森に住むイノシシやシカ、ウサギなどの比較的小型で敏捷《びんしょう》な動物を狩るには、大きな石ヤリよりも、物陰から高速で仕留められるダーツ（投げ矢）や弓矢のほうが適している。それらの先につけた石器として、有茎《ゆうけい》尖頭器《せんとうき》と呼ばれる着柄《ちゃくへい》用の突起《とっき》をもったやや大型のものと、それのない小型のもの（石鏃《せきぞく》）とがある。大型がダーツ用、小型が弓矢用と考える人が多い。そして、大型がまもなく姿を消すいっぽうで小型が急増するのは、ダーツよりも弓矢が狩りの道具の中心になったことを示す。温暖化がもたらす密生した森では、木陰や樹上にひそみ、比較的近距離から小ぶりの弓矢で獲物《えもの》をねらう方法が有効だったに違いない。弓矢の技術が列島で発生したのか、どこからか伝わったものかはまだ明らかでないが、俊敏な中小動物をとるのにもっとも適した技術として発展したものだろう。

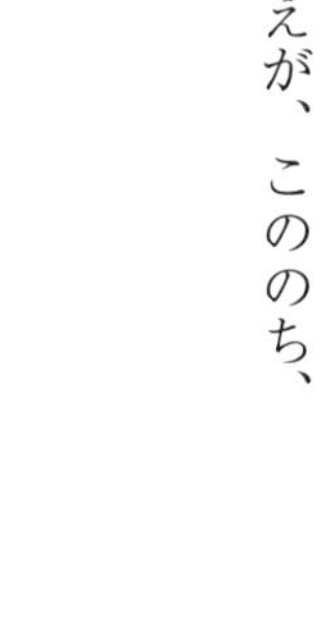
2

◉有茎尖頭器と石鏃
右が投げ矢に用いた有茎尖頭器で、左が弓矢用の石鏃。（奈良県山添村桐山・和田遺跡出土）

狩りの技術として、このほか、落とし穴猟がある。旧石器《きゅうせっき》時代にも落とし穴は知られているが、盛んになるのは縄文《じょうもん》時代だ。穴の大きさからみて、これもシカやイノシシなどの中小動物をねらったものと推測される。穴の底に尖《とが》った杭《くい》を立てるという工夫がなされるのも縄文時代からだ。落ちた動物をいち早く絶命させるか、足の動きを封じて脱出を阻《はば》むための仕掛けと考えられている。

大型の石ヤリを持ち、大型獣を追跡して挑むのが旧石器時代の典型的な狩りの姿だとすれば、縄文時代の狩りは、弓矢と落とし穴で中小動物をねらうものだ。狩人としてのアピール度は低いが、より着実で合理的な営みである。獲物を求めて遊動する狩猟中心の生活とは異なり、集落をベースとする日々の暮らしの一幕に、狩猟が組み込まれた格好といえるだろう。いわば、里人《さとびと》の狩りだ。このように、旧石器から縄文への狩猟法の変化もまた、たんなる技術の革新ではなく、腰を落ち着けて暮らす志向の一環だった。

列島の早春賦

このような縄文《じょうもん》時代草創期の遺跡は、今のところ、南九州以外では、おもに静岡県や神奈川県などの太平洋岸の地域で見つかっている。これら東日本の遺跡には石鏃《せきぞく》（石の矢じり）が目立つことから、植物性食料への依存は南九州ほどではなく、むしろ狩猟の比重が高かったと説く人がいる。また、サケ、マスなどを主とする河川漁撈《ぎょろう》に頼っていたのではないかという考えもある。ただ、いずれにしても住居をつくりつけ、土器をもつ生活だから、それまでよりも定着度の高い生活が、東日本においてもほぼ同じように一万年以上前から始まっていたことは、疑いのないところだ。

古気候学の研究成果によると、旧石器《きゅうせっき》時代の終わりから縄文草創期に入る約一万五〇〇〇年前ごろに世界的な気温の上昇期があり、日本列島付近でも急速な温暖化が始まった可能性が高い。温暖化によってクリやドングリなどの森が茂る範囲はしだいに東へ北へと広がり、それらに頼る生活はより順調になっていっただろう。また、今村啓爾《いまむらけいじ》は、温暖化による海流の活性化がサケやマスの回遊と遡上《そじょう》をうながしたことが、河川漁撈に頼る生活を可能にしたと推定している。すでに縄文の前夜、神子柴《みこしば》型の社会にほのみえていた定着への志向は、気温の上昇が植物管理や河川漁撈の成功度を押し上げることによって、各地でさらに確かなものとなったのである。

ただし、縄文草創期の居所《きょしょ》のイメージは、のちの時代の集落のように、開けたところにたくさんの住居が累々と並ぶ、というものではなかったらしい。掃除山《そうじやま》の住居も、斜面を掘り込んで屋根をしつらえ、屋根には土をかけ、低い側に入り口を向けたもので、建築史学者の浅川滋男《あさかわしげお》によると「横穴のイメージ」

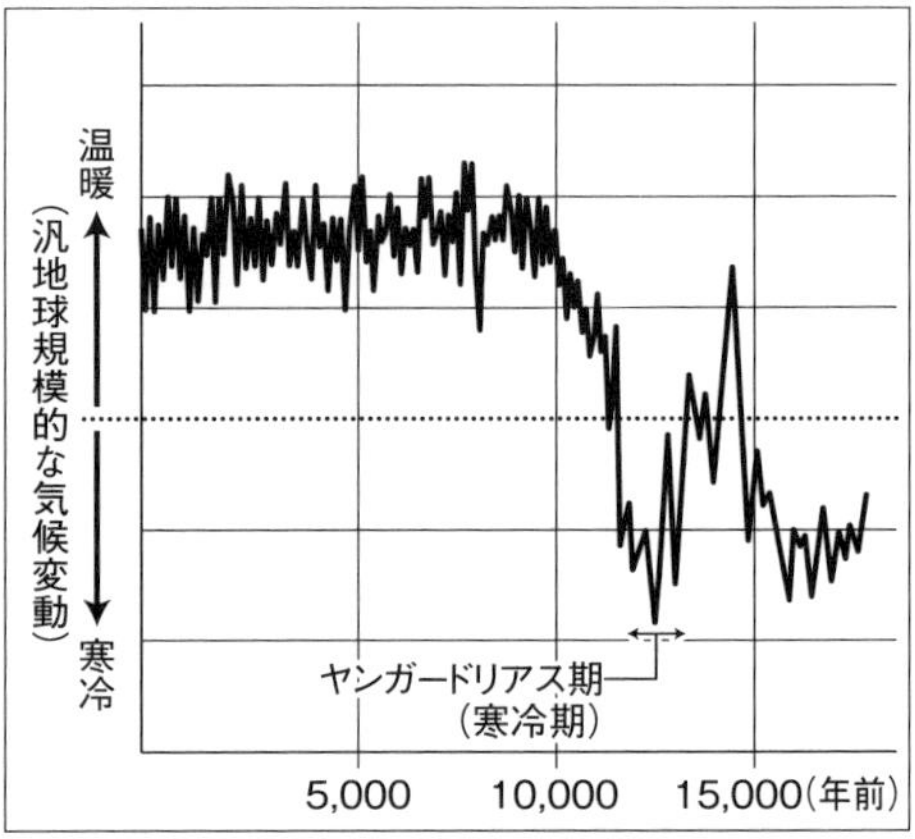

●世界的な気温の上昇期
グリーンランドの氷床（氷河）に堆積した氷に含まれる酸素を調べることから、過去の気候変動を推定したグラフ。一万五〇〇〇年前〜一万年前の折れ線の上昇傾向は、気温の上昇を、その途中の折れ線の落ち込みは、その間に一時的な気温の下落があったことを示す。（白石浩之『旧石器時代の社会と文化』より作成）

に近いという。そればかりか、岩陰や洞窟《どうくつ》の入り口で暮らした跡も、草創期には多いのである。

住居の数も、初めは数軒を超えることがない。一～二組のカップルとその子供たちからなる、多くても十数人のグループの居所が普通だったようだ。これだけの人数で長い間安定した集団を保つのは難しいから、居住の期間もせいぜい一～二世代以内にとどまるものだっただろう。旧石器時代よりは定着の傾向が強くなったのは間違いないが、長い目でみると人口はまだ流動的で、密度も低かったと考えられる。

草創期の居住の定着度がまだこの程度で、二〇〇〇～三〇〇〇年の間ほとんど発展することがなかったのは、まもなく訪れた温暖化の頭打ちが原因だろう。古気候学で「ヤンガー・ドリアス期」と呼ぶ寒の戻りの時期が、草創期の後半にあたる約一万三〇〇〇年前から一万一〇〇〇年前ごろまで、世界的に続くのである。

寒の戻りによって、クリやドングリなどの植物に多くを頼る生活が、あまりうまくいかなくなる場合が出てきたのだろう。サケやマスの遡上も一時的に少なくなり、そのぶん狩りの比重がふたたび高まったかもしれない。旧石器時代以来の細石器《さいせっき》もまだ、草創期の間は用いられている地域がある。動物を追って遊動性の高い暮らしを続けたり、またそうした暮らしに逆戻りをしたりする集団も少なくなかったようだ。

花開く物質文化

定住によるサトの出現

縄文《じょうもん》時代草創期を春先の三寒四温の時期にたとえるとすれば、ようやくぽかぽか陽気の春たけなわになるのは、およそ一万一〇〇〇年前だ。形・文様ともにしっかりとつくった土器が安定して現われる段階で、縄文時代を六つに分けた二番目の、早期と呼ばれる時期になる。本格的な暖かさの到来とともに、植物性食料や河川漁撈《ぎょろう》への依存度はふたたび増し、ひとつの土地に定着して住む傾向は格段にはっきりしてくる。

ふたたび鹿児島をみよう。霧島《きりしま》市の上野《うえの》原《はら》遺跡では、桜島《さくらじま》をのぞむ海抜約二四〇～二五〇メートルのゆるやかな台地の斜面に、五二軒というたくさんの竪穴《たてあな》住居が発見された。注目すべきは、そのなかで住居を建て替えた痕跡《こんせき》が認められる点だ。つまり、家を建て替えるほどの長い期間、ことによっては数世代を超えてそこを居と定め、生活を営んだ様子がうかがえるのである。もはや完全な定住といってよい。石敷きの炉《ろ》、燻製炉《くんせいろ》とみられる穴などの施設や、土器や石斧《せきふ》、石皿《いしざら》・すり石などの重

3

◉最初の本格的定住
上野《うえの》原《はら》遺跡の竪穴住居の復元例。五二軒の竪穴住居は、四時期に分かれて建て替えられたもので、数世代に及ぶ定住が想定される。

たい家財道具も、ますます充実した。

定住期間が長くなると、その場所で生まれて大人になる人間が出てくる。特定の土地と心をつなぐ人びとの出現だ。さらに定住期間がのびて数世代にまたがるようになると、そこで一生を過ごす住人がたくさん出てくる。旧石器時代《きゅうせっき》にはなかった、ある場所に「骨を埋《うず》める」という意識を、定住を始めてのちの縄文の人びとは、もつようになっただろう。

世代を超えた定住による、人と場所との絆《きずな》の蓄積。それは、「サト」ともいうべき、旧石器時代にはほとんどみられなかった性質の空間だ。この空間が、これから述べるように、人びとどうしがそれまでにない関係をつくりあげ、物質文化を花開かせる舞台となるのである。

コミュニケーションが物質文化をつくる

上野原《うえのはら》遺跡には、草創期の掃除山《そうじやま》や栫ノ原《かこいのはら》と異なる、もうひとつの重要な特徴がある。それは、早期に入ってしばらくした九五〇〇年ほど前になると、奇妙な形の打製石器《だせいせっき》や、土をこねて焼いてつくったフィギュア（人や物をかたどった像）など、実際の生産活動には使わない道具をたくさんもつようになることだ。奇妙な石器というのは、石鏃《せきぞく》や、皮なめしなどに使った石匙《いしさじ》という石のナイフ（「石匙」とはいうが、さじではない）の形を、誇張して大きくつくったもの。神子柴《みこしば》型の大型石ヤリと同じように、実用性を失うまでに手の込んだ「凝《こ》り」を盛り込み、道具のもつ社会的なメッセージ性の部分だけを取り出して物体化したホモ・サピエンス的人工物だ。いっぽうフィギュアは、板状の土板《どばん》に乳房のような突起や簡単な手足をつけたもので、いわゆる土偶《どぐう》の始まりである。土をこねてつくりあげることは、石を打ち欠いて削り出すことよりも、はるかに自由でこまやかな姿と好きな大きさの造形を可能にする。機能以外の凝りを盛り込んでいくというホモ・サピエンスの人工物発展史のうえで、土をこねて形をつくり、焼成する焼物細工の発明は、きわめて大きな画期といえるだろう。

メッセージ性のみを取り出して物体化した人工物が、通常の道具のなかから独立してきたり、焼物細工の発明とともに新たに創造されたりする動きは、このように、日本列島では縄文《じょうもん》時代に入ってから顕著になる。この動きが定住の本格化と一致することが重要だ。

人と人との社会的コミュニケーションのなかから、道具にメッセージ性が付与されていくことは先にみた。それが極まってついにメッセージのみを物体化するに至った人工物が現われたのは、社会のなかでコミュニケーションという行為が、それまでにも増して大切になったしるしである。自分を飾ったり、地位や力を見せつけたり、友愛や同盟の証《あかし》としてプレゼントをしたり、同じものをもつことによって安心しあったり、ホモ・サピエンス＝私たちは、社会的な関係確認に人工物を介在させ

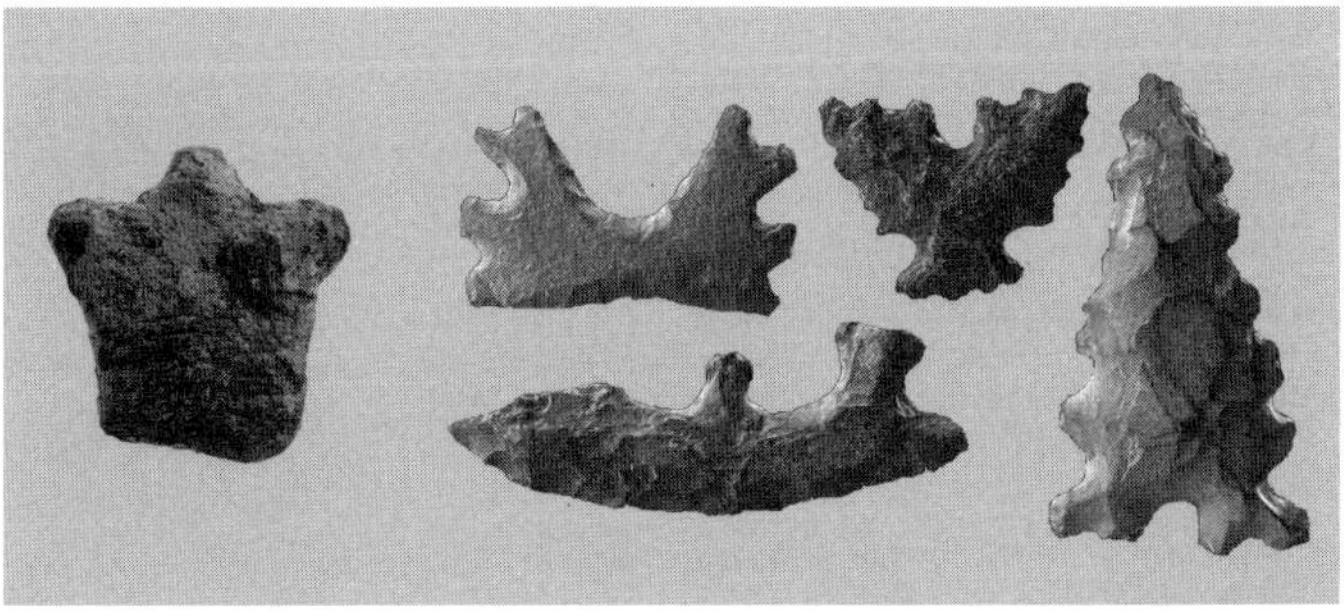

4

◉奇妙な石器とフィギュア
上野原遺跡で見つかった、なんともユニークな形状の石器の数々と、土偶の始まりといえるフィギュア。（中央下の石器の長さ八・二cm、左の土偶の高さ五・五cm）

る。人と人との関係を物になぞらえるアナロジーの能力と、ものづくりの才能との連携の賜物《たまもの》だ。

定住は、その賜物であるメッセージ性豊かな人工物が一気に開花するための、大きなきっかけとなった。なぜなら、定住によって、人と場所との絆《きずな》や、そこで暮らす人どうしの関係がますます密接かつ永続的になるからだ。つまり、暮らしのなかで、みずからの地歩を主張したり、協力関係を結んだり、その場所と自分たちとの結びつきを周囲の人びとに誇示したりなど、お互いの位置づけを確かめ合い、無駄な衝突をせずに暮らすための、社会的コミュニケーションの密度がおのずと高まるからである。チンパンジーなら毛づくろい、食べ物のやりとり、威嚇《いかく》など、身体やしぐさでやることを、ホモ・サピエンス＝私たちは、言語とともに人工物をもって行なう。しばしば、その人工物本来の機能とは関係なく、である。これがホモ・サピエンスの物質文化の真髄《しんずい》だ。地球上どのホモ・サピエンス社会においても、定住が、物質文化を大きく発展させる起爆剤となったことは間違いない。

環状に並ぶ集落

定住によって形に「凝《こ》り」が盛り込まれたのは、石器やフィギュアのように持ち運べる人工物だけではない。しばらくすると、大地につくりつけられた不動産的人工物、すなわち集落そのものまで、その対象となっていく。

東京駅からJR中央線快速で約四五分、国分寺《こくぶんじ》駅を出た電車がつぎの西国分寺駅にさしかかる手前の左側、今は国分寺市の市街地が広がる地下に、約八五〇〇年前の大型集落である恋ヶ窪南《こいがくぼみなみ》遺跡が眠っている。行政上の理由から、西の端は武蔵《むさし》国分寺跡遺跡と呼ばれているが、同一の遺跡だ。これまでに一部が発掘され、竪穴《たてあな》住居やその可能性があると思われる掘り込みが、合計七三も見つかった。重要なことは、これらが直径一五〇メートル以上の環《わ》を描いて並ぶとみられることである。

居所《きょしょ》を環の形にするというのは、どこかで聞いた話だと思われるかもしれない。そう、後期旧石器《きゅうせっき》時代前半の環状のキャンプ地と同じだ。メンバーどうしの親しみと対等性を醸《かも》し出す自然な位置関係を、居場所空間に表わしたものだという点は、おそらくホモ・サピエンスに共通した認知とアナロジー能力に基づくものだろう。

ただ、恋ヶ窪南の環状集落が旧石器時代のキャンプ地と異なるのは、それが一時的なものでなく、定住の場所だったことだ。竪穴住居どうしの重なり具合から、世代を超えて何十年も暮らしが続いたのは疑いなく、その間、人びとは環の形をずっと意識し、守りつづけていたことになる。さらに、住居の環の外側に、性格は定かでないが、今は円い小穴の群《ぐん》

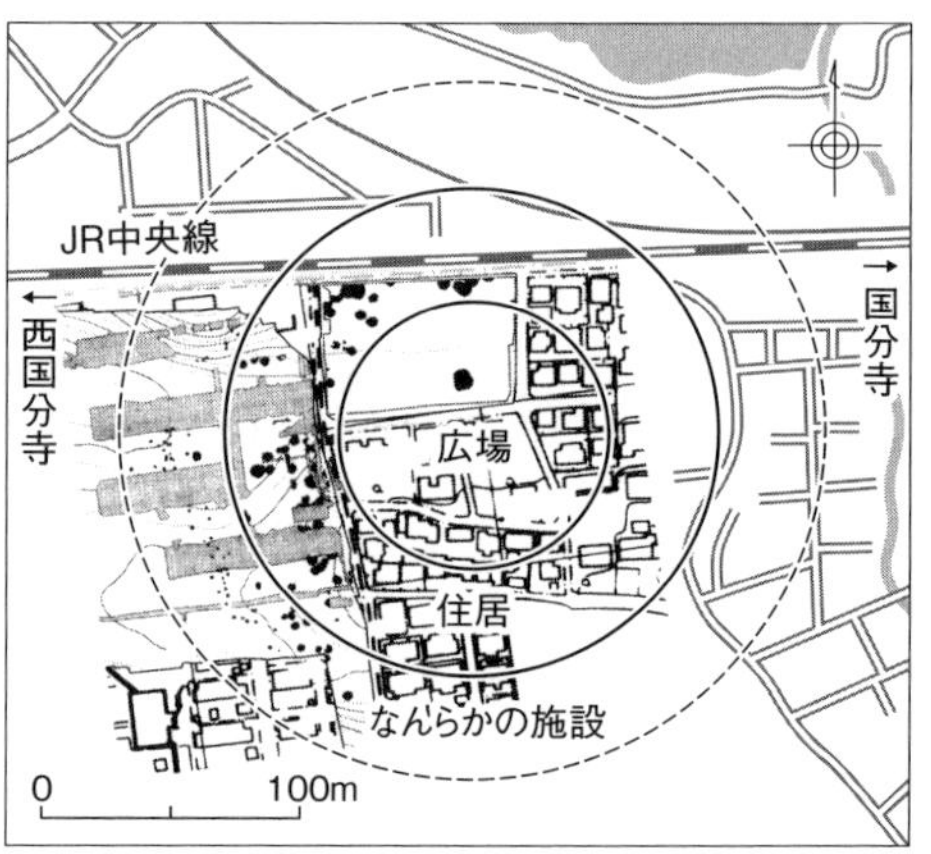

●環状集落
現在は町並みの下に隠れてしまっているが、恋ヶ窪南遺跡は、直径一五〇mを超すという大型の環状集落。広場のまわりに竪穴住居や掘り込みの跡、その外側になんらかの建物の跡と思われる小穴の群が、環状に並んでいる。

として確認できるなんらかの施設を、やはり環の形に巡らせていたようだ。広場を真ん中にして同心円を描く円環状のグラウンド・デザインである。

さらに、約七〇〇〇年前、縄文《じょうもん》時代を六つに分けた三番目の前期といわれる時期になると、真ん中の広場に穴を掘り、遺体を埋葬して墓地とした環状集落が出てくる。広場に葬られた死者は、生者がその場所とみずからとをつなぐ心のよすがとなって、心のよりどころとなるサトとしての求心力を、環状集落にもたらしただろう。興味深いのは、時に三〇〇を超えるような、居住跡などから想定されるそこに住む人びとの数よりも明らかに多い数の墓穴が掘られた例がみられることだ。生前はそこに住んでいなかった人までが葬られているのだとすれば、環状集落がもはやたんなる居住の施設ではなく、当時の人びとの認識のなかで特別な場所と位置づけられていた可能性が高い。

このように、定住が進むにつれ、機能を超えた凝りを目にみえる形で盛り込んでメッセージ性を醸し出す志向は、もつ道具だけでなく、住む場所にまで及んだ。個々の人びとにとって、環をつくる、環に加わる、もしくは環のなかのある場所を占めるということそのものが、メッセージ性あふれる道具を見せ合うことと同じように、社会関係を随時確認して無駄な軋轢《あつれき》を避けるためのコミュニケーションの意味をもっていただろう。

さらに、特定の場所に住みつづけ、葬りつづける行為には、自分たちや祖先とサトとの物質的な結びつきを演出することで占有をアピールする効果もあったに違いない。自分たちが「骨を埋《うず》める」場所を演出する行為だ。つまり、個人どうしだけではなく、集団どうしのコミュニケーション手段としての役割も環状集落は受けもっており、そのことが、地域社会の安定や集落間ネットワークの形成を支えたと考えられるのである。

人口の密度と集落の数

ただし、列島のすべての地域で、定住が環状集落にまで発展したわけではない。また、環状集落が分布する地域にも、環状にならない小さな集落はある。ではなぜ、決まった地域の特定の集落が環状という姿をとるようになったのだろうか。

谷口康浩《たにぐちやすひろ》は、集落の分布から当時の人口の地域差を割り出し、人口密度がとくに高まったところに環状集落が現われることを明らかにした。約七〇〇〇年前以降の関東・甲信越や東北などだ。集落の数は、その後の約二〇〇〇年間でピークに達し、とくに密集の激しい東京湾西岸から相模湾《さがみわん》北岸の丘陵地帯では七〇〇近くになるという。縄文《じょうもん》時代を六つに分けた四番目にあたる中期のことだ。

環状集落の数そのものは全集落数の一割に満たないけれども、そこには圧倒的にたくさんの住居

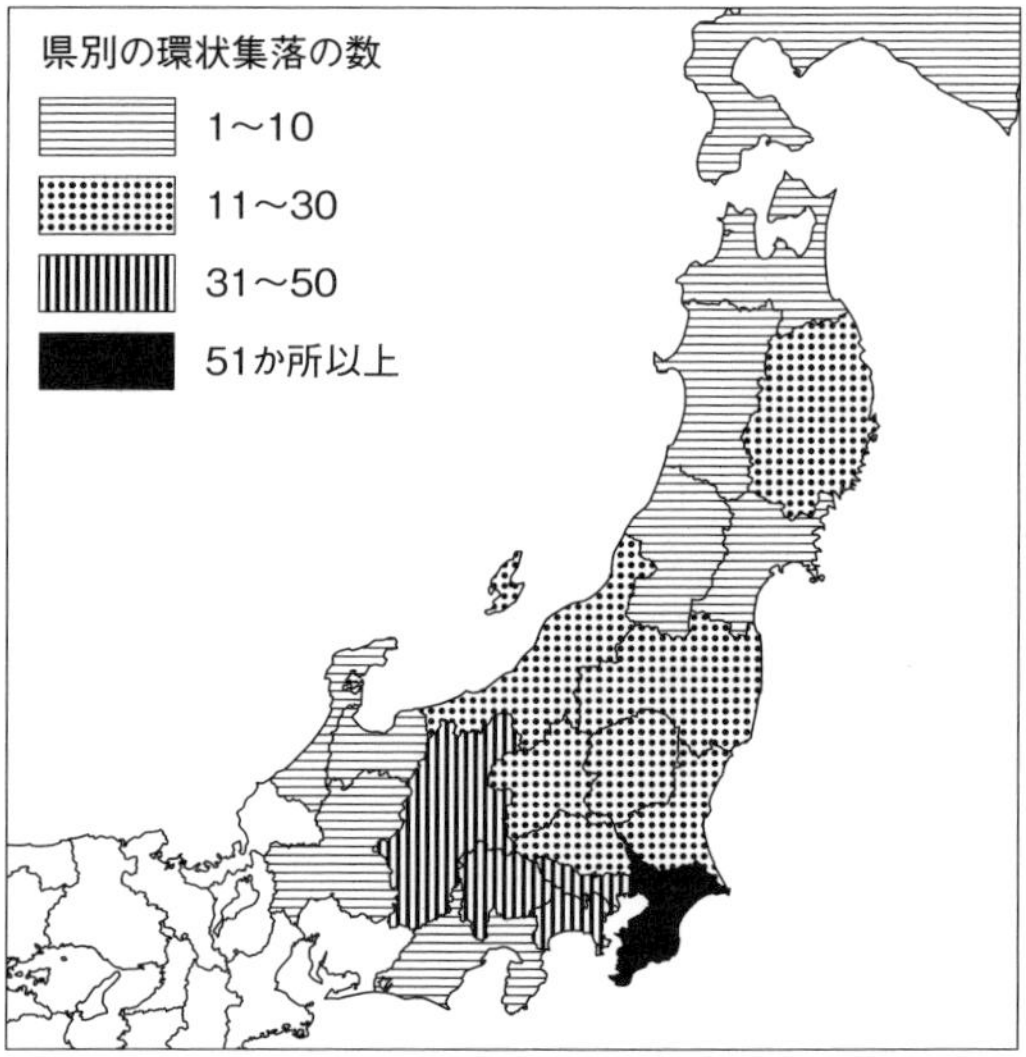

◉縄文中期の環状集落の分布
環状集落は東日本に集中しているが、東北を中心に、列状、塊状など、環状とは異なった形状の集落もみられる。（谷口康浩『環状集落と縄文社会構造』より作成）

があるので、居住人数でいえばその地域の人口の八割を占有していた可能性が高い、と谷口はいう。そして、多くの人びとを擁したこれら大型の環状集落が、互いに七〜八キロメートルの距離をおいて林立していた様子を復元するのである。

このように、特定の地域に人口が集中し、たくさんの集落ができ、集落がたくさんできるとその一部は大型化して環状になり、環状集落どうしがさらに競い合うように発展した、というのが、関東・甲信越・東北など、縄文時代中期の東日本に共通してみられるシナリオらしい。環状にならない小さな集落は、環状集落の人びとが季節の実りを得るために一時出向いて過ごした場所かもしれないし、なんらかのいきさつでやや離れた場所に居を構えていた人びとの住まいだったかもしれない。しかし、環状集落には住人の数をはるかに超える数の墓が営まれている場合が少なくないことを考えると、環状集落から離れている人びとも、父祖の地、母祖の場所として最寄りの環状集落に心をつないでいて、そこで行なわれるまつりや行事には寄り集まってくるような関係だったと想像できる。そういう意味でも、環状集落は、その地域の社会全体にとってのサトとしての求心力を発揮していたのだろう。

定住によるコミュニケーションの濃密化は、人口の増加と集中によってますます拍車がかかった。そしてそれが人工物や構築物に強いメッセージ性を盛り込むようになり、環状集落もそうした動きのひとつであったと考えられる。谷口が明らかにした人口と環状集落との相関関係は、この仮定を裏付けるものだ。

暮らしの技術

温暖化による海と森の恵み

土偶《どぐう》、奇妙な石製品、壮大な環状集落。縄文《じょうもん》の真髄《しんずい》ともいえるこれらの物質文化が、定住と人口の増加によって社会的コミュニケーションの密度が強まったことを原動力にして現われたことを述べてきた。それでは、いったい何が、この定住とその後の人口増加を許したのだろうか。どのような環境と暮らしが、ひとところに落ち着いて住み、増えゆく人口を支えていたのだろうか。

縄文時代に入ってから本格化した地球規模での気温の上昇は、約七〇〇〇～六〇〇〇年前の前期のころにピークを迎える。そのころの平均気温は今よりも一～二度高く、暖かく湿った気候が日本列島をつつんでいた。山あいを除く西日本から東日本の海沿いの低地にかけては、シイやカシやクスノキが茂り、下草としてシダ類が密生する照葉樹林が発達して、ドング

●縄文カレンダー
宮城県鳴瀬町里浜《さとはま》貝塚の土中のゴミから、年間を通じてどのような食料を獲得していたかを推定したもの（岡村道雄作成）。季節によって、さまざまな海と森の恵みを利用していた。

リ類を主とするナッツや、シダ類の山菜、キノコなどの植物食料をもたらした。また、中部高地や東日本の内陸から東北にかけては、ブナ、ミズナラ、トチノキなどからなる落葉広葉樹林が広がり、クリなどの大型ナッツ類やキノコなどの豊かな植物食料を得ることができた。

気温が上がったために北極や南極の氷は溶けだし、海面も現在より三～五メートルほど高くなったと考えられる。内陸にひた寄せた海水はあちこちで溺《おぼ》れ谷《だに》をつくった。暖かい海と深い森とが複雑に入り組んだリアス式の海岸線が列島の各所に形成され、豊かな魚介類のゆりかごとなった。また、活性化された海流が、魚の回遊をうながした。気候の温暖化は、森の植物資源だけでなく、海の資源も豊かにしたのである。

環状集落の林立に結実する定住と人口の増加は、このように、温暖化した気候がもたらした豊かな森の恵み、海の恵みの賜物《たまもの》だったと考えられる。

貯蔵がつくった縄文社会

しかし、森や海の資源がただ豊かになることが、そのまま定住が本格化して人口が増えることにつながるわけではない。その資

5

◉ドングリを入れた編みカゴ
佐賀市東名《ひがしみょう》遺跡のドングリ貯蔵穴から出土した編みカゴ。東名遺跡は縄文前半の温暖化による海水面上昇で、集落が埋没したもの。

源を効率よくとり、食べ物に変え、とれないときに備えて貯《たくわ》える、いうなれば獲得・加工・貯蔵という三点セットの技術を人びとが生み出し、磨かなければ、縄文《じょうもん》社会の繁栄はありえなかっただろう。

これらのうち貯蔵とそのための加工の技術は、旧石器《きゅうせっき》時代にはなかったものだ。これらの技術を手にしたことこそが、縄文時代の人びとが旧石器時代とは異なった社会をつくりだす、もっとも根本的な出発点となった。また、獲得の技術も、動物やわずかな植物などを主要な対象とした旧石器時代のものから、それらに加えてさまざまな植物や魚介類を対象とするものへと、多様に発展したのである。

これら三点セットの技術のうち、縄文の社会を根もとから支えたとみられる貯蔵の技術からみてみよう。すでに、縄文時代が始まったばかりの草創期の南九州に、ドングリなどのナッツ類を貯えたとみられる穴蔵《あなぐら》(貯蔵穴)があることは先に述べたが、その後、これらナッツ用の穴蔵は列島の広い範囲でみられるようになる。保存状態のよい場所では、穴蔵の底に敷いた編み物などが見つかることもめずらしくない。

いっぽう、水産資源を貯える加工の技術の代表格といえるのが、干し貝加工だ。東京都北区の中《なか》里貝塚《ざとかいづか》は、七〇〇〇年ほど前からつくられはじめた日本最大ともいわれる貝塚で、一九九六年から

6

◉大量に捨てられた貝殻
中里貝塚からは、貝殻や貝加工に関係する遺物しか出土しないことから、貝の加工場に特化した場所だと想定されている。

の発掘調査により、貝の一大加工場だったことがわかってきた。幅およそ一〇〇メートル、長さ約五〇〇メートル以上、厚さは最大で四メートル半ほどもある貝層は、おもにハマグリとカキからなる。捨てられた貝殻が膨大であるにもかかわらず、付近に集落の跡がなく、また当時の海岸線にあたっていることから、とった貝をゆで、中身を取り出して干し貝などに加工する場所だったと考えられている。カキについては養殖の可能性も指摘されており、干し貝にしたかどうかは謎《なぞ》だが、少なくともハマグリはここで加工され、保存食料として貯えられたのだろう。

発達した獲得の技術

つぎに、獲得の技術をみよう。旧石器《きゅうせっき》時代から縄文《じょうもん》時代に移るとともに、狩猟の技術が変わったことは先に述べた。石ヤリ主体から弓矢主体への変化だ。矢の先につける石鏃《せきぞく》は各地ごとに工夫され、刺さった矢が抜けないための逆刺《かえり》が長くのびるもの、逆V字形の繊細な小型品、矢柄《やがら》をしっかり取り付けるための突起のある大型品など、さまざまな形に発達する。西日本に多い小型品はウサギなどの小さな獲物《えもの》用、東北で流行する大型品はクマなどの大きな獲物用といったように、それぞれの地方でもっとも一般的な狩猟対象に合わせて改良されていったものだろう。

狩猟具以上に発達がめざましいのは、大型の魚やトド、アザラシ、オ

7

◉石鏃のバリエーション
青森市三内丸山《さんないまるやま》遺跡から出土した、さまざまな大きさや形状の石鏃。獲物に応じて使い分けされていたのだろう。

ットセイといった海獣をとる道具だ。温暖化が進んだ七〇〇〇〜六〇〇〇年ほど前になると、とくに北海道や東北太平洋岸を中心に、動物の骨や角《つの》でつくったモリの先がたくさん出るようになる。モリのなかには、獲物に命中すると柄《え》からはずれ、あとはモリ先に結んだ紐《ひも》で獲物をたぐり寄せる仕掛けになったものがある。いわゆる離れモリだ。北日本の沿岸部の遺跡からたくさん見つかるトド、イルカ、マグロなどの骨は、この離れモリで仕留められたものだろう。モリ漁で用いたらしい丸木舟《まるきぶね》の出土例もある。海上での勇壮なシーンが目に浮かぶようだ。

釣り針にも優品が多い。ほとんどはシカの角でつくられていて、タイ、ブリ、スズキなどの中型魚用とおぼしき大ぶりのものから数ミリメートルの小型のものまでバラエティに富む。微妙な曲がり具合の違いや、返しがあるもの・ないもののつくり分けも明確で、釣具店の陳列棚をのぞいているような感さえある。現代の釣り人が、ねらう魚種に合わせてさまざまなタイプの針をそろえておくのと似た状況といえるだろう。竿《さお》・糸・浮きなど、仕掛けの全体像までは復元できないけれども、魚の習性や魚種ごとの特徴などについての豊かな知識と、それを道具に生かす技術とを、縄文の人びとがもっていた様子は十分にうかがえる。

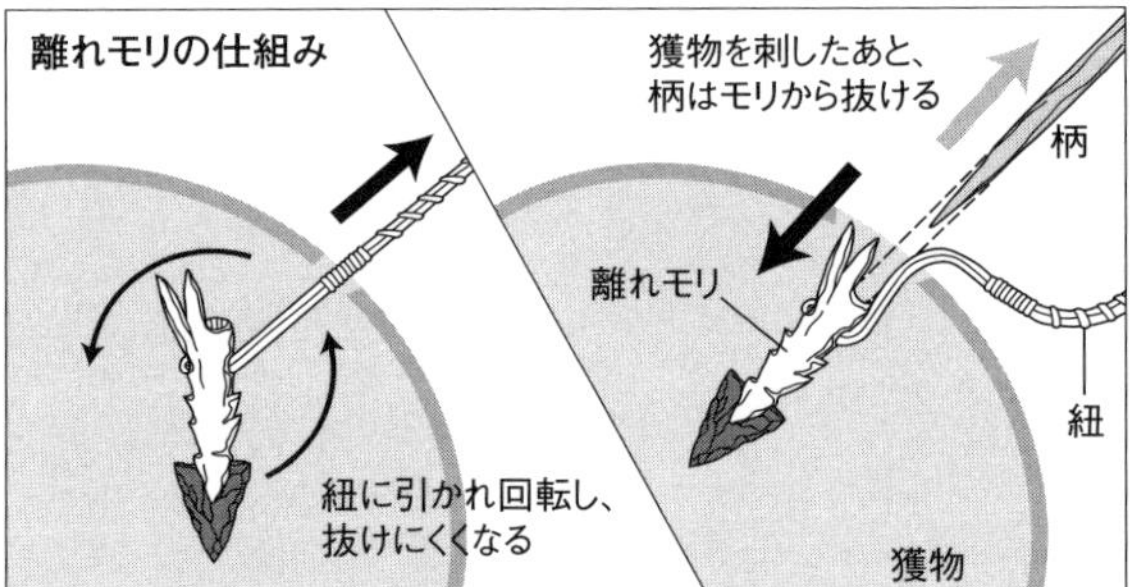

●離れモリの使い方
獲物に刺さったモリは紐を結びつけた先端を残して抜ける（右）。紐を引くと、先端は獲物の体内で回転し、抜けにくくなる（左）。さらに紐をたぐって、獲物を手元に引き寄せる。

イワシ、アジ、アイナメといった海水魚や、コイ、ウグイといった淡水魚など、小型の魚類をとるための網やおもり・たもなどの漁具も発達した。

そのほか、木を切ったり加工したりするための磨製石斧《ませいせきふ》、土を掘ったり耕したりするためとみられる打製石斧《だせいせきふ》など、植物資源を効率よく得る目的で発達した各種の道具もそろっている。打製石斧は、ヤマノイモやゴボウを掘り出したり、簡単な園芸や畑作のおりに土をやわらかくしたりするのに用いた道具らしい。これまで証拠がなかったヤマノイモについても、最近、葉の付け根にできるムカゴが発見されて実在が証明されたし、リョクトウ、ヒョウタン、エゴマなどの栽培植物の種《たね》は、縄文時代の遺跡からしばしば見つかる。リョクトウは、アオアズキともいう豆の一種で、現在は芽をモヤシとして賞味し、春雨の原料にも使う。ヒョウタン（ユウガオ）は、果皮を細長くむいて干した「カンピョウ」が、今のおもな食べ方だ。エゴマは小粒の胡麻《ごま》で、油もとれるし、韓国では葉も野菜として賞味する。当時の人びとがこれらをどうやって食べていたかはわからないが、栽培や加工のための道具があったことは間違いないだろう。打製石斧はその候補のひとつだ。

森と海の資源を効率よく獲得し、食べられる状態にし、必要に応じて貯《たくわ》えるために、縄文の人びとは道具箱の中身を整備し、よりよい道具をめざして技術改良を重ねていったのである。

食料確保の二つの戦略

獲得・加工・貯蔵の三点セットの技術が縄文《じょうもん》社会で発達したことは、いくども述べてきた定住という生活形態の確立と、切っても切れない関係がある。特定の土地にとどまって暮らすためには、一年中どの季節にでも食べ物を確保し、動かなくても飢えない工夫と準備が必要だ。逆に、そのような工夫と準備は、一か所に腰を落ち着ける暮らしをして初めて可能となる。

定住がもたらすと同時に定住をもたらすこのような縄文社会の経済をどのように評価するかについては、二つの考えがある。ひとつは、季節ごとにさまざまな資源をまんべんなく引き出す「分散戦略」と理解する説、もうひとつは、ある季節に大量に収穫できる資源を集中的にとってためておく「集中戦略」とみる説だ。実際には、二つは矛盾なく両立し、分散戦略が主体の地域もあれば、集中戦略でいく地域もあっただろう。そして、分散戦略をとる集落は、季節ごとのいろいろな資源がバランスよく得られる森・海・河川の交点のようなところに立地し、時には資源に合わせて季節によって移動することもあったに違いない。いっぽう、集中戦略をとる集落は、特定の資源を獲得するのにもっとも都合のよい場所を占めたと考えられる。同じ地域のなかで、それぞれの戦略をもつ集落が併存し、交換などを通じて役割分担していた可能性もある。

分散・集中どちらの戦略も、一年を通じて口にできるものをまんべんなく確保するためのシステムだ。この二つの戦略が、地域や場合に応じてきわめて柔軟に選択され、併存し、どちらかからどちらかへの移行や程度の調節も、自由になされた。これこそが、先行する旧石器《きゅうせっき》時代とも、後続する弥生《やよい》時代とも異なる、縄文時代独特の経済のあり方といえるだろう。

今月のおすすめ博物館

北海道開拓記念館
歴史をたどりながら北海道を紹介

道立野幌《のっぽろ》森林公園のなかに建つレンガ造りの建物で、開道一〇〇年を記念して開設された総合歴史博物館。先史から現代に至るまで「アイヌ文化の成立」「蝦夷地《えぞち》のころ」など八つのテーマに分け、時代を追って展示している。オホーツク式土器やアイヌ民族の漁具、徳川家康《とくがわいえやす》黒印状《こくいんじょう》、開拓期の農機具、クラーク博士の手紙など多彩な資料や古文書などでその時代をわかりやすく解説している。体験学習も人気だ。

北海道札幌市厚別《あつべつ》区厚別町小野《このっ》幌《ぽろ》53-2
☎011-898-0456

ＪＲ千歳線ほか新札幌駅からバス

岩手県立博物館
歴史をはじめ総合的に岩手を知る

昭和五五年に開設された総合博物館で、地質時代から現代に至るまで岩手の地質・考古・歴史・民俗・自然など常時約一八〇〇点の資料を展示している。二階に「総合展示室」を設け、歴史や民俗などを紹介。歴史のコーナーでは「いわての歩み」として奥州平泉《ひらいずみ》など五つのテーマで展示している。体験学習室やハイビジョン室など設備も充実し、屋外では重要文化財の旧佐々木家住宅や旧藤野家住宅も見られる。

岩手県盛岡市上田字松屋敷34
☎019-661-2831

ＪＲ東北本線ほか盛岡駅からバス
（松園ターミナルで乗り継ぎ）

秋田県立博物館
当時の生活を体感できる博物館

考古・歴史・民俗・工芸・生物・地質の六部門と「菅江真澄《すがえますみ》資料センター」「秋田の先覚記念室」とからなる総合博物館。人文展示室では、縄文時代と江戸時代に大きなスペースを確保し、実際に中に入って体感できる竪穴《たてあな》住居や商家の店先を実物大で復元している。実物資料や映像・模型など多彩な展示でわかりやすい。分館には江戸時代中期の代表的な農家建築として重要文化財に指定の旧奈良家住宅がある。

秋田市金足鳰崎《かなあしにおざき》字後山《うしろやま》52
☎018-873-4121

ＪＲ奥羽本線ほか追分駅から徒歩

今月の歴史博物館・資料館ガイド

【北海道】

◆旭川市博物館
旭川市神楽三条7
☎0166・69・2004
＊ＪＲ函館本線ほか旭川駅からバス
上層階と下層階の二層構造の展示室が特徴。上階では時代ごとの住居を復元し、旭川の概要を簡潔に展示している。下階では北国の自然や人々の暮らしを紹介する。

◆旭川兵村《へいそん》記念館
旭川市東旭川南一条6・3・26
☎0166・36・2323
＊ＪＲ石北本線東旭川駅から徒歩
北海道を開拓した屯田兵《とんでんへい》に関する資料を収蔵・展示。館内に屯田兵屋が復元され、生活民具や開墾道具などが並ぶ。一〇月中旬から四月下旬まで閉館のため、要確認。

◆小樽市総合博物館 運河館
小樽市色内《いろない》2・1・20
☎0134・22・1258
＊ＪＲ函館本線小樽駅から徒歩
明治二六年に建てられた歴史的建造物「旧小樽倉庫」を利用した博物館で、約二〇〇〇点の資料を展示。幕末に誕生し、明治・大正期に発展した商都小樽を紹介している。

◆帯広百年記念館
帯広市緑ケ丘2
☎0155・24・5352
＊ＪＲ根室本線帯広駅からバス
帯広に開拓団が入植してから一〇〇年めにあたる昭和五七年に開館。第一展示室では、開拓期の十勝や人々の暮らしなど開拓期以降の様子を、第二展示室では先史時代の十勝やアイヌ文化など先住の人々や生活を紹介している。

◆釧路市立博物館
釧路市春湖台《しゅんこだい》1・7
☎0154・41・5809
＊ＪＲ根室本線ほか釧路駅からバス
春採湖《はるとりこ》畔に建ち、タンチョウが羽ばたく姿をイメージした外観が特徴の博物館。釧路近代の漁業、石炭の積出し港としての資料など、釧路の歴史・自然・タンチョウなどについて紹介している。

◆伊達《だて》市開拓記念館
伊達市梅本町61・2
☎0142・23・2061
＊ＪＲ室蘭本線伊達紋別《もんべつ》駅から徒歩
明治三年に北海道に入植した亘理《わたり》伊達家ゆかりの住宅・美術品・史料を保存・展示する記念館。庭園内には迎賓館や旧三戸部《みとべ》家住宅といった重要な文化財もある。

◆月形樺戸《つきがたかばと》博物館
樺戸郡月形町1219
☎0126・53・2399
＊ＪＲ札沼線石狩月形駅から徒歩
西南戦争などの内乱で逮捕された国事犯収監のために明治一四年に建てられた樺戸集治監《しゅうじかん》に関する資料を展示している。また、月形町を苦労して開拓した先人の記録も見られる。

◆美幌農業館・博物館
網走郡美幌《びほろ》町字美禽《みどり》253・4
☎0152・72・2160
＊ＪＲ石北本線美幌駅からタクシー
「河川と人」をテーマに七つのコーナーに分け、美幌の自然・歴史・文化を紹介。開墾当時の家屋や馬による農作業の様子の再現、道具の展示などが見られる。

◆星の降る里百年記念館
芦別《あしべつ》市北四条東1・1・3
☎0124・24・2121
＊ＪＲ根室本線芦別駅から徒歩
芦別の炭鉱に関する資料を中心に、自然・歴史・産業・文学などを紹介する施設。マジックビジョン小劇場では、全盛期のころの炭鉱長屋の暮らしを再現している。

「人に喜んでもらえる料理人か落語家ですね」

す。一ミリ未満くらいの砂のかたまりを、竹串の先に突き刺して取っていく。あとは、粘着力のあまり高くないセロハンテープで土の粒を取ったりと、ものすごく気の遠くなるような作業なんですが、それを続けていくうちに出てきたものがだんだんきれいになって、何かが浮き上がってくるんです。それが楽しいですね。

　縄文土器や古墳といった目立つもの以外にも、ひとつの遺跡を掘ると石器やその破片などが何千点も出てきます。そういうものも少しずつ変化していて、そのちょっとした変化のなかに、じつは社会の大きな変化が反映されているんです。そこがじつにおもしろい。

考古学のおもしろさを伝えたい

　人にサービスするのが好きなので、「研究したことをおもしろおかしく解説したい」というと曲学阿世《きょくがくあせい》に聞こえますが（笑）、発掘現場で一般の人たちに説明会をしたり講演するのは好きですね。考古学ファンには年輩の方が多いので、授業でやったら学生たちには絶対無視されるような親父ギャグでも笑ってくれるのが、またうれしいです。

　人を喜ばせたい、笑わせたいということでいえば、落語家にもなりたかったなあ。僕は愛媛の生まれですが、大阪の大学に来てぜんぜん違う文化に驚きました。大阪では、ふつうの人が芸人みたいなところがあって、ボケとツッコミがないと生きていけない（笑）。きっと、眠っていた何かが目覚めたのでしょう。基本的に人を笑わせるのが好き、人に受けるのが好きなところが助長されていったような気がします。

　落語を聞きはじめたのは、やはり関西に来た大学生のころからですが、上方より江戸落語のほうが好きです。いちばん好きなのは志ん生。リアルタイムでは知りませんが、仕事をするときのBGMとしてはやはり志ん生ですね。彼の酔っているんだか、正気だかわからないようなホニャホニャホニャという声が流れているのを、聞くともなく聞いているのが好きです。文楽《ぶんらく》も好きなんだけど、聞き入ってしまってBGMにならない（笑）。

　僕の発掘現場では音楽をかけていいことになっていますが、若い学生たちが実権を握っているので、最近の音楽がガンガンかかっています。

　欧米の発掘でも音楽をかけながらやるんですが、アウストラロピテクスの化石人骨が見つかったとき、ビートルズの「ルーシー・イン・ザ・スカイ・ウィズ・ダイアモンズ」がかかっていたので、その人骨にルーシーという名前がついたという有名な話があります。

　僕は、一般の人にも考古学をわかってもらいたいし、おもしろいものだと思ってほしいので、なるべく専門用語は使わずに語ることにしています。もちろん、学会誌などでは使わなくてはいけないけれど、専門用語を使うのは一種のごまかしのようなところもあるのではないか。「スキーマ」という言葉を使わずに「知識の連鎖」という言葉に置き換えて語ることで、はじめて理解したことになると思うのです。

　そういうモチベーションが強かったので、今回の執筆に際して編集部から「専門用語は使わずにわかりやすい記述で」といわれて、僕なりに楽しく仕事ができたのはうれしかったですね。

◆北海道開拓の村
札幌市厚別区厚別町小野幌50・1
☎011・898・2692
＊JR千歳線ほか新札幌駅からバス
敷地を市街地群・農村群・漁村群・山村群と分け、明治から昭和初期に建築の北海道各地の歴史的建造物五二棟を移築・復元した野外博物館。北海道開拓記念館に隣接。

◆北海道立北方民族博物館
網走《あばしり》市潮見309・1
☎0152・45・3888
＊JR石北本線ほか網走駅からバス
天都山《てんとざん》中腹に位置し、アイヌ文化をはじめ、イヌイット、コリヤークなど世界各地の北方圏の人々の暮らしを資料や映像などで紹介する。オホーツク文化の遺物も多数展示。

◆北方歴史資料館
函館市末広町23・2
☎0138・26・0111
＊JR函館本線ほか函館駅から徒歩
函館の開発、北方漁業の発展、ロシアとの交易に貢献した高田屋嘉兵衛《たかだやかへえ》に関する資料・遺品などを収蔵・展示する。幕末の歴史や北方領土について知ることができる。

【青森県】

◆青森県立郷土館
青森市本町2・8・14
☎017・777・1585
＊JR奥羽本線ほか青森駅からバス
青森県の考古・自然・歴史・民俗などについて展示している総合博物館。重要文化財の宇鉄《うてつ》遺跡出土の首飾りや、岩木山《いわきさん》中で発見されたクジラの化石などが見られる。

◆三内丸山《さんないまるやま》遺跡展示室
青森市三内丸山293
☎017・781・6078
＊JR奥羽本線ほか青森駅からバス
国特別史跡の三内丸山遺跡は、国内でも最大規模の縄文前期〜中期の集落跡地。展示室では縄文土器・石器・土偶・装身具など膨大な量の発掘品が見られる。

◆十和田《とわだ》市立新渡戸《にとべ》記念館
十和田市東三番町24・1
☎0176・23・4430
＊十和田観光電鉄十和田市駅から徒歩
三本木原《さんぼんぎはら》（現・十和田市）の開発に尽力した盛岡藩士・新渡戸傳《つとう》や、国際連盟の事務局次長として活躍した新渡戸稲造《いなぞう》の偉業を往時の開拓の歴史とともに紹介。

◆八戸市博物館
八戸市大字根城《ねじょう》字東構《ひがしかまえ》35・1
☎0178・44・8111
＊JR八戸線ほか八戸駅からバス
史跡根城跡の一角に建ち、八戸の歴史を紹介する博物館。考古・歴史・民俗・無形資料の展示室からなり、なかでも重要文化財の「合掌する土偶《どぐう》」が見どころだ。

◆平川市文化センター 郷土資料館
平川市光城《こうじょう》2・30・1
☎0172・44・1221
＊弘南鉄道弘南線平賀駅から徒歩
常設展示では、平川市の歴史やリンゴ産業の歴史、民俗芸能などの資料を展示している。縄文時代の遺跡からの出土品も多数。

◆弘前《ひろさき》市立博物館
弘前市下白銀町《しもしろがねちょう》1・6
☎0172・35・0700
＊JR奥羽本線ほか弘前駅からバス
弘前城跡三の丸の一角に建つ。津軽《つがる》藩の歴史資料や古津軽塗などの美術工芸品などで郷土を紹介する。津軽の風土に培われた文化をテーマにした企画展も年数回開催。

◆六ヶ所《ろっかしょ》村立郷土館
上北郡六ヶ所村大字尾駮《おぶち》字野附《のづき》535
☎0175・72・2306
＊JR大湊線吹越駅からタクシー
村内で発見された縄文時代の遺跡や遺物を保護・保存するために開館。実物大に復元された竪穴住居をはじめ、時代別の縄文土器やジオラマなど豊富に展示。

【岩手県】

◆一関市博物館
一関市厳美町《げんびちょう》字沖野々《おきのの》215
☎0191・29・3180
＊JR東北本線ほか一ノ関駅からバス
古代末期に興《おこ》った日本刀の原形・舞草刀《もくさとう》や、儒学者・蘭学者を多く輩出した地域ゆかりの先人たちなど五つのテーマに分け、地域の歴史や個性的な文化を紹介している。

今月の

質問 考古学者にならなかったら？

第1巻「列島創世記」

松木武彦

（岡山大学准教授）

子どものころは、阪神に入ってプロ野球の選手になるつもりだったのですが、ある程度までいくとだんだん限界がわかるようになって、つぎにめざしたのは料理人です。『美味《おい》しんぼ』とか『将太《しょうた》の寿司』とか、どの時代にも人気の料理漫画ってあるでしょ？ 僕らのころは『包丁人味平《あじへい》』（「週刊少年ジャンプ」連載。原作・牛次郎《ぎゅうじろう》、作画・ビッグ錠《じょう》）。日本料理の職人の包丁さばきのすばらしさにひかれて、料理人になりたいと思いましたね。もう一回チャンスがあったら、今でもシェフになりたいと思っているのですけれど。

基本的に食べることが好きなので簡単なものはつくりますが、今はほとんど料理はしません。自分のための料理と人にサーブするための料理とは、ぜんぜん違いますから。

料理人っていうのはすごくクリエイティブで、一所懸命つくれば「おっ、うまい」とかすぐに反応が返ってきて、人に喜んでもらえるところがいいなあと思って。

考古学者という仕事も、包丁が竹べらに変わっただけで、職人的なところもありますからね（笑）。発掘した土器を見ると、彼らも土器づくりに凝り、よりよいモノをつくるために一所懸命やっていたことが伝わってくる。そこに僕らと同じように、いい仕事をしようとする人間らしさを感じますね。

考古学のおもしろさは、やはり発掘にあります。土の下から何が出てくるかというワクワク感が、最高ですね。

発掘道具といわれて一般の人が想像するのは竹べらでしょうが、最終段階になると、竹べらでは大きすぎて掘れない。そこで活躍するのが、竹串で

今月の

歴史博物館・資料館ガイド

◆**奥州市武家住宅資料館**
奥州市水沢区吉小路43
☎0197・22・5642
＊JR東北本線水沢駅から徒歩
茅葺《かやぶき》の母屋、正面の板塀など往時の姿をとどめた格式高い武家屋敷を見学できる。内部では、江戸時代の水沢城下の町並みの地図や鎧《よろい》・火縄銃《ひなわじゅう》など当時の資料を展示。

◆**釜石市立鉄の歴史館**
釜石市大平町3・12・7
☎0193・24・2211
＊JR釜石線釜石駅からバス
日本で初めて西洋式高炉が稼動した釜石の製鉄の歴史資料を展示している。現存する橋野《はしの》高炉《こうろ》を復元し、鉄づくりの様子をマルチスクリーンの迫力ある映像で紹介する。

◆**遠野《とおの》市立博物館**
遠野市東　舘《ひがしだて》町3・9
☎0198・62・2340
＊JR釜石線遠野駅から徒歩
柳田国男《やなぎたくにお》の『遠野物語』に代表される遠野の民俗学を映像や模型などで多彩に紹介。遠野の民話や伝説を題材にした作品を大画面の三面マルチスクリーンで上映している。

◆**花巻新渡戸記念館**
花巻市高松9・21
☎0198・31・2120
＊JR東北本線ほか花巻駅からタクシー
世界平和と教育に尽力した新渡戸稲造《いなぞう》と、花巻の発展に長くにわたり貢献してきた新渡戸家を称《たた》えた記念館。六つのコーナーに約二〇〇点の展示物で紹介している。

◆**盛岡市先人記念館**
盛岡市本宮字蛇屋敷2・2
☎019・659・3338
＊JR東北本線ほか盛岡駅からバス
盛岡にゆかりの深い政治・経済・文化など各分野で活躍した一三〇人の先人をその遺品や資料で紹介。なかでも新渡戸稲造、米内《よない》光政《みつまさ》、金田一京助《きんだいちきょうすけ》を詳しく解説している。

◆**盛岡市中央公民館 郷土資料展示室**
盛岡市愛宕《あたご》町14・1
☎019・654・5366
＊JR東北本線ほか盛岡駅からバス
盛岡藩主南部家ゆかりの歴史資料や美術工芸品から盛岡の伝統芸能・工芸品などを展示。屋外では重要文化財に指定された商家・旧中村家住宅を見学できる。

◆**盛岡市都南《となん》歴史民俗資料館**
盛岡市湯沢1・1・38
☎019・638・7228
＊JR東北本線ほか盛岡駅からバス
おもに旧都南村地域に残る文化財を展示し、都南の歴史に触れられる資料館。手代《てしろ》森《もり》、百目木《どめき》、西鹿渡《にしかど》遺跡からの出土品が並ぶ。重要文化財指定の遮光器土偶《しゃこうきどぐう》は必見。

【秋田県】

◆**秋田市立赤れんが郷土館**
秋田市大町3・3・21
☎018・864・6851
＊JR奥羽本線ほか秋田駅から徒歩
明治四五年に旧秋田銀行本店として建てられた建物を利用した資料館。一階は陶磁白タイル、二階は赤煉瓦《れんが》造りのルネサンス様式で重要文化財に指定。

◆**小坂《こさか》町総合博物館 郷土館**
鹿角《かづの》郡小坂町小坂字中前田48・1
☎0186・29・4726
＊JR花輪線十和田南駅からバス
町の発展に大きく寄与した小坂鉱山の歴史や文化を文書や映像、ジオラマなど豊富な資料で紹介。鉱山の「黒鉱」の成り立ちや十和田湖周辺の自然についての展示もある。

◆**本荘《ほんじょう》郷土資料館**
由利本荘《ゆりほんじょう》市石脇字弁慶川5
☎0184・24・3570
＊JR羽越本線羽後本荘駅からタクシー
常設展示では、日本最古の麻が発掘された縄文時代の菖蒲塚《しょうぶづか》古墳の出土品をはじめ、約二万年前から江戸時代にかけての遺物を展示。農具や民具などの展示もある。

◆**美郷町《みさとちょう》学友館**
仙北郡美郷町六郷字安楽寺122
☎0187・84・4040
＊JR奥羽本線ほか大曲駅からバス
古代から近現代まで時代を分けて、美郷町六郷の歴史や文化を紹介。縄文時代の遺跡からの出土品や中世に六郷を支配した二階堂氏に関する展示などが見どころ。

全集
日本の歴史
第1巻 列島創世記

月報1（2007年11月）
小学館
東京都千代田区一ツ橋 2-3-1

今月の逸品

とびきりエレガントな縄文土器
曾《そ》利《り》式土器（山梨県殿林《とのばやし》遺跡出土）

ほとんど左右相称。丹念に整えられた隆線文《りゅうせんもん》。これをつくった人は、よほど几帳面な性格だったのではないか。ひょっとして、あまりにも奔放な縄《じょう》文《もん》土器の装飾を苦々しく思っていたのかもしれない。

縄文土器のイメージとして多くの人の脳裏に浮かぶのは、まずはいわゆる火炎土器《かえんどき》。新潟県の十日町《とおかまち》市博物館に所蔵される笹山《ささやま》遺跡出土のものは、一九九九年、一括して国宝に指定された。日本史の教科書にも、これが掲載されるのが常。

だが、一九五二年、岡本太郎が美術雑誌『みづゑ』誌上で「縄文土器論」をセンセーショナルに上梓《じょうし》するまで、縄文の美意識は日本美術史のあけぼのを飾るものとして認識されていたわけではなかった。戦前の日本美術史の概説書をひもとけば、仏教伝来、飛鳥《あすか》時代から説き起こされていたのだった。

太郎は、「じっさい、不可思議な美観です。荒々しい不協和音がうなりをたてるような形態、紋様。そのすさまじさに圧倒される」と述べる。のちに「芸術は爆発だ！」というあまりにも有名な彼のフレーズと縄文のイメージがリンクして、いかにも奔放な装飾を施された火炎土器が代表選手となったのだが、時代・地域によって、縄文土器のバリエーションはじつに多彩だ。なにせ、一万年以上つくられていたんだから。

この、とびきりエレガントな、しかも高さ七二センチもある最大級の土器が出土したのは、一九六二年。逆さに埋め置かれた状態で出土したという。太郎は、おそらく見たことはないだろう。私は、山梨県立考古博物館まで見に行って、縄文×弥生《やよい》という二項対立的な図式を再考するために、もっとも大切な土器だと思ったのだった。

山下裕二（明治学院大学教授・日本美術史）

次回配本　二〇〇八年一月二五日頃発売予定

第2巻 日本の原像
新視点古代史

平川 南（国立歴史民俗博物館館長・山梨県立博物館館長）

遺跡や出土資料から読み解く古代社会

古代史を広く俯瞰《ふかん》し、現代へと続く問題点をピックアップ、検証します。
●九世紀、悪天候や病害虫に備えた食糧安全保障対策として、すでに二四種類以上の稲の品種を作出し、厳密な作付管理を行なっていた古代国家。コシヒカリ系統一辺倒の現代で、もし病害が発生したら……？（第二章より）。
●八世紀、遣唐使船が難波津（大阪湾）で座礁した。長岡京や平城京の造営に伴い、淀川上流域での森林伐採や瓦用の粘土採取で、土砂が大量に流れ込んだためだった（第三章より）。
木簡《もっかん》や墨書土器《ぼくしょどき》・漆紙文書《うるしがみもんじょ》など、豊富な出土文字資料を読み解くことで浮かびあがる、古代日本の姿！

石川県加茂遺跡出土墨書土器に記された「語―語」の文字は、「通訳」の意味。9世紀、同遺跡は国際的な港湾都市であった。

【目次の一部】

●**編集後記**　1巻目をお届けします。松木先生の執筆のさなか、岡山で未盗掘の古墳が発見されました。発掘の陣頭指揮をしていた先生は、それこそ昼は発掘、夜は執筆という日々が一時続きました。担当編集者は、歴史が書き換えられるかもしれぬ現場で原稿が書き上がるのを待つ時間を経て、なんとか間に合わせた次第です。１冊で４万年、歴史の醍醐味は伝わりましたか。（芳）

縄文社会にしひがし

北の狩人と漁民

以上にみてきた獲得・加工・貯蔵の三点セットの技術と、分散・集中を二つの軸とする資源平準化の戦略は、日本列島の各地域で、それぞれの環境に合わせて、それぞれ個性的に進展した。南北三〇〇〇キロメートル、冷帯から亜熱帯に近い温帯にまで及び、モンスーンの影響でさまざまな気候区に分かれる列島の初期定住文化は、「縄文《じょうもん》文化」というひとことでくくれるほど一様ではなかったのである。

その様子を、北から具体的にみてみよう。まず北海道の北部や東部では、クマやシカ、トドやアザラシ、オットセイなど、海や陸の大型獣を仕留めるためとみられる打製の石モリや大型石鏃《せきぞく》がたくさん出てくる。温暖化したといえども冷涼な北の森では、頼りとなる植物資源はクルミやハシバミくらいだから、いきおい、より豊かな動物資源に多くを依存せざるをえなかっただろう。列島の縄文社会のうち、旧石器《きゅうせっき》時代以来の狩猟への依存傾向をもっとも色濃く残した社会だったらしい。その点で

地域別縄文人の虫歯率

地域	標本数(本)	虫歯数(本)	虫歯率(%)
北海道	1,285	28	2.18
東北	789	138	17.49
関東	1,751	242	13.82
東海	377	54	14.32
中国	144	18	12.50
合計	3,061	452	14.77

◉虫歯が少なかった北海道
縄文人は虫歯が多かったが、北海道だけ極端に少ないのは、食料の違いが原因と推定される。(大島直行「北海道の古人骨における齲歯頻度の時代的推移」より作成)

はむしろ、東北以南の本州よりも、同じ時代の千《ち》島《しま》・樺太《からふと》や沿海州《えんかいしゅう》と共通している。

同じ北海道でも、大雪《だいせつ》や日高《ひだか》の山並みを越えて南西へ行くと、気候はやや本州に近くなる。暮らしの様子もまた、津軽《つがる》海峡を南に渡った東北北部と共通するところが大きい。これら北海道南西部や東北北部でもっとも目立つ生業は、モリやヤスや、大きな石鏃《せきぞく》をつけた弓矢などを使って、大型魚や海陸の動物をとることだったようだ。先にみた骨角《こっかく》製の離れモリは、この地方でもっとも高度に発達するし、獲《え》物《もの》の解体や皮なめしに使ったとみられる石のナイフ（打製石匙《だせいいしさじ》）や、皮に穴をあけたり縫い合わせたりするための石のキリ（打製石錐《だせいせきすい》）も目立つ。

釣り針の発達もまた、列島でいちばんめざましい。釣具店の陳列棚よろしく豊富な品ぞろえを誇る釣り針のうち、返しのない大型品を、動物考古学の松井章《まついあきら》はカツオの一本釣り用と推定している。松井によると、青森や福島の太平洋岸の貝塚《かいづか》からは、たくさんのカツオの骨が出るという。温暖化がピークとなる七〇〇〇〜六〇〇〇年前ごろには、カツオは東北沖にまでさかんに北上していたらしい。黒潮《くろしお》と親潮《おやしお》とがぶつかる三陸沖《さんりくおき》の好漁場をもった東北太平洋岸では、列島随一といえる漁業

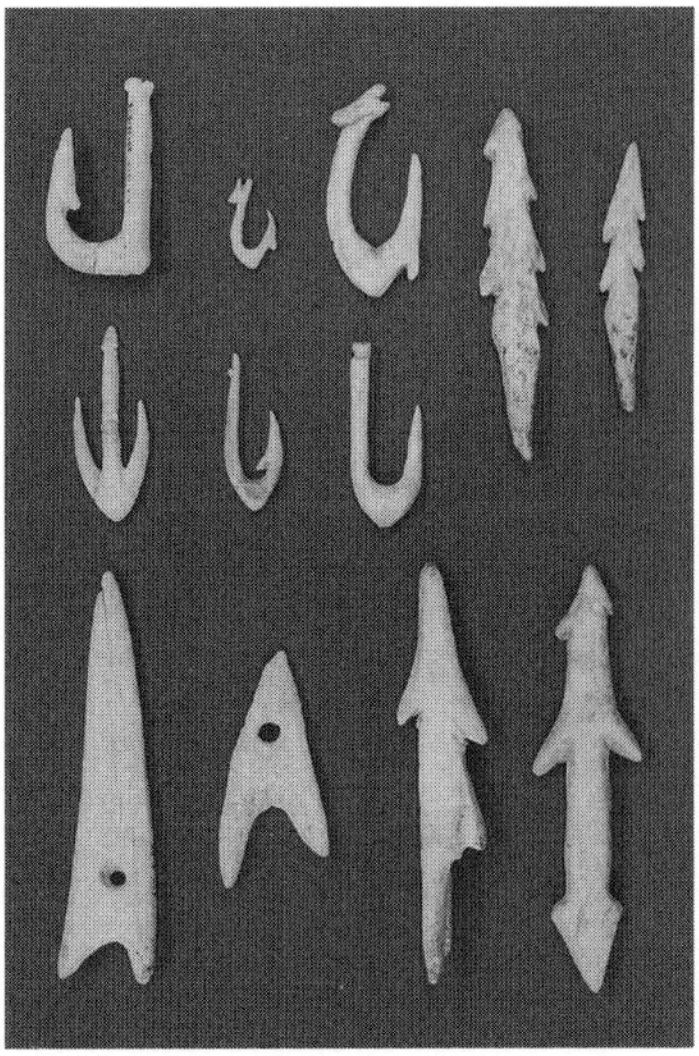

8

◉漁撈具
三陸沖に面する岩手県陸前高田市中沢浜《なかざわはま》貝塚出土の、釣り針やモリなど各種の漁撈具《ぎょろうぐ》。左上から二番目の錨《いかり》形釣り針など、ほかではみられない三陸独特のものも多い。

技術の発展をみることができるのである。

クリの林とイルカの海

ただし、同じ東北でも、内陸部や日本海側では少し様子が異なる。青森市の三内丸山《さんないまるやま》遺跡の発掘は全国的に注目されたが、そのなかでも興味をひいたのは、クリを栽培していたのではないかという指摘だ。遺跡から出土したクリのDNAを調べると、野生のものを拾い集めてきたとは思えないほど類似度が高く、大きな実をつける木を選んで育てていた可能性があるという。広大な落葉広葉樹林をかかえた東北の内陸や日本海側の人びとは、その最大の実りであるクリなどについての知識を貯《たくわ》え、生育をコントロールする技術をすでに身につけていたのだろうか。そうだとすると、縄文《じょうもん》社会のうちでも、森林の植物資源利用に関してはもっとも進んでいた社会と見なすことができるだろう。

日本海側では、漁業の拠点となる溺《おぼ》れ谷《だに》が太平洋岸ほどは発達しなかったようだが、それでも特徴的な漁具がみられる地域がある。能登《のと》半島の内ふところにいだかれた石川県能登町の真脇《まわき》遺跡では、石製

9

◉クリ柱建物復元例
三内丸山遺跡からは、直径一mの六本の柱穴跡とクリの柱根が見つかった。どのような建物が建っていたかは諸説ある。

のモリや石鏃《せきぞく》と一緒に数百頭分のイルカの骨が出土した。イルカの漁と加工の基地だったとみる説もある。

干し貝と網漁の浜辺

いっぽう関東は、北東部の鹿島灘《かしまなだ》沿岸や南部の東京湾沿岸を中心に、リアス式の溺《おぼ》れ谷《だに》がもっとも発達した地域で、そこを舞台とした内湾漁業と水産加工に活路が見いだされたようだ。先に紹介した中里貝塚《なかざとかいづか》のような貝の加工場とみられる遺跡が、東京湾沿岸に点々と見つかっている。漁具で目立つのは、土器のかけらを再利用したおもり（土器片錘《どきへんすい》）で、上下に切り込みを入れて網に結びつけるような工夫がしてある。溺れ谷の海面で、イワシやアジなどをねらった網漁を行なっていたのだろう。骨角《こっかく》製の釣り針やモリもあるが、関東のモリは、獲物《えもの》に刺さっても柄《え》から離れない固定式がもっぱらで、東北や北海道のものほどは、力の強い大型魚用に特化はしていない。これら沿岸漁業の技術と、内陸部のクリやトチを中心とする植物利用の技術とが、関東の縄文《じょうもん》社会を支えていたと考えられる。エゴマ、リョクトウ、ウリなどの栽培植物の出土例も多いので、植物利用技術は東北以上に総合的だったかもしれない。

10

●土器片錘
千葉県印旛沼《いんばぬま》周辺では土器片錘の出土が多い。佐倉市の吉見稲荷山《よしみいなりやま》遺跡では、ひとつの住居跡から二九二点もの土器片錘が出土した。

さらに、東北・関東とならんで人口が集中した現在の長野県や岐阜県を中心とした中部高地は、海をもたないため、当然、陸上の資源に多くを頼るという、列島の縄文社会のなかではやや特異な環境にあった。クリやトチなどのナッツ類や、エゴマやリョクトウなどの栽培植物の出土例が多く、それらの栽培やイモ掘りに用いたとみられる打製石斧《だせいせきふ》がたくさん出てくる。中部高地では、植物資源のうちでも畑作に関する利用技術が発達していたようだ。

照葉樹林文化ではなかった縄文文化

以上のように、環境に合わせて技術の専門化が進み、地方ごとに個性的な道具が発達して、それを扱う技能や知識、組織や思考もまた深まっていったとみられる東日本各地に対し、西日本ではやや様子が異なっていたようだ。

縄文《じょうもん》時代草創期にいち早く定住が確立し、つぎの早期には大きな集落が現われた西日本だったが、その後の人口の伸びは鈍く、温暖化がピークとなる前期に入るころには、大きな集落はなくなり、環状集落も現われないなど、東日本に完全に追い抜かれた感がある。なぜだろうか。

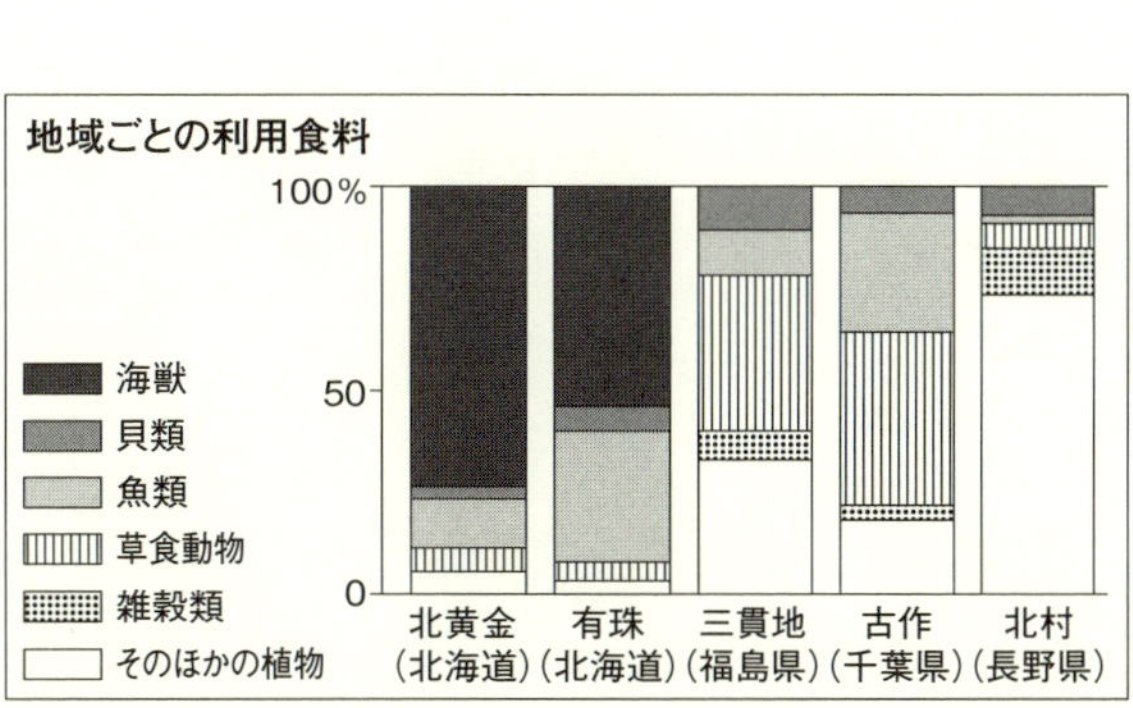

◉植物に依存した中部高地
オットセイなどの海獣が多い北海道、植物・動物・魚など幅広い東北南部から関東の沿岸と比べて、中部高地は植物類への依存度が高いことがわかる。（国立歴史民俗博物館編『縄文文化の扉を開く』より作成）

原因は、おそらく環境にあるだろう。東日本では、クリやトチなどが育ち、冬場に葉が落ちる落葉広葉樹林が広がるのに対し、西日本を覆うのは主として照葉樹林だ。暖かい地方の人にはおなじみだと思うが、冬でも青々と茂るこの林は、夏にはますます密生した暗い藪《やぶ》となり、虫やクモの巣窟《そうくつ》と化して人の立ち入りを拒む。平均気温が今より一～二度高かった縄文時代の前期から中期の初めごろには、そのむせるような濃密さと近づきがたさは相当のものだったに違いない。

かつて、文化人類学者によって、照葉樹林が縄文社会の母体だと主張されたことがあった。同じように照葉樹林が広がる中国南部・雲南《うんなん》などの今の民族社会と縄文社会との共通点をさがしだし、縄文社会の源《みなもと》をそこに求めようとした議論だ。しかし、両者の間には五〇〇〇年以上の開きがあるし、五〇〇〇年前の雲南の文化が現在と同じだった保証はどこにもない。五〇〇〇年という時間は、特定の地域の文化を完全に置き換えてしまうに十分すぎる長さだ。日本の文化が五〇〇〇年の間にこんな

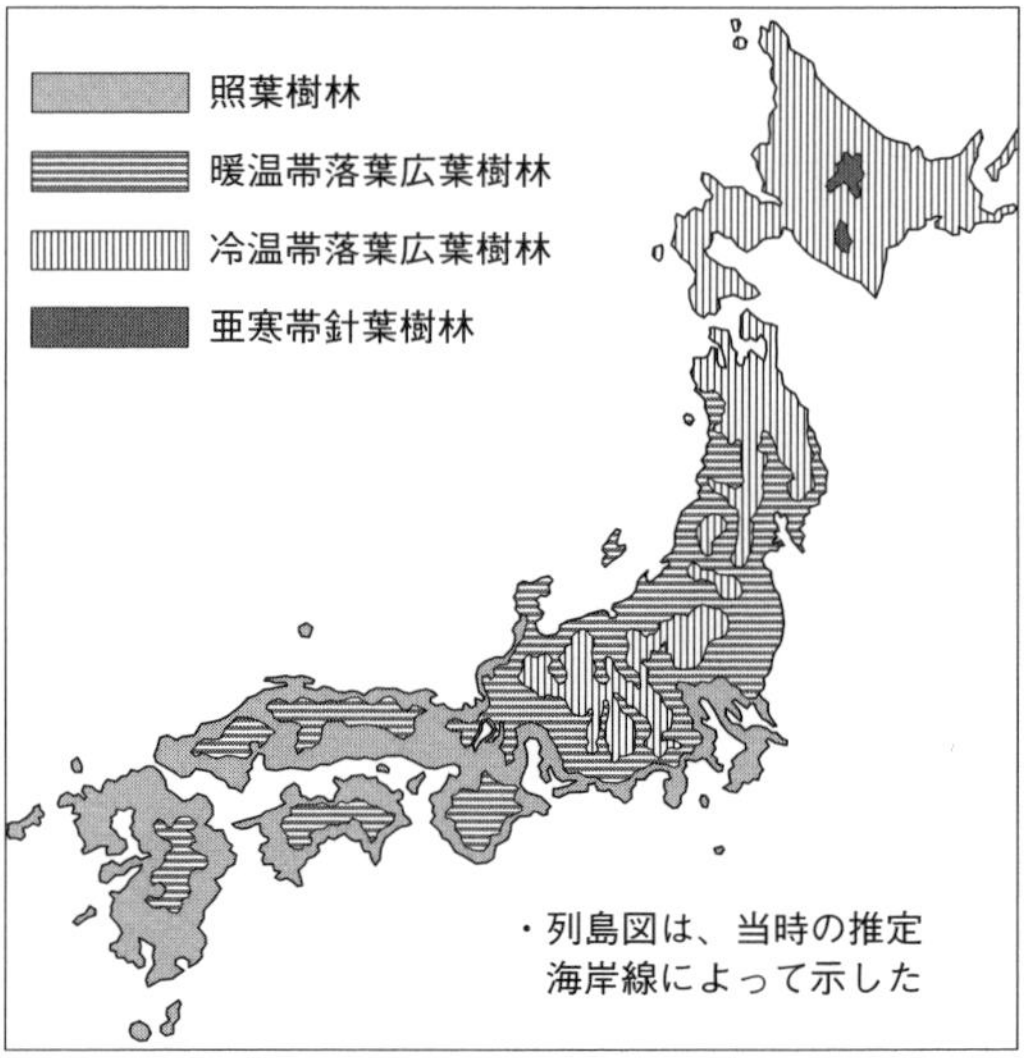

◉**東西で異なった縄文前～中期の植生**
照葉樹林に覆われた西日本と落葉広葉樹林が広がる東日本。縄文前～中期の状況からは、照葉樹林文化が縄文文化の主流とはいいにくい。（安田喜憲『環境考古学事始』より作成）

にも変わり、雲南は変わっていないなどというのなら、それは偏見以外のなにものでもないだろう。時間という概念を度外視し、たった今の時点での似た要素だけを寄せ集めて二つのものをじつに簡単に結びつけてしまう一部の文化人類学の方法論は、時の経過とその間のプロセスを重視し、物的証拠をもってそれをたどろうとする考古学研究者の姿勢からは、もっとも遠いものである。

温暖化が進んだ縄文時代前半の照葉樹林地帯がたくさんの人口を定着させる力をもたなかったことは、この時期の西日本の遺跡密度の低さが、何よりも雄弁に物語っている。そのことは、落葉広葉樹林が広がる東日本の遺跡密度の高さと比べたとき、ますます明らかだ。このことを考えに入れたうえで、当時の西日本の技術の特性がどのようなものであったか、あらためてみてみよう。

西の縄文社会

まずあげられるのはナッツ用の穴蔵だ。照葉樹林産のナッツは、アク(お茶や柿シブのタンニンと同じ渋み成分)の強いカシ類のドングリが多いので、食べるためにはアク抜きの技術が必要だった。西日本のナッツ貯蔵穴が、絶えず水がくる川床《かわどこ》に近い場所に掘られているのは、貯蔵とともに、アク抜きという目的があったからだろう。ドングリとならぶもうひとつの森林資源だった動物に対しては、暖かい照葉樹林に住むウサギやイノシシなどの中小動物用とみられる、軽い打製石鏃《だせいせきぞく》がつくられた。また、水産資源については、石製や土製のおもりがたくさん出土することから、内海や沿岸での網漁が中心だったと考えられる。ハマグリやハイガイ(灰貝)が捨てられている貝塚《かいづか》も少なくない。

西日本では、以上のような貯蔵穴や貝塚などの生産活動の跡はそれなりにみられるにもかかわらず、大きな集落は見あたらない。このことは、ドングリの収穫と加工、貝の採集、中小動物の狩猟など、季節ごとに労働の場を巡回するような暮らしをしていた可能性を示している。東日本のように盛りだくさんの収穫に頼って大勢で定住する形とはずいぶん異なるが、難攻不落の照葉樹林とそれなりに豊かな海との間を、効率的に動いて必要資源を引き出すという、環境に適応した暮らしの技術が発達していたといえそうだ。

縄文《じょうもん》時代の技術の地方的な発展をみるとき、西日本でもっとも注目されるのが朝鮮半島との関係である。とりわけ、九州の西海岸、今の熊本県付近を中心として七〇〇〇～六〇〇〇年前に流行する土器（曾畑式《そばたしき》土器《どき》）は、同じ時代の朝鮮半島の土器との共通性が強い。また、軸と針とを別々につくって組み合わせた結合式と呼ばれる釣り針も、西九州と朝鮮半島南部とにまたがって分布する。同じころの朝鮮半島の様子はまだ詳しくわからないが、環状の大集落がないかわりに貝塚が発達するなどの点で、西日本と似ている。生活やその技術のあり方において、西日

11

◉沖縄に運ばれた九州の土器
曾畑式土器（左）は、九州各地から奄沖地方まで分布している。沖縄では、曾畑式土器より古い爪形《つめがた》文《もん》土器（右）も出土している。（左／熊本県宇土《うと》市曾畑貝塚出土、高さ四・六cm。右／沖縄県読谷村《よみたんそん》渡具知《とぐち》東原《あがりばる》遺跡出土）

本は、東日本よりもむしろ朝鮮半島南部と共通するところが大きい。西九州を中心とした絶え間ない交流があったようだ。

さらに、こうした縄文時代前期の九州の土器は、はるばる南方海上の奄沖《あまおき》地方（奄美・沖縄の両諸島）にも及んでいる。これら南の島々の縄文時代前半の技術の発展はまだ詳しくたどれないが、多くの遺跡が海岸に立地することからみて、亜熱帯の海を舞台にした漁撈《ぎょろう》を中心とする生活を送っていたのだろう。

縄文の文化を解剖する

定住がもたらす地域のまとまり

以上にみてきたように、気候の温暖化が進んだ縄文《じょうもん》時代前期から中期の初めにかけては、日本列島の各地、とくに東日本では、それぞれの環境と資源の種類に合わせて、獲得・加工・貯蔵の技術が個性的に発展した。遊動と違って、定住とは、何世代もかけてその土地の環境に適応していくことなので、そこの資源にもっともふさわしい形や機能に、道具とそれを用いる技術が特化するのである。また、その労働を行なうときの組織や考え方、思考といったものにも、同じように特化が生じただろう。それぞれの地方で、道具の形と技、組織や思考のあり方が、時には少しずつ改良されながら世代から世代へと受け継がれ、その風土ならではの生活の文化と、文化を共有する地方のまとまりが明確になっていくのである。

社会の人びとに共有された「知」が目にみえる形になったものが文化であることは、前に述べた。すなわち、言語をはじめ、身ぶり、慣習、技、あるべきとされる物の姿、歌われるメロディやリズム、色彩感覚など、そこで生まれ育ち、ともに生活することによって人びとの心に共有された知識や技術や感覚などである。たとえば、本州諸島の人が沖縄に来れば、家や道具の形・墓の姿・方言・服装・習慣・食べ物・歌のメロディなどに自分たちとの違いを感じ、「ああ、沖縄に来たな」と実感する。これが文化だ。沖縄で生まれ育った人びとの心に共有されたさまざまな知が、物の形や色・音・味・においなどに具体化されたものが、沖縄の文化である。

前に述べた、後期旧石器《きゅうせっき》時代後半に形が地域ごとに分かれたナイフ形石器も、同様にこの共有された知の産物だった。ほかの地域からの訪問者が見ると「そこに来たな」、地元の人が見ると「うちのだな」という感覚を醸《かも》し出したに違いない。しかし、旧石器時代のそうした感覚は、縄文時代に比べると、まだまだ薄いものだったろう。縄文時代、とくに定住が本格化した前期以降になると、異なった環境や資源に特化するための独特の道具や技術、それを支える独自の思考や人と人との結びつき方などが、共有された知の中身をいっそう濃厚にしたと考えられる。そこから発した物の形や色・音・味・においなどが醸し出す「そこに来たな」「うちのだな」という感覚が、地域ごとに一気に濃くなったのが、約七〇〇〇～六〇〇〇年前、縄文前期のころだといえそうだ。訪問者にはエキゾティックな気分を、地元の人には内輪意識をもたらす「文化」という現象が、定住による生活の特化に下支えされて、地域ごとに明確な形を見せるようになったのである。

東日本に登場した派手な土器

戦後、縄文土器《じょうもんどき》に深い芸術性を見いだし、その重要性を社会に訴えたアーティスト岡本太郎《おかもとたろう》がテレビコマーシャルで叫んでいた「芸術は、爆発だ！」のセリフは、私たちの世代に今でも印象深い。縄文土器がもっともにぎやかに飾り立てられ、まさに「爆発」の感を呈するのは、温暖化がピークを迎えた前期からつぎの中期、すなわち七〇〇〇～四五〇〇年前のことだ。とくに中期というのは、もともと、派手な飾りをもつ華麗な土器がつくられた段階として学問的に設定された時期で、教科書や図録に掲載されるような代表的とされる土器が多く登場する、まさに爆発のピークといえる段階である。この爆発の意味に、芸術家のひらめきではなく、心の科学にのっとった考古学の観点から迫ってみよう。

爆発への導火線は二本ある。一本は、今みたように、定住がもたらした暮らしの特化が、文化の中身を地域ごとにきわめて濃密にしたことだ。もう一本は、少し前に述べたように、定住によるコ

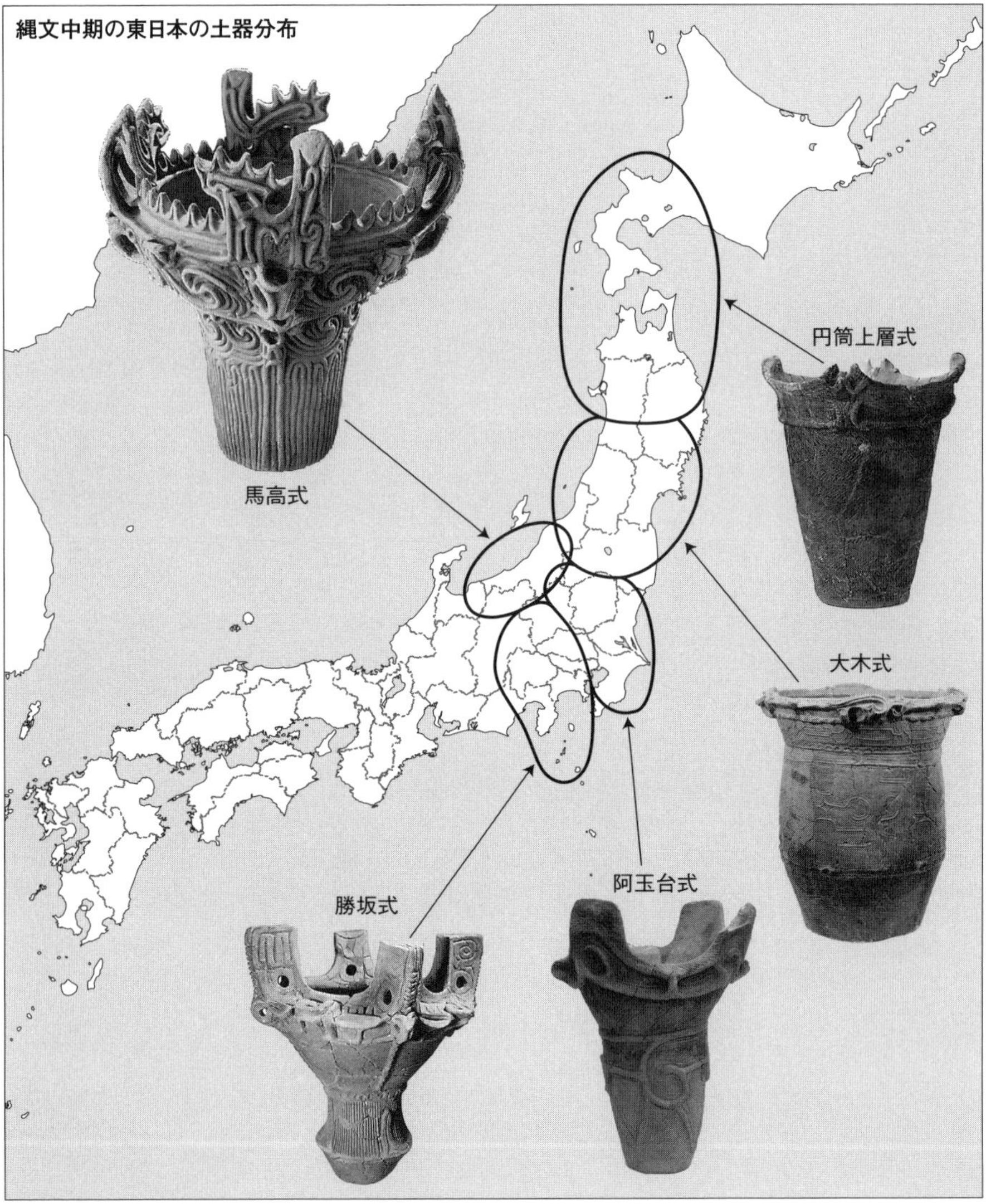

12

◉東日本の派手な土器
とりわけ派手な北陸の馬高式と、関東・甲信の阿玉台式と勝坂式の分布域が、76ページに示した環状集落の密集域と一致することに注意。（上から反時計まわりに、新潟県十日町市笹山遺跡・山梨県笛吹市一《いち》の沢《さわ》遺跡・茨城県鹿嶋市厨《くりや》台《だい》遺跡群・宮城県七ケ宿《しちがしゅく》町小《こ》梁川《やながわ》遺跡・青森市小三《こさん》内《ない》遺跡出土）

ミュニケーション密度の高まりが、人工物に機能以外の「凝《こ》り」を盛り込み、強いメッセージ性を付与する傾向を増大させていたことだ。濃密になった地域ごとの内輪意識が、メッセージとして道具に託されようとしたとき、土をこねて、焼成する焼物細工という、いかようにも造形がきく素材にそれはもっとも顕著に表出された。形や文様の表現が、地域ごとに色とりどりに発展した盛期の縄文土器は、このようにして生まれたのである。

縄文土器表現がいちばん見事な爆発を遂げたのは、関東・甲信越および東北南部の地域だ。この地域では、前期になると平底で深いバケツ形の鉢《はち》の上半部が広がり、広がった部分に複雑な文様が描かれ、その口縁《こうえん》（上のヘリ）はしばしば波打つようにつくられる。さらに中期には、文様はますます複雑華麗になり、口縁の波打ちは強調され、波頭は派手に飾られる。このような基本パターンを共有しながら、具体的な文様の中身・つけ方、飾られた波頭の数や形などに、地域ごとの鮮やかな個性が表わされ、いくつもの様式が競うように立ち並ぶことになった。

縄文土器の花形「火炎土器《かえんどき》」（馬高式《うまだかしき》）は、その代表格だ。今の新潟県地方を中心とする北陸で中期になって生み出された土器で、広がった上半部には粘土のひもで蛇がからみあったような文様を施し、そこから口縁に向かって燃えさかる炎のような波頭を立ち上げる。同じころ、甲信から関東にかけて流行する様式（勝坂式《かつさかしき》）は、広がった上半部から下半部に向かって流れ下ってくる渦巻《うずまき》・わらび手・楕円《だえん》などの華麗な文様が特徴だ。下半部に流れ下る文様は、関東の東寄りや北寄りの地域に広がる様式（阿《あ》玉台式《たまだいしき》）でも目立つが、この様式の特色はむしろ、派手に跳ね上げた波頭にある。

いっぽう、東北南部の様式（大木《だいぎ》式《しき》）は、文様は上半部にほぼ限られ、波頭の跳ね上げもおとなしい。ただし、上半部を広げ、そこを中心に文様をつけ、口縁を波打たせるという基本パターンは、中期には東北北部から北海道南西部にも及んでいる（円筒上層式《えんとうじょうそうしき》）。

爆発はなぜ起こったか

右にみてきた、縄文土器《じょうもんどき》の代表とされてきた土器たちは、みな関東・甲信越および東北南部を中心とする東日本の産だ。では、そのほかの地域の土器はどんな顔をしているのだろうか。

まず、北海道の北東部、日《ひ》高《だか》や大雪《だいせつ》の山並みの後ろにいるのは、バケツのような平底の分厚い土器だ。縄を巻いたり彫刻したりした棒を表面に転がしてつけた地文をもつが、上半部を広げ、文様をつけ、口縁《こうえん》を波打たせるという基本パターンはほとんどみられない（北筒式《ほくとうしき》）。

いっぽう、甲信越より西の東海・近畿・中国・四国および九州東部では、基本パターンの影響は時にうっすらと認められるが、東日本の土器に比べるときわめて控えめだ。また、九州西部の土器は、先にみたように、前期には朝鮮半島の土器と共通し、文様は少ない。爆発ピークの中期になっても東日本の土器とは違い、総じて地味である。列島南端の奄沖《あまおき》地方の土器も同様だ。

派手な東日本の土器たちと、控えめな西日本や列島南北端の土器たち。なぜ、このような違いが、

13

◉北筒式土器
北海道北東部の常呂《ところ》町の朝日トコロ貝塚出土。付近には旧石器時代以降の人びとの生活の痕跡が複数残っている。（高さ三七cm）

土器という同じ人工物に現われたのだろうか。この問いに答えることが、縄文土器「爆発」の歴史的な意味を明らかにすることになる。また、造形の妙と技術においては世界的傑作と称され、「縄文文明」の真髄《しんずい》などと持ち上げる人も多い縄文土器の本質を、人類史的枠組みで冷静に評価する真の学問的態度にも通じるだろう。

派手か控えめか、という評価は、ホモ・サピエンスの人工物に特有の、機能を超えた「凝《こ》り」、もしくはメッセージ性が、その土器にどれくらい盛り込まれているか、ということだ。この視点でみると、東日本の土器たちには、より濃密なメッセージ性が託されていることになる。

ここで注意したいのは、もっとも派手な土器をつくりだした関東・甲信越および東北南部という範囲は、前述の、環状集落が発達する範囲とぴったり重なることだ。時代的にも、土器の「爆発」と環状集落のピークとは、同じ中期で一致している。この二つの現象は、互いに密接な関連をもち、共通の社会的条件から発したものに違いない。土器を派手にすることが機能を超えたメッセージ性を盛り込むことであるのと同じように、環状集落が、住む場所にも機能を超えた凝りが盛り込まれたもの、つまりメッセージ性をサトの形に託した結果の産物であることは、先に述べた。住む場所の形、使う道具といった物質文化に高いメッセー

14

◉おとなしい西日本の土器
岡山県船穂《ふなお》町の里木《さとぎ》貝塚出土。西日本の土器としては比較的派手だが、東日本と比べるとはるかにおとなしい。（右下の高さ三五cm）

ジ性を盛り込む傾向を、ほかのどこよりも強くもっていたことが、この地域の土器の「爆発」と環状集落盛行の条件になったのだろう。

物を動かすネットワークの仕組み

物質文化に高いメッセージ性を盛り込む傾向は、環状集落のところで考えたように、定住という状態のなかで人口が増え、人と人、集団と集団のコミュニケーションの密度が高まったところに生み出されたと考えられる。

約七〇〇〇〜四五〇〇年前の縄文《じょうもん》時代前期から中期にかけて、地域ごとによって立つ食料資源が定まり、それに特化した技術が進むと、そこに定住した集団の生産は、遊動生活のときに比べておのずと専門化してくる。そうなると、自分たちの縄張りではとれない食料や資源を手に入れたり、その引き換えに自分たちのところの食料や資源を余分にとって差し出したりすることで、各集団は生活を保とうとするようになる。人が動かなくなるほうが、かえって物はよく動く。定住によって、「人は動かず、物を動かす」ネットワークの仕組みができるのだ。

同じ地域のなかの海辺の集団と森の集団との間で、隣り合う地域の間で、遠く離れた地域の間で、といったふうに、さまざまなレベルでのネットワークがつくられた。このネットワークに乗って、食料を中心に、いろいろな物資が流通しただろう。残念ながら食料のほとんどはその証拠を残していないが、石・玉《たま》・土などの無機質の財物は、時に遺跡から掘り出されて、その出所と流通の跡を特定できることがある。

そうした実例は、やはり東日本に多い。打製石器《だせいせっき》をつくるのにもっとも適した素材である黒曜石《こくようせき》は、北海道中央部の白滝《しらたき》、長野県東部の和田峠《わだとうげ》や八ヶ岳《やつがたけ》、伊豆半島沖の神津島《こうづしま》などが、おもな産地である。各地の遺跡から出る黒曜石の産地を化学的に同定した結果、近隣はもちろんのこと数百キロメートルも離れた場所にまで、これらが行きわたっていることがわかった。神津島の黒曜石などは、海を越えて中部や関東にもたらされている。舟による海上輸送だ。

ほかにも、新潟・富山県境あたりでとれる蛇紋岩《じゃもんがん》という硬質の石でつくられた美しい緑色の磨製石斧《ませいせきふ》が、長野県や岐阜県を中心とした中部高地や関東に流通したらしい。新潟県糸魚川《いといがわ》付近で見つかるヒスイは、玉の製品やその材料として、遠く九州から北海道にまで運ばれた。原油の揮発成分がとんだ残りの天然アスファルトは、新潟や秋田の油田地帯でとれるが、そのうち秋田県産のものが東北北部や北海道南西部にまで運ばれ、粘着剤として使われた。

こうした物資流通に結びつけられて、近隣ならびに遠隔の集団どうしが互いを深く認識しあい、

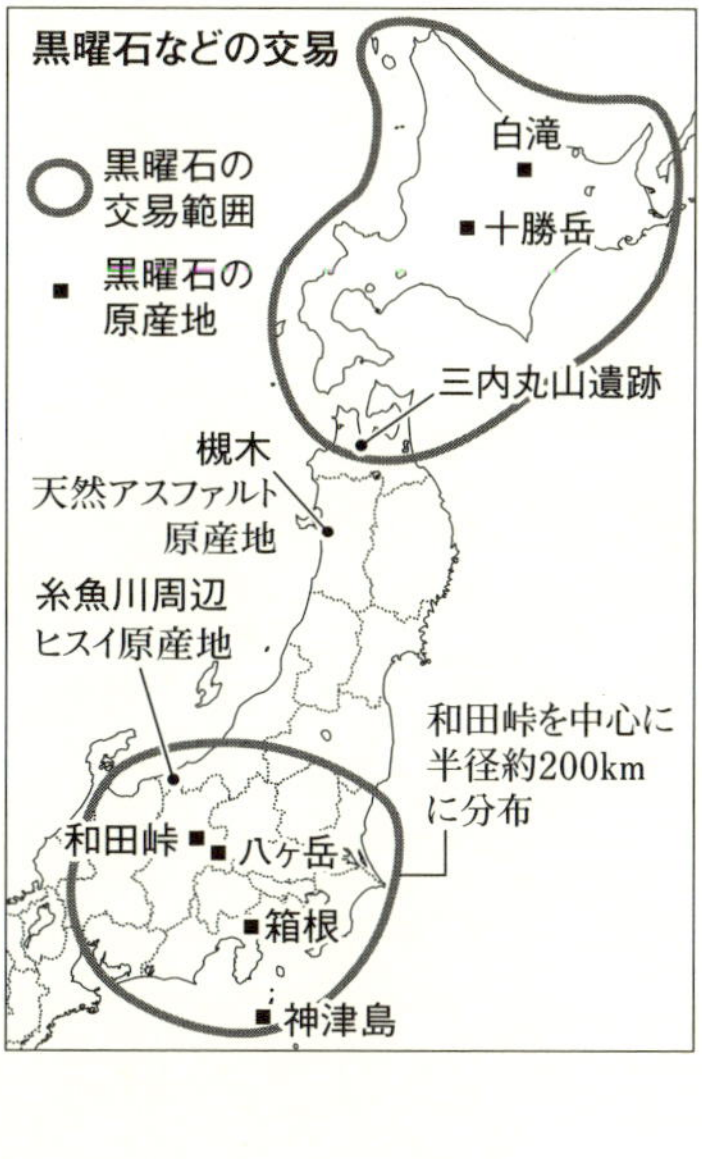

◉広範囲の交易
三内丸山《さんないまるやま》遺跡からは、北海道および長野県の黒曜石や、新潟県のヒスイでつくったアクセサリーなどが見つかっている。当時の交易はひじょうに広範囲に及んでいた。

人のさかんな行き来を含む、密度の高いコミュニケーションを繰り広げたと考えられる。近隣どうしなら、日用物資を交換したり、協力して生産活動を行なったり、まつりに招いたり招かれたりして、一体感のようなものが醸《かも》し出されただろう。その一方で、競争・憎悪・差別意識・意地の張り合いなども絶えず生じたに違いない。また、遠隔の集団に対しては、エキゾティックなものへの憧《あこが》れの意識をもつとともに、そういう異文化の人びととの接触が自己意識や自尊心を刺激することによって、自分たちの文化の中身がより明確に意識化されるきっかけにもなっただろう。

なぜ縄文土器は凝っているのか

このように、物資流通のネットワークを通じたコミュニケーションが活発で複雑になればなるほど、それに連なる集団の間に、一体感・競争・憎悪・差別・意地・憧《あこが》れ・自己意識・自尊心など、遠近さまざまな距離の相手や自分たちに対しての、複雑な感情や認知の渦《うず》が生じてくる。これらの感情や認知を集団のメンバーで共有して高めあい、ほかの集団に対してメッセージとしてアピールすることが、物資流通ネットワークのなかで自集団の生存や利益を図るための戦略として用いられ

15

◉地域ごとの特徴
王冠土器（写真いちばん手前）は、文様は火炎土器と共通するが口縁の形状が異なる。口縁の跳ね上げの数などにも地域ごとに特徴がある。
（新潟県長岡市岩野《いわの》原《はら》遺跡・馬高《うまだか》遺跡出土）

るようになったと考えられる。

　現代社会なら、国家間、企業間、家族間などの集団どうしの関係は、法や約定などの制度によって、かなりのところまできっちり定められている。ほかの集団に対してどのように自己主張しながら生存や利益を図っていくか、という戦略は、これらの制度の枠内で決めなければならない。このように複雑で大がかりな制度が発達したのは、縄文《じようもん》時代よりはるかのち、文字という新しい文化システムが生み出される紀元後六〜七世紀のことだ。

　文字がない社会で、個人や集団がみずからの生存や利益を図るとき、その意思や自己意識、みずからの優位や他者との連帯などの主張は、人の目をひく振る舞いや、そのための道具立て、持ち物など、特別な行為や物に頼る部分が大きい。つまり、文字や制度を活用して他者の理解を求める術《すべ》をもたないかわりに、視覚や聴覚を通して、他者の感情や認知に直接訴えるやり方が、圧倒的な比重を占めるのである。先史社会の込み入った儀礼、凝《こ》った衣装、芸術的な表現などは、このような社会的メッセージの表出手段として生み出されてきたと考えられる。

　今から七〇〇〇〜四五〇〇年前の縄文時代前期から中期にかけては、このようなメッセージの表出が、とりわけ土器をにぎやかに飾り立てることや、集落を環状に演出することに、顕著に現われた。そして、この現象は、定住と人口増によって、個人どうしの関係と、物資流通ネットワークに連なる集団間の関係とがもっとも複雑化した関東・甲信越や東北南部において、いちばん典型的に進んだのである。

複雑華麗な縄文土器の文様が具体的に何を表わしているかについては、神話のモティーフだという主張、部族のしるしだとする考えなど、いろいろな見解があふれている。これらの諸説は、どれをとっても所詮《しょせん》は研究者の想像にすぎず、ほんとうの答えは永遠の謎《なぞ》である。しかし、同じ地域と時期の土器に、複雑な文様のパターンがほぼ乱れなく何百回、何千回と繰り返しつけられているということは、それをつけた人びとの頭の中には、その文様についての何がしかの意味が共有されていたに違いない。ホモ・サピエンスは、一〇ケタ以上のランダムな数字のように意味のない複雑なことは長く記憶できないが、物語のように、複雑でも意味のあることは、いつまでも覚えていられる。意味づけられているからこそ、複雑な文様を、誰もが、何度も再現することができたのだ。そして、その意味がわかる内輪の人には、そうした土器の文様を共有することが、連帯感を高める相互間のメッセージとして働いただろう。また、その意味がわからない外の人びとには、自分たちとは違うというよそよそしさや、エキゾティックなものへの憧れなどを呼び起こしただろう。さらに、意味深く複雑な文様を華麗に美しくつけることのできる土器のつくり手が、自己満足とともに集団のなかで声望を得ることになり、そうした立場をめざしてつくり手どうしが競争することが、土器をより複雑華麗にしていったと考えられる。

盛期の縄文土器が華麗で複雑になるのは、当時の日本列島の人びとが世界に冠たる造形感覚をもっていたからでも、生活が豊かで芸術作品を生み出す余裕があったからでもない。恵まれた環境によって人口が密集し、個人どうしや集団相互の関係が濃く複雑になった結果、それが生み出す緊張関係を乗り切るため、お互いの間に社会的なメッセージの網をしげく張り巡らしたゆえだったと、心の科学からは結論づけられる。

土器の役割

ここまで述べてくると、東日本に比べて西日本や列島南北端の土器がなぜ控えめなのかを説明するのは、もはや蛇足《だそく》といわれるかもしれない。おそらくその理由は、人口の少なさにあるだろう。必ずしも生産性が高くない照葉樹林が暑苦しく生い茂った東海・近畿やそれより西の地域では、先にみたように、季節ごとに主たる労働の場をめぐる、まだ完全な定住とはいえない社会が営まれていたようだ。これまでの発掘成果によるかぎり、西日本は、東に比べて集落遺跡の分布もまばらで、ひとつの集落にある住居の数もずっと少ない。ひとつの集落のなかの個人どうしでも、集団相互の間でも、コミュニケーションの相手は少なく、密度も低かったと考えられる。

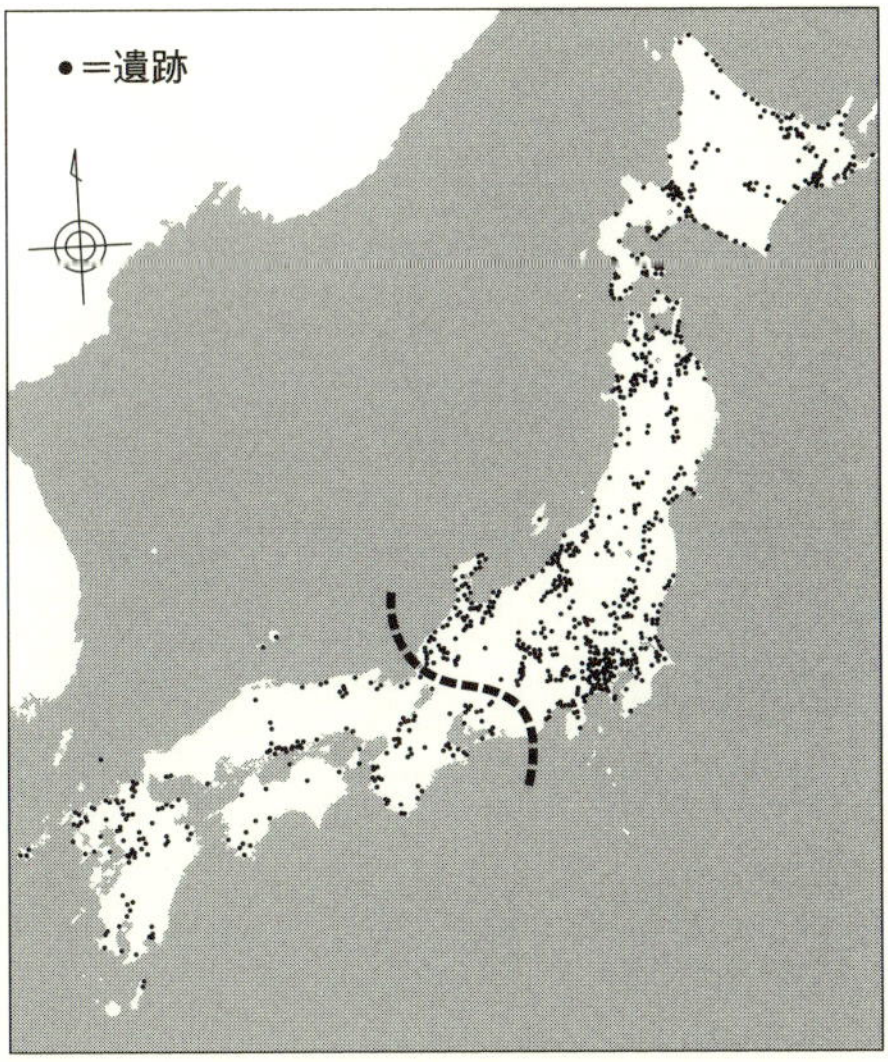

◉遺跡数にみる縄文中期の東西格差
点線で示した北陸・中部高地・東海東部以東の地域と、それより西の地域とでは、遺跡数に歴然とした差がある。遺跡の規模も、東の地域のものが圧倒的に大きい。（『図解・日本人の人類遺跡』より作成）

個人どうしや集団相互の関係を調整するために交わされる社会的メッセージが、土器や集落などの人工物にまで託されるほど複雑かつ強烈な圧力をもっていなかったということだ。

別の言い方をすれば、東日本と西日本では、土器が受けもつ社会的な役割が違っていたということになるだろう。今の私たちの暮らしでいえば、土器は什器《じゆうき》（台所用品や茶碗や皿など）にあたる。しかし、それがただの調理具や器でないことは、たとえば、湯呑《ゆのみ》でコーヒーを飲んだときの違和感や、ラーメン鉢で日本そばを食べたときの今ひとつおいしくない感覚を思い浮かべればわかる。私たちの脳が道具に期待するのは、物理的な機能だけではないということだ。

これは、私たちのもつ知識や概念が、脳の中でばらばらに存在しているのではないことを示している。「湯呑―日本茶―和室―畳に座る……」「ラーメン鉢―ラーメン―餃子《ギョーザ》―鉄板で焼く……」のように、それらは互いに連鎖しているのである。「湯呑―陶芸―土をこねる……」のようにも連鎖するけれども、「湯呑―コーヒー……」のようには連鎖しにくいし、「湯呑―猫……」のようにはふつうは連鎖しない。このように、知識や概念は、私たちの脳の中で一定の決まりに従って配列され、何かを考えたり、やろうとしたりするときには、それが連鎖という形で脳から引き出され、その思考や行動の枠組みになると考えられている。湯呑でコーヒーを飲むと違和感があるのは、連鎖しにくい要素が割り込んできて、思考や行動のための枠組みをかき乱すからだ。

私たちの脳には、こうした枠組みを形づくるための、知識や概念の連鎖の組み合わせが無数にある。それらは、ホモ・サピエンス全体に共通するものと、国・家族などといった社会や集団ごとに共通するものと、個人ごとに異なるものとに分けられる。このような知識や概念の連鎖を、心の科学ではスキーマと呼ぶ。この言葉は、これから人工物を研究するうえでの重要なキーワードとなるだろう。

社会の人びとに共有された知が目にみえる形になったものが文化であることは、前に述べた。この共有知は、それぞれの知識や概念のたんなる集合ではなく、それらどうしの連鎖のしかたや、それが形づくる思考や行動の枠組みまでをも含んでいる。これこそが、文化のもとになる共有知の、もっとも根本をなすものである。

土器の東西差が意味すること

このような視点から、にぎやかな東日本の縄文土器《じょうもんどき》と、おとなしい西日本の縄文土器の違いがどこにあるかを、ふたたび考えてみたい。先ほど、両者はその社会的な役割が違っていたのではないか、と述べた。これを、今考えた連鎖や枠組みの問題に照らせば、両地域の人びとが共有していた知のなかでの、土器という概念とほかの概念や知識との連鎖のしかたが異なっていた、といいかえることができる。つまり、凝《こ》りに凝った東日本の土器は、部族のしるしか神話かは知る由《よし》もないけれども、込

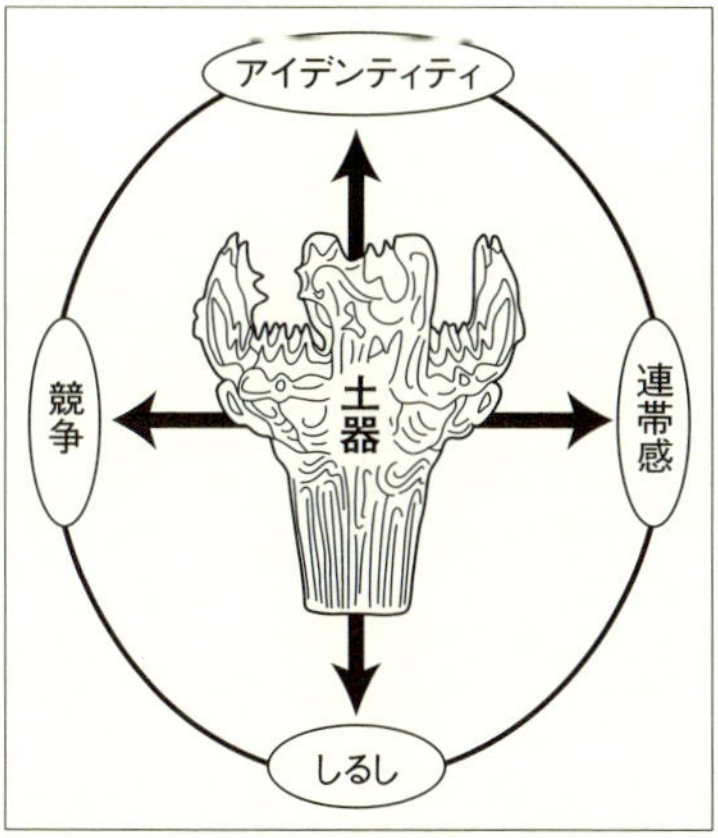

●土器は何を語るのか
凝りに凝った土器ほど、見る人に訴えるメッセージは強くなる。しかしそのメッセージを共有するには、共通の文化が必要となる。

められたなんらかの意味や、自分たちのアイデンティティや、それを分かち合う者どうしの連帯感や、つくり手の競争など、そこに付与されたさまざまな社会的メッセージにまつわる多彩な知識や概念を、感情とともに、見た人の心に深く豊かに呼び起こしただろう。このように、東日本の土器は、それを使っていた人びとの脳の中で、文化のほかのいろいろな概念や知識につながるたくさんの連鎖をもっていたといえる。これに比べて、西日本の土器の連鎖は、はるかに乏しかったはずだ。

自分たちのアイデンティティや連帯感を心に呼び起こす什器《じゅうき》（土器）など、私たちには想像しにくいが、それは、私たち現代日本人が脳に共有する、什器（土器）という概念とほかの概念や知識との連鎖のあり方が、縄文の人びとのそれと異なるからである。このような連鎖のあり方は、共有された知の織りなされ方、すなわち文化の根本ともいえる部分である。縄文の文化と私たちの文化は、こと什器（土器）に関していえば、根本の部分でかなり違っているようだ。

縄文は日本文化の「基層」か

縄文《じょうもん》文化といえば、一部の文化人類学者や哲学者が、縄文は日本の「基層文化」だ、などと説いたことがある。とても魅力的な話で、私も学生のころ、憑《つ》かれたように読んだ記憶がある。だが、心の科学を学んだ今になって読み返すと、複雑な脳の現象である文化というものに、科学的な意味での基層や表層があるということそのものが、そもそも疑問だ。百歩譲ってそういうものがあるとしても、これぞ「基層」だとかれらが主張するものは、雑穀栽培、野生イモの利用、ナッツ類のアク抜き技術、漆《うるし》、動物の魂送《たまおく》り儀礼など、どれも個別の生活要素にすぎない。

このような要素は「基層」などではなく、むしろ「表層」に属するものだろう。なぜなら、食べ物の種類、調理法などは、簡単に模倣できるものだからだ。人びとの心に深く根ざしているようにみえる宗教的な儀礼でさえ、日本のクリスマスをみればわかるように、表面だけまねて取り込むことはたやすい。

それに対して、先に説明した文化の根本、つまり、その社会に共有された知のなかでの概念や知識の連鎖のしかたは、表面からみえるものではなく、模倣などは不可能だ。連鎖の構造は、そこで生まれ、長年の間育てられて初めて身に、いや、脳にしみつくものである。外国で生まれ育った人とカップルになって一緒に暮らせば、生活や食習慣などは、互いに模倣され、簡単に融合するだろう。しかし、連鎖の構造は、いつまでたっても容易に溶け合うことがない（それは「愛し合えるかどうか」という問題とは別だが）。「基層文化」などという概念をもしつくりあげたいのならば、概念や知識の連鎖の構造のようなものをこそ、そう呼ぶべきだろう。

縄文が日本の「基層文化」だと説く人びとから共通してうか

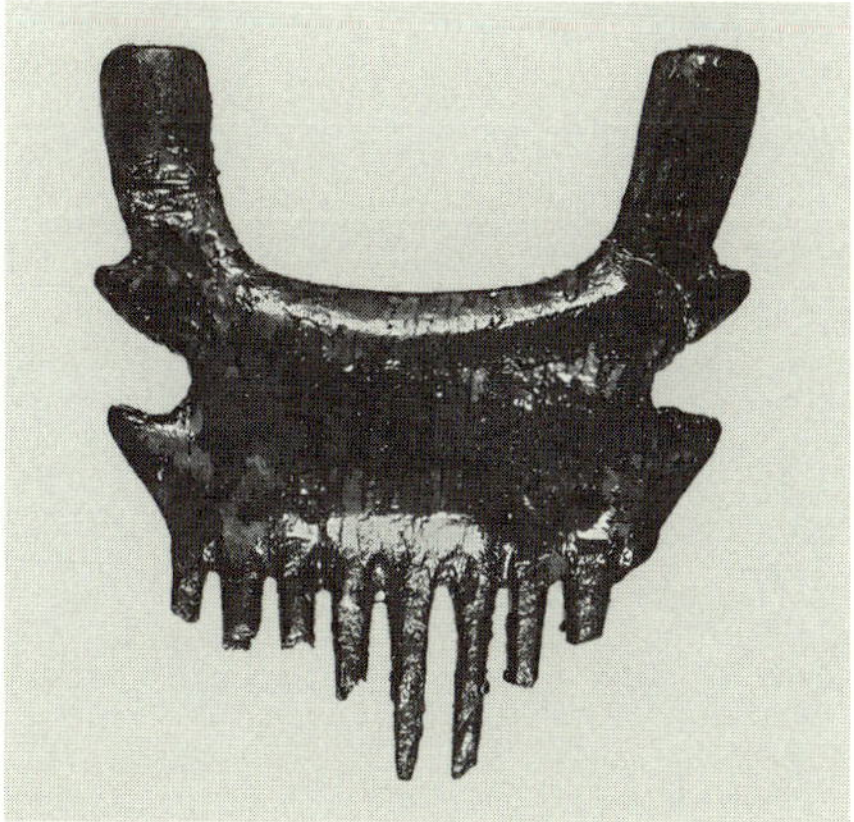
16

◉漆
基層文化かどうかはともかく、漆工芸の技術は縄文時代の早い段階から列島に存在していた。写真は、石川県三方《みかた》町の鳥浜《とりはま》貝塚から出土した、縄文時代前期の赤色漆塗りの飾り櫛。（長さ九・五cm）

がえるのは、そう主張することによって、縄文の文化を自分たちに近いもの、自分たちにつながるものとしてとらえようとする一種の意図めいた空気だ。しかし、心の科学を用いて考古資料を分析する認知考古学の目でのぞいてみたかぎりでは、縄文の文化は、私たち現代日本人の文化とは、むしろ、かなり遠いように感じられる。少なくとも縄文の人びとよりは、膨大な映像やネット上の情報を共有し、物資や品物をやりとりする世界を分かち合って育ってきた同世代の外国の人びとのほうが、知の共有度、すなわち文化の距離でいうと、私たちにははるかに近い存在だと見なしていいだろう。

縄文社会を復元する

環状集落を読む

気候が温暖になり、資源が豊かになり、その結果として定住が進み、人口が増え、コミュニケーションの密度が高くなり、ついにはさまざまな物質文化にまでそれが表出されるに至った様子をみてきた。複雑で華麗な土器、土偶《どぐう》などの多彩なフィギュア、環状集落などなど、東日本を中心とする縄文《じょうもん》時代の盛期の文化だ。これらの人工物にまでメッセージ性を色濃く盛り込みながらつくっていった人間関係、すなわち社会とは、具体的にどのようなものだったのだろうか。

すでに跡形《あとかた》もなく消えた過去の社会の姿を復元するのは、たいへん難しい。だが、住居や埋葬などに、当時の社会の姿がある程度映し出されていると期待することはできるだろう。この期待のもとに、考古学研究者は、発掘された集落や墓地の形や構造を綿密に検討し、過去の社会の実像に少しでも迫ろうとしてきた。このようにして縄文時代の社会を復元するとき、もっとも有力な手がかりになるのが環状集落だ。ふたたび環状集落に立ち返って、もう少し詳しく観察してみよう。

環状集落の平面プランに当時の社会を読みとる作業は、さまざまな研究者によって、もう何十年も続けられている。マルクス主義の歴史理論が華やかだった一九七〇年代までは、真ん中の広場をたくさんの住居が囲んでいるところから、縄文時代の基本的な集団は大きな共同体で、それを構成する個人や小家族は互いに平等な関係にあった、とみる人が多かった。しかし、発掘のデータも増え、さらに検討が進められた結果、興味深いことが二つほどわかってきた。

第一は、住居が広場のまわりに切れ目なく均等に配置されるのではなく、すきまをはさんでいくつかのグループになった

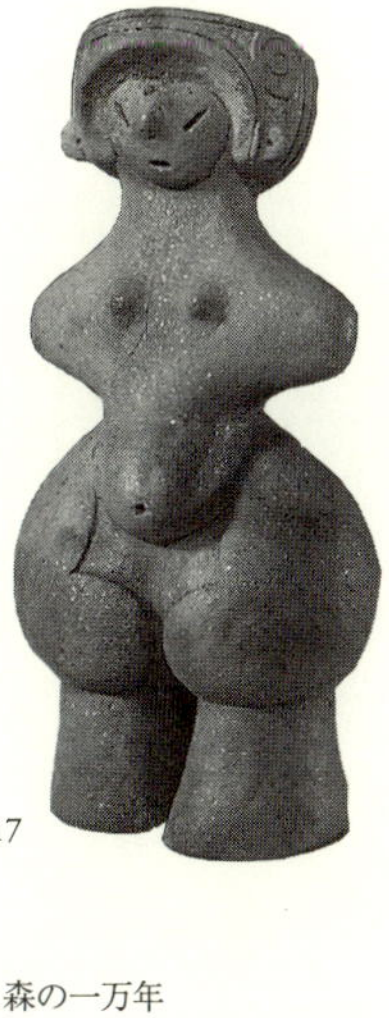

17

◉縄文ヴィーナス
長野県茅野《ちの》市の棚畑《たなばたけ》遺跡から出土した、縄文時代中期を代表する土偶（高さ二七㎝）。国宝に指定されている。

り、偏ったりしていることだ。環状集落の規模にもよるが、しばしば、環《わ》を二分ないし三～四分するような大きなまとまりがあり、さらにそれが、おのおのいくつかの小さなまとまりに分かれている。これら大小のまとまりは、広場につくられた墓においても観察することができる。

住居や墓にみられるこれらのまとまりは、出自集団の反映と考えられることが多い。出自集団とは、部族や氏族、あるいは大家族のような、同じ始祖をもつ（と互いに信じている）人びとの集まりだ。問題はその構成人数である。一般的な環状集落の場合、同時に建っていた住居の数をどう見積もるかにもよるが、大きなまとまりが五～一〇軒、小さなまとまりは二～三軒ほどだろう。住居一軒がカップルと子供たちの住まいにあたると考えると、大きなまとまりでさえ、部族のイメージにはほど遠い。二〇～五〇人ほどの人数、集落全体でも最大一〇〇人程度だろう。部族とは、ふつう数百人以上のメンバーからなるものだが、そのような大集団は想定できそうにない。人数の点からは、ひとつの環状集落をひとつの出自集団の居所《きょしょ》と見なすのが素直といえる。出自集団と居住集団とが一致するとみる考えだ。

このような見方に対し、ひとつの環状集落を複数の出自集団の居所とする意見もある。環状集落が二つの大きなまとまりから成り立っていると見なし、それぞれを、別の大きな出自集団に属する支群と考えるのである。すなわち、部族のような大出自集団がその地域全体にわたっていくつか存在し、それぞれが支群に分かれ、別々の大出自集団に属する支群どうしが、配偶者を交換するなどの目的で、ひとつの環になって集落を形成しているというわけだ。出自集団と居住集団とが異なるとみるこの考えのもとでは、より複雑で大規模な社会組織の姿が浮かび上がってくる。

個人間の差異の表示

環状集落の構成について明らかになった第二の点は、墓の配置、副葬品の有無・種類などに、個人間の差異が表示されていることだ。

多くの環状集落では、中央広場につくられた墓の群のそのまた中心、つまり同心円構造をなす集落の焦点にあたる場所に、何基かの墓が独立してつくられている。盛期の環状集落のもっとも見事な例としてよく引き合いに出される岩手県紫波《しわ》町の西田《にしだ》遺跡では、広場の真ん中に十数基の墓が二列に並び、外側を取り巻くその他大勢の墓とは明確に区別されている。発掘した佐々《ささ》木勝《きまさる》は、墓穴の底の傾きについて、真ん中の十数基は集落中心方向が、それを取り巻く多数は集落外側方向が高くなってい

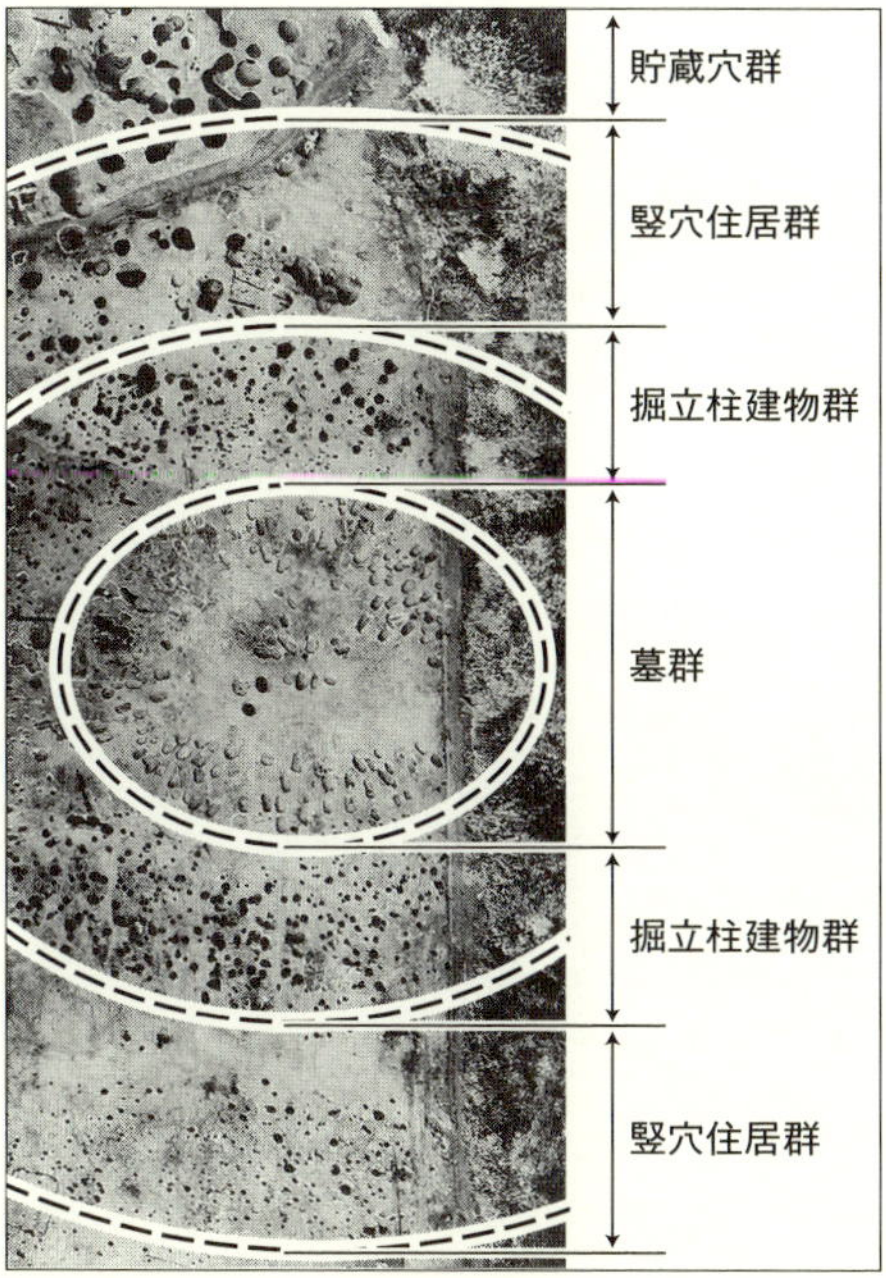

18

●環状集落の構成
西田遺跡の環状集落は、墓や掘立柱《ほったてばしら》建物などの遺構がただ同心円状に並ぶだけでなく、中央から放射状に並ぶという方向性をもっているのが特徴である。墓からは、ヒスイのペンダントが出土している。

ることに注意した。葬るときは、ふつう高いほうを頭にするので、真ん中に葬られた十数人に、外側の大勢が対面するような形になっていた可能性が高い。真ん中の十数人が、特別な人物たち、ないしは特別な集団と認識されていたことは、間違いないだろう。

このような環状集落に伴う墓の一部からは、石製の耳飾り・ペンダント・大珠《たいしゅ》などの装身具や、石匙《いしさじ》（石のナイフ）・石鏃《せきぞく》・石斧《せきふ》・石皿《いしざら》・すり石・土器などの道具類が、一点または数点ずつ出ることがある。これらはいずれも無機質のものだが、朽ち果てて今は残っていない衣服や骨角器《こつかくき》のような有機質の品物もたくさんあった可能性が高い。したがって、装身具をつけたまま葬られたり、品物を供えられたりした人は、実際にはもっと多かっただろう。ことによると、ほとんどすべての人になんらかの器物が伴っていたかもしれない。

しかし、環状集落の中央広場につくられた墓の群を見ると、少なくとも無機質の着装品や副葬品をもつ埋葬は、しばしば、二つないし三〜四つに区切られたうちの特定のまとまりに偏っている。もし、そのほかのまとまりに今はなき有機質の品物が多く伴っていたのだとしても、着装品や副葬品の傾向の違いそのものは、まとまりごとに存在していたということになる。

それぞれの品物を身につけたり供えられたりすることが具体的に何を意味していたのか、私たちには想像はできても、実証する術《すべ》がない。ただし、品物の種類や数によって死者の位置づけを表示しようとしていたのだとすれば、かなり複雑な地位や社会的区分のシステムに基づいた、個人どうしの差異が存在したと考えられる。また、まとまりごとに副葬品が偏ることから、特定の地位や社会的区分に位置づけられる個人を出す集団が、ある程度定まっていた可能性が高い。

縄文社会は平等だったか

以上のようにみてくると、環状集落最盛期の縄文《じょうもん》時代の社会は、つぎのように復元できる。まず、環状集落自体は、前にも述べたように、格差を包み隠す位置関係が住まいの形に現われたものであり、集落のメンバーを互いに対等とするメッセージが、そこに盛り込まれているだろう。その半面、墓に入れた品物の種類や数の違いからは、個人どうしの社会的な差異もまた認められていたことがうかがえる。さらに、ひとつの環状集落をつくる集団どうしの間にも、墓の位置や内容に表示される差異があったようだ。このように、縄文時代の人びとが、ある局面では互いの対等を尊重し、別の局面では差異を認め合う社会をつくりだしていた状況を、物質文化に盛り込まれたメッセージから読みとることができる。

縄文社会が平等であったか不平等であったか、階層社会であったかそうでなかったか、という問題は、今、考古学界でたいへん熱い議論になっている。これは、人類史や日本列島史のな

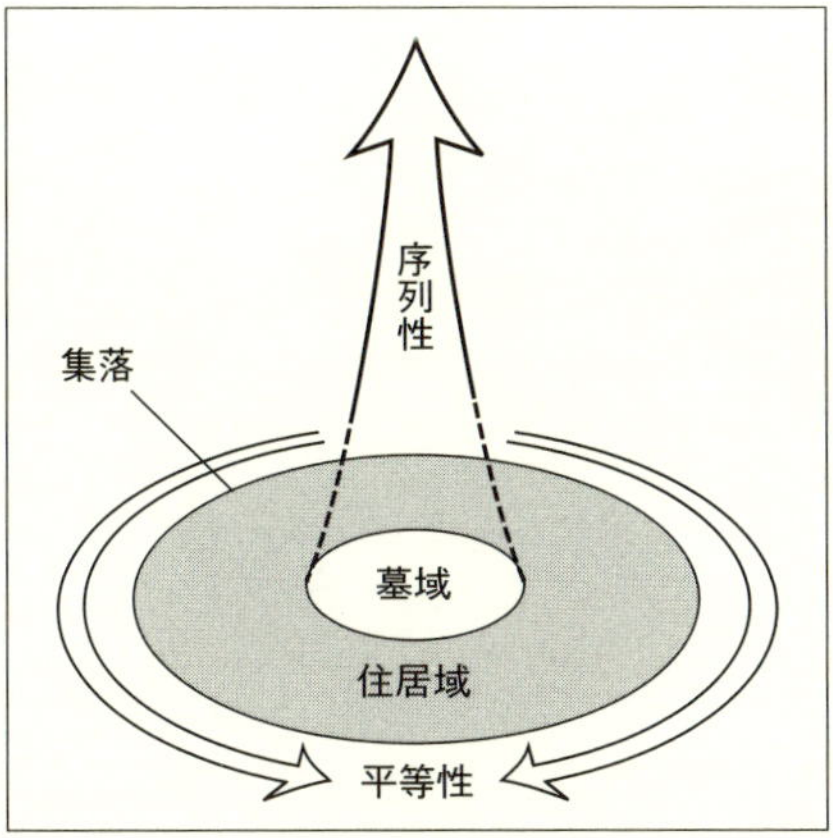

●平等と序列
環状集落の円環形には平等のメッセージが、中心部の墓の位置や副葬品の違いには現実の序列が示されている。平等原理と序列原理とのせめぎあいを、そこからうかがうことができる。

かに縄文時代をどう位置づけるかという点で、きわめて重要な問題だ。そして、この問題の焦点は、この議論にかかわる研究者のなかに、平等という状態が人類太古の社会の姿であり、平等社会から不平等社会ないし階層社会へという道筋が歴史の本質だと信じている人が、まだかなり多いことである。

だが、新しい進化生物学・動物行動学・進化心理学などをふまえた人類史の研究者のなかで、原始のヒト社会が平等だったなどと考えている人は、もはやほとんどいないだろう。初期ヒトの社会を類推させるチンパンジーの社会には、たいへん厳しい個体間の序列がある。そのほかの霊長類《れいちょうるい》の社会をみても、個体間の関係が平等であるような種《しゅ》は知られていない。

個体どうしが競争することは、生物の本質だ。競争があるからこそ、そのときどきの環境のなかで有利な形質をもった個体が生き残る。それが進化だ。進化するからこそ、種は世代を超えて生きながらえることができる。個体間の競争がなかったら、ヒトという種は現われなかっただろうし、今日《こんにち》の私たちのような姿に進化したはずもない。ただし、注意しなければならないのは、そのような進化のなかで、個体間の競争がつねに暴力によるいっぽうの死に終わってしまわないために、それを回避する仕組みもまた、生物は社会のなかにつくりだしてきたことである。その代表が序列のシステムだ。このシステムによって個体間の強弱や優劣が前もって定められているために、食物や異性をめぐる競争が暴力として爆発してしまう機会は、最小限に抑えられることになる。

心理学者で動物行動学者でもあるロビン・ダンバーや、進化心理学者のデニス・カミンズによると、私たちヒトの大脳がこれほどまでに発達しているのは、厳しい序列のある複雑な社会環境のなかで進化したためだという。ダンバーは、オスとメスがそれぞれ複数いる込み入った集団のなかで立ちまわって利を得るため、推理や読心や欺きの能力が発達した可能性を説く。また、カミンズは、序列の厳しい社会で脳が進化したことによって、他人よりも上位に立ちたいという欲求や、強い個体に追随する志向性を、私たちはもつようになったと述べる。私たちの脳は、生きるための競争や不平等に満ちた社会をゆりかごとして進化したようだ。平等で安寧な社会なら、このような脳は生み出されなかったに違いない。この脳がつくる私たちホモ・サピエンスの社会は、根本的には、時代を問わず不平等だということだ。むろん、縄文社会も例外ではない。

平等はつくられた観念

では、私たちが現代社会に追い求め、理想主義の考古学研究者が縄文《じょうもん》時代に期待する「平等」とは、いつ、どのような形でヒトの社会に現われたのだろうか。

近年の人類史の国際的な議論では、平等とは、ヒトの進化がある段階に達してのちにつくりだされてきた一種の観念とする考えが有力である。平等主義もまた、無駄な競争や暴力を避けるために生み出されたシステムという点では、序列のシステムと同じだ。ヒト社会に基本的にある不平等があまねく個体間関係のゆがみを調整する手段として、その不平等を是認して合理化するのが序列の原理なら、それを否定して是正しようとするのが平等の原理ということができるだろう。

ヒトやそのほかの霊長類《れいちょうるい》は、競争だけでなく、他《た》の個体と助け合う行為をする。利を得る戦略のひとつとして、今は他人を助けておき、あとでその見返りを期待するというやり方だ。これには、助けたことと助けられたことを正確に覚えておく記憶力が必要である。したがって、互いに助け合う関係が長く続いて、個体どうしの平等な結びつきをつくっていくようになるためには、ある程度、知能が進化していなければならない。霊長類のなかで、ヒトだけが平等の原理を生み出したもっとも大きな要因は、そこにあるだろう。

さらに、競争とともに、このような利他的行為もまたさかんに行なわれる社会環境のなかで長い進化の道を歩んだからこそ、私たちの脳は、それを動機づけるための友愛や思いやりの感情をもつようになった。ほかの霊長類には顕著でないこのような感情の発達と、今みた記憶力の発達とが相《あい》まって、友愛や思いやりに基づく平等主義が、ヒト社会の進化のある段階で生み出されたと考えられる。

ほかの動物にもみられる序列の原理と、ヒトだけが獲得した平等の原理。この二つの原理が複雑にからみあって、個人間の関係、すなわち社会はつくられている。序列原理が優先される社会もあれば、平等原理が

19

うたわれる社会もある。しかし基本的には、太古から現代までのいかなるホモ・サピエンス社会においても、序列と平等の二つの原理は互いに重なり合い、せめぎあい、局面を変えながら、つねに同時に存在するとみるべきだろう。

あえて難しいことをいうなら、残された物質文化に平等主義が反映されている社会だからといって、実際に平等だったとはかぎらない。現代の「アメリカン・ドリーム」という言葉のように、不平等を覆い隠すための、あたかも平等主義にみえるイデオロギーが、メッセージとしてそこに盛り込まれたかもしれないからだ。縄文の環状集落が、このようなものでなかった保証はどこにもないだろう。また、序列を表示する物質文化も、序列そのものの痕跡《こんせき》ではない。当時の人びとが序列による格差をどう認識し、それをどう合理化しようとしたかの反映だ。上位の人が有能で崇敬できる人物だったり、特別な生まれだったり、宗教的な力をまとっていると信じられていたりすることが、現実の不平等によって生まれる下位の人びとの不満を和らげ、痛みを麻痺《まひ》させ、納得させる役割を果たす。心理学でいう「合理化」にあたるものだ。墓に表示された各種の格差は、直接的には、その合理化の反映である。

縄文時代において、序列原理と平等原理とがどのように重なり合い、社会関係を分担しあっていたかを具体的に復元するのは難しい。対等のメッセージと格差のメッセージとがともに物質文化に

◉縄文のロングハウス
縄文時代には長さ一〇mを超す大型建物の跡も多い。用途については、ムラの長のような有力者の住まいとする序列原理に基づく説と、多数の人びとが集う場とする平等原理に基づく説とがある。写真は三内丸山《さんないまるやま》遺跡で発見された大型竪穴《たてあな》住居（長さ約三二m）を、多数の人びとが集う場として復元した模型。

読みとれることから、二つの原理の間で複雑に揺れ動く社会であった様子がうかがえる程度だ。縄文社会のさらに詳しい分析と復元は、心の科学に根ざした認知考古学のこれからの進展にゆだねられるだろう。ただ、この本でも、これから先ページを重ね、弥生《やよい》時代、古墳《こふん》時代の様子を同じ視座から眺めてみたときに、序列と平等の関係からみた縄文社会の歴史的特質を、もう少し浮き彫りにできるかもしれない。

集落、土器ともに典型的な発達を見せた縄文時代中期までの東日本をおもな対象として、その文化を解剖し、社会を復元してみた。つぎの章では、ほかの地域の社会の状況も見渡しながら、その後の縄文時代の文化と社会とが、どのように変化していったのかを追いかけてみよう。これまでの話は、縄文時代を六つに分けた一〜四番目、すなわち草創期から中期までが対象だったが、つぎの章では五番目と六番目、つまり後期と晩期とをおもに扱うことになる。

これからみていくように、今から四五〇〇年ほど前の中期と後期との間に時代の大きな変わり目があるので、厳密な長さでいうと中間点ではないのだが、これをわかりやすく縄文時代の折り返し点と呼び、それ以前を縄文時代の前半期、以後を後半期ということにする。

第三章

西へ東へ

縄文時代後半

並び立つモニュメント

大湯環状列石を訪ねて

先ほどの章は、南国鹿児島の遺跡を訪ねることから始めた。こんどは東北の秋田へ飛ぼう。県北東端、青森県境に近い山あいの鹿角《かづの》市、米代《よねしろ》川《がわ》上流の花輪《はなわ》盆地《ぼんち》に向かって北東から張り出してきた平らな尾根の上に、二つの石の環《わ》（環状列石《かんじょうれっせき》）が並んでいる。北西側が万座《まんざ》、南東側が野《の》中堂《なかどう》と呼ばれる環状列石で、遺跡全体の名前は大湯《おおゆ》遺跡（大湯環状列石）という。今から四五〇〇～四〇〇〇年ほど前の縄文《じょうもん》時代後期前半、長い縄文時代の折り返し点を過ぎたころにつくられたものだ。

「大湯環状列石」と書かれた駐車場に車を停《と》め、まず資料館を見学。駐車場を横切り、ゲートをくぐって小さな林を抜けると、視界は前方に大きく開け、茅葺《かやぶき》屋根の村落のようなものが見えてくる。歩みを進めると、茅葺屋根は床のない掘立柱《ほったてばしら》建物で、これが十数棟ばかり、環になって並んでいることがわかる。環のさしわたしは約五〇メートル。さらに近づいてみると、建物の環のすぐ内側に、こぶし大から子供の頭ほどの

1

●大湯環状列石
左（北西側）が万座、右（南東側）が野中堂の環状列石。平らな尾根がもっともせばまったところを押さえるように二つ並んでいる。

丸い石を組み並べて、また環がつくられている。この環の中心には、同じように石組みでつくられたもうひとつの小さな環がある。

　これが万座の環状列石だ。構造をもう一度整理すると、小さな石組みの環を大きな石組みの環が取り巻き、その外側を掘立柱建物の環が巡り、今はみえないが、さらにその外側に竪穴《たてあな》住居や穴蔵《あなぐら》などがあったことが発掘調査でわかっている。つまり、二重の石組みの環、建物の環、住居や穴蔵の環という、四重の同心円構造になっているのである。

　万座をじっくりと見学したあと、車に気をつけながら道路を渡って、北側の野中堂の環状列石に行ってみよう。万座よりわずかに小さいけれども、ここにも同じような二重の石組みの環がある。さらに、万座のように復元はされていないが、もとはその外側を、掘立柱建物の環、住居や穴蔵などの環が取り巻き、ほぼ同じ同心円の構造をもっていたことが確かめられている。

　野中堂で目をひくことが二つある。ひとつは、石組みの環の一か所に明確な出入り口がつくられていることだ。出入り口があるということは、環の内側と外側とをはっきりと区別する意識があった証拠である。もうひとつ目をひくのは、たくさんの棒状の石を放射状に地面に置き並べ、真ん中にひときわ大きな石の棒を立てた、「日時計」と呼ばれる石組みだ。内外二重の石の環の間に、「日時計」は何基かつくられている。同じような石組みは、よく見れば万座にもある。駐車場に帰る途中、もう一度万座を通るときに確認してみよう。

環状集落から環状列石へ

大湯環状列石《おおゆかんじょうれっせき》は、縄文《じょうもん》の景観を今も体感できる数少ない遺跡だ。山と森に囲まれたまわりの環境もすばらしく、縄文時代に興味をもつ人は、ぜひ足を運んでほしい。

それにしても、万座《まんざ》と野中堂《のなかどう》の不思議な構造物の正体は、いったい何なのだろうか。手がかりのひとつは、これまでの発掘調査によって、環《わ》に並べられた石の下に、墓穴と考えられる掘り込みが見つかっていることだろう。環状列石の内側が墓地だったことは、ほぼ間違いない。そのいっぽう、住居や穴蔵《あなぐら》などが外側を取り囲んでいることから、そこで生活をしていた人びとがいたことも確かだ。

もう気づいた人もいるだろうが、内側から墓地広場、掘立柱《ほったてばしら》建物、竪穴《たてあな》住居・穴蔵というように同心円状に並ぶ円環のグラウンド・デザインは、縄文中期に最盛期を迎えた環状集落と同一である。異なるのは、墓地の部分に環状や日時計状の石組みがつくられていることと、外側の住居の数が少ないことだ。つまり、環状集落の墓地の部分が肥大して飾られ、住居の部分が縮小して退化すれば、そのまま環状列石になる。住居については、定住のためのものか、まつりのときなど

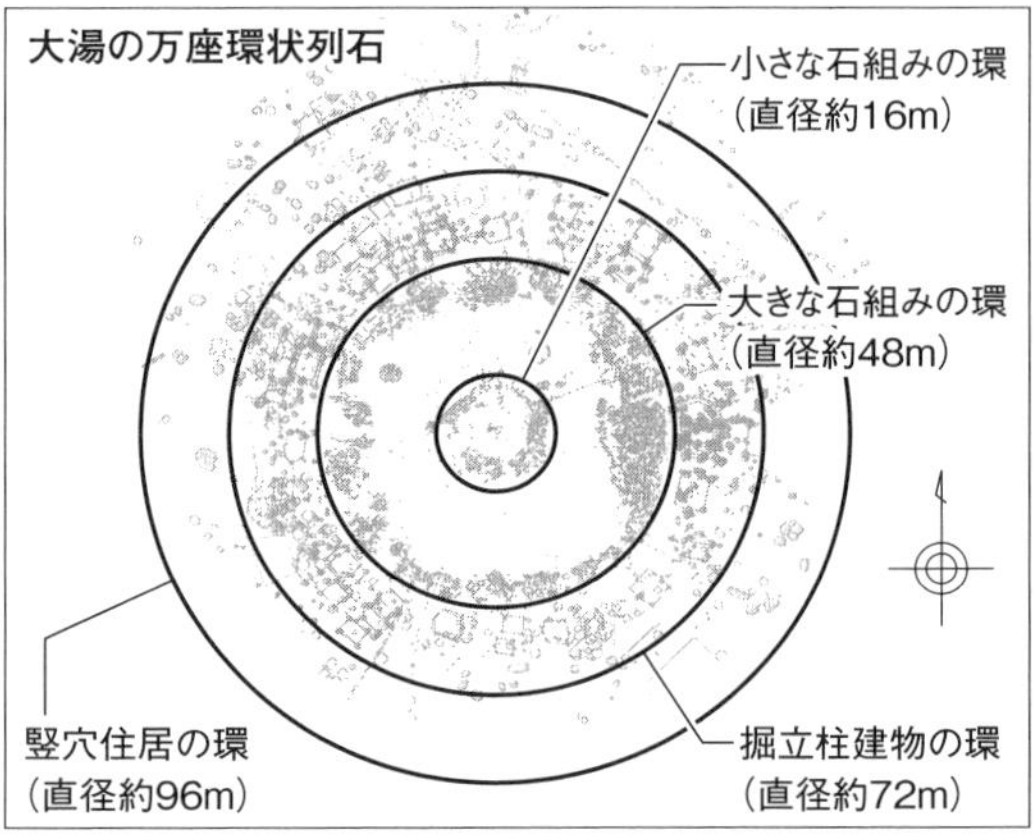

◉同心円状の四重の環
内側から二重の石組み（墓地）、掘立柱建物、竪穴住居・穴蔵と同心円状に並んでいる。環状集落にも共通するデザインである。

に一時的に居住するためのものなのかは、はっきりしていない。

佐々木藤雄《ささきふじお》は、環状集落と環状列石のこうした関係に早くから注目し、前者から後者への移り変わりをたどっている。佐々木によると、大湯のような典型的な環状列石が現われるのに先立って、まず中央広場に石組みの環をもった環状集落が出てくる。縄文時代中期後半の約五〇〇〇年前のことだ。そして、約四五〇〇年前の後期になると、この石組みの環が集落から独立し、そこから離れた特別な場として設営されるようになったのだという。これが環状列石の成立だ。つまり環状列石は、環状集落のなかに芽生え、やがて独立して、特別に、人びとの目をひくような姿に、いわば「凝《こ》り」を盛り込まれた構造物だったのである。

このように、環状集落から環状列石が独立してくる現象を、佐々木は、住居と中央広場、日常の空間と非日常の空間、生者の世界と死者の世界とがはっきりと区別されたことだと読み解く。そしてこれを、中央広場がまつりの場として純化され、その性格を強化されたことの反映だと考えている。

北海道の周堤墓

大湯《おおゆ》と似た環状列石《かんじょうれつせき》は、米代川《よねしろがわ》を少し下った北秋田市の伊勢堂岱《いせどうたい》、北に山を越えた青森市郊外の小牧野《こまきの》など、おもに東北北部一帯に分布している。大小三つの環状石組みが連なる伊勢堂岱、石組みに特徴のある小牧野など、細部は少しずつ違う。しかし、埋葬を伴う中心広場を環状石組みで飾り、そのまわりを若干の住居や穴蔵《あなぐら》などが巡る円環のグラウンド・デザインは共通だ。

津軽《つがる》海峡を渡った北海道では、環状列石のほか、土手を環状に巡らせ、一方に入り口をもった周堤墓《しゅうていぼ》という施設が築かれる。石狩川《いしかりがわ》下流に広がる北海道最大の平野部に多い。年代は、環状列石よりはやや新しく、三五〇〇年ほど前である。

千《ち》歳《とせ》市のキウス（木臼）二号周堤墓。人の背丈をはるかに超える高さ二・六メートルの土手が、外径七五メートルの円形に巡っている。北北東に開いた土手の切れ目が入り口で、ここから中に入ると、内側の地面はかなり低い。ここを掘り込んだ土をまわりに積み上げて土手としたのだろう。キウス二号周堤墓は、もっと小さな二つの周堤墓と連接し、北東側には、また別に三つの周堤墓の連接がある。キウスの周堤墓群は、今でも見ることのできる縄文《じょうもん》時代までの構造物としては日本最大級のもので、壮観の一語に尽きる。

周堤墓は、その名が示すとおり、墓だ。一般的な周堤墓には、土手の内側に一〇～二〇ほどの墓穴がある。土手の上にも墓穴をもつ例がみられる。埋葬に伴う着装品や副葬品は、本州の縄文時代の墓に比べるとずいぶんにぎやかで、ヒスイの玉《たま》や、土器・漆器《しっき》・弓矢・石斧《せきふ》・石棒《せきぼう》などがある。

2

●小牧野の石組み
手前の「日時計」状の円い石組みの背後にあるのが、小牧野独自のタテ置きとヨコ積みとを交互に並べた環状の石組み。

石棒とは、あとで詳しくみるように、なんらかのまつりに使われたらしい石を磨いてつくった棒だ。これらの品物のほか、しばしば、赤い顔料が遺体や墓穴にふりまかれている。埋葬後は、木の棒を打ち込んだり、石を立てたり敷いたりして墓標としたものが多い。品物や顔料、墓標の有無や種類には個人差が明らかで、それらの傾向が群《ぐん》ごとに異なる場合がある。個人や集団の間での社会的な差異を示したものらしい。

　環状列石と周堤墓とは、細かい点では違いがある。しかし、環状列石の石組みの環《わ》を土盛《ども》りの環に変えれば、グラウンド・デザインは周堤墓と同じだ。円環構造をきわだたせ、人びとの目をひくように「凝《こ》り」を盛り込んだ構造物という点では、両者は共通している。

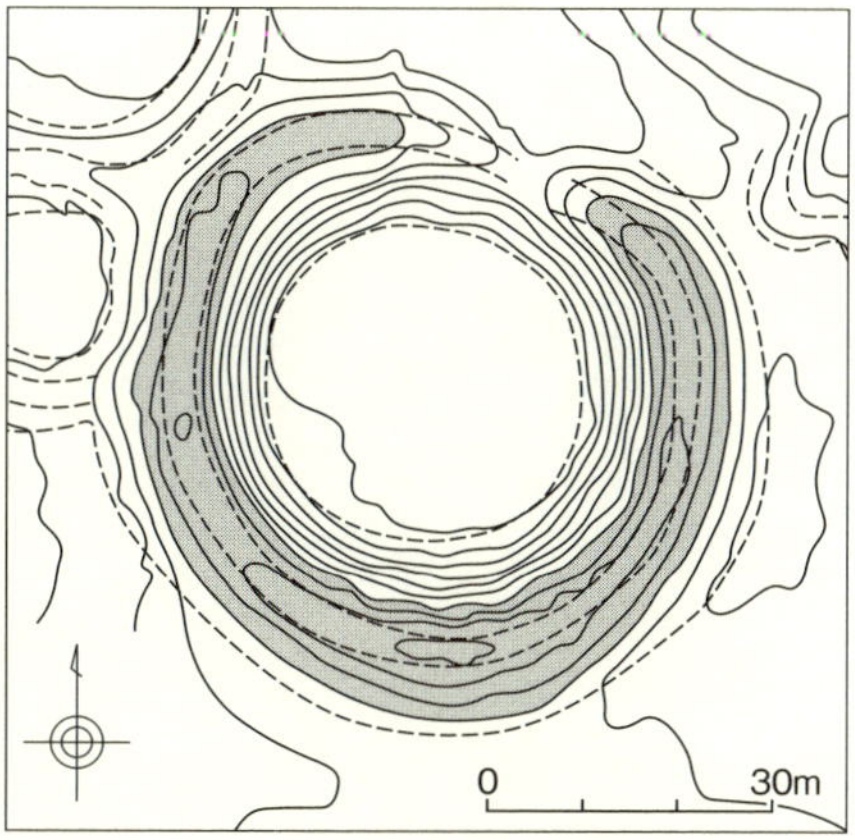

◉キウス二号周堤墓
直径七五mの周堤に囲まれた内部は、外よりも一段低くなっていて、そこに多数の墓穴がある。北海道独自の大規模な墓である。

関東の環状盛土

　同じころ、関東でも、人びとの目をひく円環形の構造物がつくられる。環状盛土《かんじょうもりど》と呼ばれるもので、見た目は北海道の周堤墓《しゅうていぼ》に近い。栃木県小山《おやま》市にある寺野東《てらのひがし》遺跡の環状盛土は、外径一六五メートルの巨大な円形に土手が巡り、内側の地面は掘り込まれている。周堤墓と同じように、掘り込んだ土をまわりに盛って土手にしたらしい。

環状盛土は、長い期間に少しずつ積み重ねられたもので、そのなかに住居がつくられていたり、火を焚《た》いた跡があったり、人が埋葬されていたりする。この点では、初めから墓としてつくり整えられた東北の環状列石《かんじょうれっせき》や北海道の周堤墓とは、ややコンセプトが違う。

むしろ、性格が近いのは貝塚《かいづか》だろう。本来、貝塚は廃棄の場だ。集落に伴う貝塚には、貝殻だけでなく、肉をとったあとの動物の骨、土器のかけらなど、さまざまな生活の残滓《ざんし》が捨てられて積もっている。ただし、当時の人びとにとって、貝塚はただのゴミ捨て場ではなかった。何世代も何世代も、あえて同じところに生活残滓を捨てつづけ、そこで火を焚いたり、遺体を埋葬したりもしている。貴重だったはずのヒスイの玉《たま》が「捨てられて」いる例もある。縄文《じょうもん》時代の人びとは、貝塚を特別な場所と認識していた可能性が高い。何世代もかけてうず高く積もった暮らしの跡が見せる景観や、発するにおいに、そこが自分たちの場所だという思いや、先祖から連綿と続いてきた時間の意識が呼び起こされていたものと想像できる。いうなれば自分たちの記念碑だ。

大きな貝塚の平面は、馬蹄形《ばていけい》（U字形）や、一方に切れ目をもった円形になることが多い。環状盛

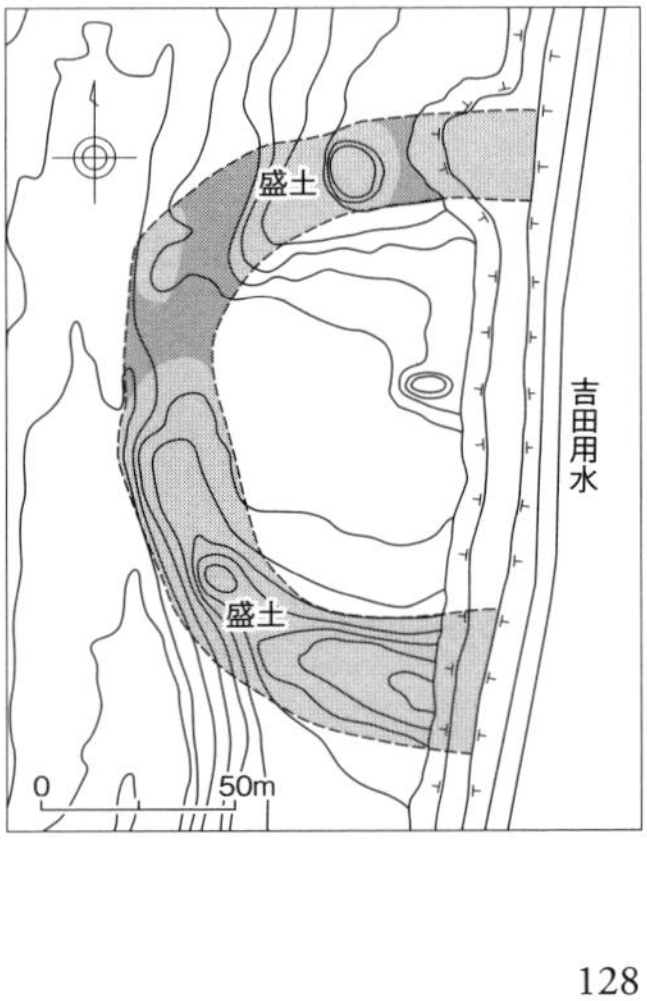

●寺野東遺跡の環状盛土
東側半分を削られているが、もとは盛土が円形に巡っていたと思われる。内側の平坦面から盛土の上面までは、最大で四・五mある。

土は、この馬蹄形や円形の貝塚の姿を手本として、形をきれいな円環形に整え、人の目をひくように凝《こ》り整えられた構造物と考えられる。

競い合うモニュメント

以上のように、縄文《じょうもん》後期を中心とする時代には、東日本を中心とした日本列島の各地に、「凝《こ》り」を盛り込んださまざまな大型構造物が築かれる。環状列石《かんじょうれっせき》・周堤墓《しゅうていぼ》・環状盛土《かんじょうもりど》遺構のほかにも、東北北部や北海道南西部には、環状列石にやや先立つ時期に、丘陵の一角を方形や楕円《だえん》形に巡る「環濠《かんごう》」と呼ばれる空堀《からぼり》がつくられた。大湯《おおゆ》の「日時計」状石組みと似た施設は、数や大きさを問わなければ、東北から関東・甲信越に至る広い範囲にある。

これらの施設がどのように生み出されてくるのか、まだ完全に明らかになったわけではない。しかし、環状列石が環状集落に、環状盛土遺構が貝塚《かいづか》に、それぞれ起源をもっていることは、今みてきたように、ほぼ確かだろう。周堤墓についても、円形に掘り込んで一方に出入り口をもつその姿から、竪穴《たてあな》住居

3

◉大湯・野中堂の日時計
中央の長い石の影が、太陽の動きとともに伸び縮みしたり、周囲の石をめぐったりして、季節や時間の流れを実感させせただろう。

をかたどったものと想像する研究者がいる。

こうした現象を整理すると、集落・貝塚など、日常の生活で機能していた空間が、実質上の機能よりも知覚上の顕著さ、すなわち、人の目をひく凝りを盛り込むことを第一の目的としてつくり整えられるようになったものが、縄文後期に各地で発達した大型構造物だということができる。中期までの集落や貝塚にも、形の凝りはあり、メッセージ性は醸《かも》し出されていた。後期には、それがさらに極まり、ほとんどメッセージ性のみを取り出してつくり整えた環状列石・周堤墓・環状盛土などの構造物が、特別な場として、日常の空間のなかから独立する動きが顕著になったのである。

動かせる小さな道具にメッセージ性を付与することは、すでにホモ・ハイデルベルゲンシスの段階から始まっていた。しかし、大地につくりつけた構造物にメッセージを盛り込んだり、メッセージを発するために構造物や空間をつくり整えたりしたのはホモ・サピエンスの段階、それも定住生活が始まってからだ。そこにどんなメッセージが込められていたのか、いくらでも想像はしたくなるし、する人もいるが、実証はできない。ただ、これらの構造物を見た人に、通常の生活の場や日常の空間とは違う、別の感興や記憶を呼び起こしたことは間違いないだろう。

このような、物理的な機能ではなく、人の心に対して働きかけることをおもな目的としてつくり整えられた構造物や空間を、人類史や考古学ではモニュメントと呼んでいる。日常の施設のなかからモニュメントが分離独立してくることが、縄文後期の物質文化にもっとも著しい現象だ。縄文時代の後期から晩期に向け、社会の変化が始まったことを告げる、第一の現象である。

変わりゆく物の世界

粗製土器と精製土器

社会の変化を反映する第二の現象は、土器・石器・土偶《どぐう》などの道具のなかに見つけ出すことができる。まず、土器からみていこう。

先にみたように、縄文《じようもん》時代の前半には、東日本を中心として、地域や集団のアイデンティティと結びついた濃厚なメッセージ性が土器に託され、複雑華麗に飾り立てられていった。ところが、後半に入るころから、全体として土器の凝《こ》り具合は小さくなっていく。深い鉢の口縁《こうえん》を波打たせるという特徴は保たれるけれども、波頭を派手に飾って跳ね上げたり、上半部から下半部へと大きく流れ下る華麗な文様をつけたりするような、ダイナミックな装飾はしだいに影をひそめる。

この段階以降の土器の大きな特徴は、文様のつけ方にある。最初にほぼ全面に縄文をつけてからヘラで文様の区画線を描き、つぎに区画線の外側の縄文をすり消す（区画線を描かないで縄文をすり消す場合もある）。これは磨消縄文《すりけしじようもん》と呼ばれる手法で、後期にピークを迎える。少し慣れたら誰にでもできる比較的簡単な技術で、北海道から九州北半までの広い範囲に伝わった。その後、深鉢《ふかばち》は口縁、頸《くび》、胴《どう》の三部位がはっきりと区別され、それぞれの部位に磨消縄文による文様の横帯《おうたい》を巡らせるというデザインのきまりごとがはっきりしてくる。このきまりごとも関東から九州にまで広く共有された。このような、文様をつける手法の簡素化ときまりごとの確立によって、後期の縄文土器は、列島の広い範囲でたくさんの人の手によって製作され、共通性を帯びるようになった。こうして、地域どうし、集団どうしで複雑な文様を誇示し合い、つくり手どうしが驚異的な技を競い合うコミュニケーションの媒体としての土器の性質は、縄文時代の後半に入ると、薄れていくのである。

　このこととともに重要なのは、縄文時代の後半には、今述べたように文様をつけた薄くてきれいな土器（精製土器《せいせいどき》）と、あまり文様をつけない厚手の雑な土器（粗製土器《そせいどき》）との区別がはっきりと出てくることだ。数の比でいうと、精製土器が一〜三割、粗製土器が七〜九割。精製土器には深鉢のほか、浅い鉢・皿・土瓶《どびん》のような形の注口土器《ちゅうこうどき》など、いろいろな種類があるのに対して、粗製土器はほとんどが深鉢である。粗製土器は、しばしば内部に食物のこびりついた跡があったり、外側には噴きこぼれや煤《すす》の付着がみられたりすることから、実際の煮炊きに使った日常の調理用具とみてよい。いっぽう精製土器は、日々の食生活とは切り離された場面で使われた道具だろう。

　縄文時代前半の土器には、あれほど複雑華麗に飾られた深鉢にさえ煮炊きの跡が残っていて、日常用と非日常用のつくり分けはほとんど認められなかった。ところが後半になると、少数の精製土

4

◉**精製土器（左）と粗製土器（右）**
精製土器は非日常的な場面用、粗製土器は日常の煮炊き用とみられる。（左／さいたま市寿能《じゅのう》遺跡・右／千葉市加曾利《かそり》貝塚出土）

器が日常の暮らしのなかから独立し、非日常的な場面で特別な役割を果たすべく、別個につくられるようになるのである。

土偶の人間ばなれ

土器とともに、縄文《じょうもん》時代の物質文化を代表する土偶《どぐう》。じつは、この土製《どせい》フィギュア（人やものをかたどった像）がもっとも隆盛を迎えたのも、後半に入ってからだ。

縄文時代の初めごろの土偶は小さな板状で、頭と両手をちょこんと飛び出させた十字形のものが多い。ふつう、胸に一対《いっつい》、またはそれに加えて下腹部中央に一個の突起をもつ。前期の終わりには目鼻と口の表現が出てくる。中期には、顔もしっかり造形され、体の表現も立体的になって、立てておくことのできる大型品が現われる。土偶の二大スターといえる「縄文ヴィーナス」（111ページ）と「遮光器《しゃこうき》土偶《どぐう》」のうち、前者は中期のもので、長野県茅野《ちの》市棚畑遺跡《たなばたけいせき》の出土品が名高い。

縄文時代の後半に入ると、姿態や顔の表現が一気に多彩になる。ハート形の顔をもつもの（ハート形土偶）、三角形の頭をしたもの（山形土偶）、鳥のミミズクに似たもの（ミミズク形土偶）など、今の私たちの感覚からするとずいぶん奇妙な姿をしたいくつかのタイプが生み出されてくる。その極みは、縄文時代も終わり近くになって登場するもうひとりのスター「遮光器土偶」だ。前半までの土偶がほとんど裸のようだったのに比べ、後半の土偶には、衣服や入《い》れ墨《ずみ》を表わしたものかどうかは不明だが、ヘラ描きの文様や縄文を体全体にびっしりとつけられたものが多い。縄文時代前半の土偶が、しだいに人間らしさを増すように変化していくのに対して、後半の土偶は、逆に人間ばなれする方向へと進んでいく。

人間ばなれして、時に怪異といえる表情や奇想天外な体つきを見せることは、たんなる人間の写実物からは期待できないような特別な感興を、見る人に対して呼び起こす効果をもつ。表情の認知のパターンはホモ・サピエンスに通底した原則があり、たとえば、口角《こうかく》を上げて歯を見せ、目じりを下げる表情が敵意のないしるしで、親しみの感情を呼び起こすことは、日本人にもアフリカ人にも、ヨーロッパ人にもイヌイットにも共通することがわかっている。もし、特定の表情の意味が地域や民族ごとに違っていたとすれば大変だ。今日《こんにち》のような国際的コミュニケーションはとても営めていなかっただろう。表情と感情、およびその両者の結びつき方もまた、身体と同じようにホモ・サピエンスの進化の産物であり、私たちの種全体が共有する「知」である。

縄文人もまたホモ・サピエンスである以上、表情認知の基本原則は私たち現代人と同じだったと考

●人間ばなれした土偶
縄文後半期の土偶は、人間の姿をベースとしながらも、人間ばなれしていく。（右上／秋田県大仙《だいせん》市星の宮遺跡・左上／群馬県吾妻町郷原《ごうばら》遺跡・右下／千葉市長者山《ちょうじゃやま》貝塚・左下／茨城県江戸崎町椎塚《しいつか》貝塚出土）

えていい。怪異で人間ばなれしていると私たちが感じる土偶には、縄文の人びとも、それに近い感興を呼び起こされていただろう。少なくとも、縄文時代の前半の土偶と後半の土偶との間には、それをつくったり見たり使ったりする人の認知に大きな違いがあった可能性が高い。おそらく、土偶の製作にあたって、それまでよりも強いメッセージ効果をねらうようになったことの積み重ねが、縄文時代後半にみられる土偶の人間ばなれという現象につながったのだろう。

非日常の世界の独立

モニュメントの成立、土器と土偶《どぐう》の変容という二つの面から、縄文時代《じょうもん》後半に入って、人工物の織りなす世界が変わりはじめたさまをみてきた。では、これらの変化はどのような意味をもち、社会のどのような変質の反映とみることができるだろうか。

まず、モニュメントの成立。この現象は、先にみたように、日々の生活の場や施設のなかから、人の心に働きかけることをおもな目的として特別につくり整えられた場や施設が、分離独立することだ。同様に、文様のある薄手できれいな精製土器《せいせいどき》の発生も、日常の暮らしの道具のなかから、非日常の場面で役割を果たす特別な道具が分離独立することである。このように、集落とモニュメントが分かれたことと、精製土器と粗製土器《そせいどき》とが分かれたこととは、社会の大きな動きに根ざした表裏一体の現象とみていいだろう。

同時に出てくる人間ばなれした土偶も、それをつくったり見たりした人びとの心の中に、人間とはかけ離れた姿をもつ超自然的存在《スーパーナチユラル・ビーイング》（ホモ・サピエンスが心にいだく神・精霊・魂・妖怪など、想像上の存在の総称）がつくりだされたことの証《あかし》だ。このこともまた、右にみたモニュメントや精製土器の発生と、同じ社会の動きから出てきた現象だった可能性が高い。

このように、モニュメントの成立、精製土器の発生、土偶の人間ばなれは、いずれも、日々の暮らしを織りなす人工物の世界から、非日常の世界を演出する人工物の世界が分離独立してきたことを意味する。このことは、人びとの営みのなかで、日常の空間と非日常の空間、日常の時間と非日常の時間とが、はっきりと分かれたことを示すものだろう。

非日常の場や時間の代表的なものといえば儀礼だ。もちろん、儀礼という行為そのものは、物質的痕跡《こんせき》としては確かめきれないけれども、もっと古くから存在していたに違いない。儀礼の起源は、個体どうしが互いの関係を確かめ合うために、音声やしぐさでメッセージを交わす行為がパターン化したものとされ、ヒト以外の動物にもある。社会関係をつくる「コミュニケーションのためのコミュニケーション」とも呼べるこの行為は、複雑な脳がつくる複雑なヒトの社会においては、早い段階から多様に発達していた可能性が高い。摂食や生殖そのものとは直結しない、踊りなどの特別なしぐさや、歌などの特別な発声、およびそれを下支えするリズム感や音感は、とくに儀礼行為との発展と相《あい》まって進化した結果、生得的能力として私たちに備わるようになったと考えられる。超自然的存在や、そのようなものを信じてしまう心的性向も同様だろう。

踊りや歌や超自然的存在がからみあった儀礼は、旧石器《きゆうせつき》時代から縄文時代の前半までを通じて存在し、具体的にはわからないけれども、すでにかなり複雑な姿に発達していたとみられる。今述べようとしている縄文時代後半への転回とは、そうした儀礼の中身が、初めてくっきりとした形で人工物に表出されたということである。そのことによって、儀礼や、それを支える観念は、参加者や周囲の人びと、そしてつぎの世代にますます明確な形で伝達され、新しい要素を蓄積しながら拡充していっただろう。たんなる個々人のばらばらの信心ではなく、集団で同じ対象を信じ、そのことを確認してつぎの世代に伝えていくための儀礼や、そのための道具立てや施設などの装置をもつようになったものを宗教と呼ぶならば、日本列島では、縄文後期にそれがはっきりとした姿をもって確立したということができる。

時と生命の環

ふたたび大湯へ

縄文《じょうもん》時代後半への転回は、従来からあっただろう儀礼やその背後の観念が、物に表出されることによって、「宗教」への歩みを遂げた画期だった。むろん、この歩みは、たんなる宗教発達史の一幕にとどまるものでなく、個人どうし、集団どうしの結びつきからなる社会関係の大きな変化と連動しているはずだ。このあと、縄文時代後半からつぎの弥生《やよい》時代への転換を導いた、この大きな社会変化の内容をたどってゆくのだが、その前に、後半期に入って物質世界に映し出された縄文の宗教的思想を分析しておきたい。そのことによって、弥生への社会変化をもたらした歴史の流れの方向が、よりはっきりと浮き彫りにできると思うからである。

縄文の儀礼が物の姿に映し出されたものとして代表的なのは、まずモニュメント、それから土偶《どぐう》などのフィギュアだ。まず、モニュメントからみていこう。

ふたたび、秋田県大湯《おおゆ》の環状列石《かんじょうれっせき》へ。万座《まんざ》と野中堂《のなかどう》、二つの環状列石の構造については先に観察した。こんどは、まわりの景色や方角との関係に注意してみたい。まず、万座と野中堂の二つの環状列石は、南西から北東にゆるやかに上がっていく平らな台状の尾根が、両側からの浸《しん》食《しょく》によっていちばんせばまったところに立ちはだかるように並んでいて、その背後には黒又山《くろまたやま》というきれいな円錐形《えんすいけい》の山が見える。このよう

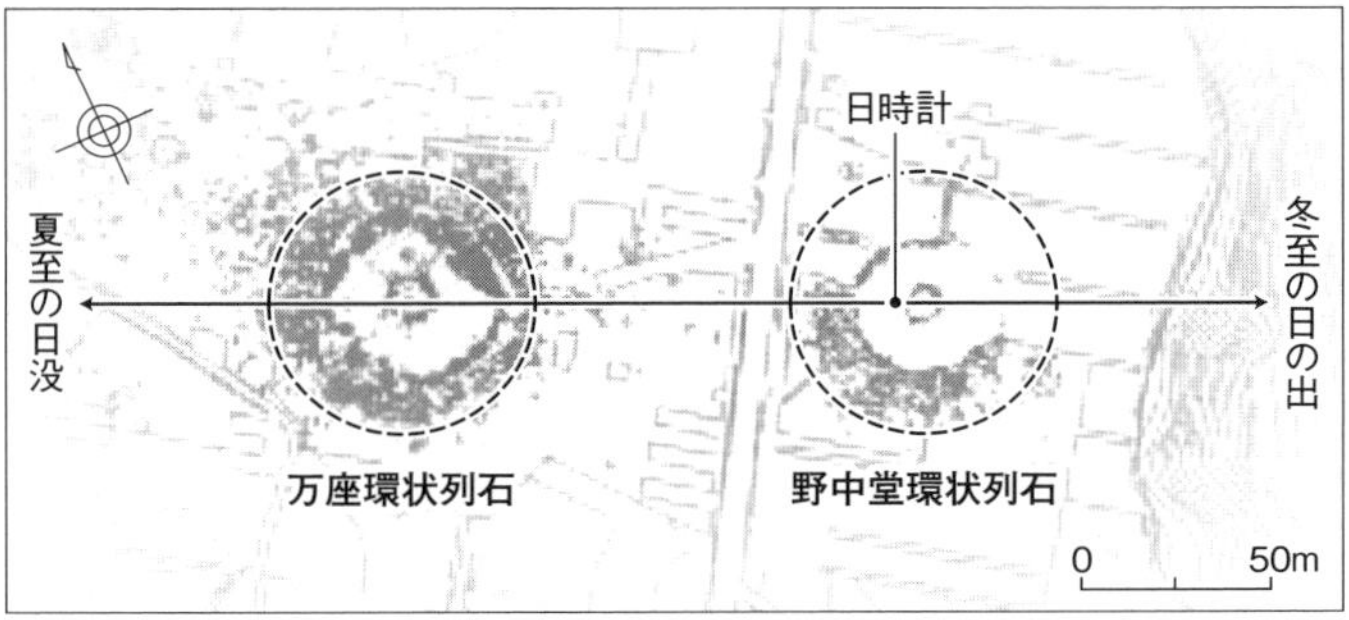

●大湯環状列石と太陽の位置関係
万座と野中堂は、冬至の日の出地点と夏至の日没地点とを結んだ線上に配置されており、太陽の運行をめぐる季節の儀礼の舞台装置だったことがわかる。

な地形を、当時の人びとがどこまで、どのように認識していたのかは謎《なぞ》のかなただが、この場所を選んだのには一定の理由があったに違いない。

その推測をさらに補強するのは、二つの環状列石の並びが指し示す方角である。まず、万座の環状列石の中心に立って、野中堂の環状列石の中心をのぞむと、その延長線上は冬至《とうじ》の日に太陽が昇る位置。反対に、野中堂の中心に立って万座の中心を見た延長線上は、夏至《げし》の太陽が没する点だ。万座と野中堂の中心どうしを結ぶこの線は、太陽の運行に関係して決定的に大事な意味をもつラインだったのだ。野中堂の日時計状の石組みはこのラインに乗っている。冬至の日の出と夏至の日没の瞬間、日時計の中心に立てた棒状の石が、長くのびた影をちょうどこの線上に重ね、ラインを視覚的に演出することになる。ここで行なわれる儀礼のクライマックスがその瞬間だったことを疑うのは困難だ。万座と野中堂、二つの環状列石は、その舞台装置として周到に設計・施工されたのだと考えるほかはない。この並びが偶然の産物だとしたら、そうなるのは天文学的確率だろう。

大湯環状列石ほど一目瞭然ではないが、周囲の地形と太陽の運行との密接な関係を見せるモニュメントは少なくない。青森県小牧野《こまきの》環状列石の中心に立てば、冬至の太陽が名峰八甲田《はっこうだ》から昇る。栃木県寺野東《てらのひがし》遺跡

6

◉天神原遺跡から見た冬至の日没
群馬県安中《あんなか》市天神原《てんじんばら》遺跡の、縄文晩期の環状列石から見た冬至の日没。南西にある大桁山《おおげたやま》の山頂に日が沈んでいく。周辺の地形と太陽の運行とを意識した位置に環状列石が置かれている。

の環状盛土《かんじょうもりど》遺構では、ほぼ中心に石を敷いたマウンドがあって、ここから見ると、冬至の太陽は筑《つく》波《ば》山《さん》の山頂付近から昇り、筑波山頂とマウンドを結ぶ線と土手が交わる地点が、目印のようにまるく盛り上げられている。小林達雄《こばやしたつお》を中心とする共同研究によって、このような例がたくさん見つけだされた。偶然だという人もいるが、当時の人びとが地形や太陽との並びを意識しつつモニュメントを設計・施工し、その位置関係の認識がモニュメントの意味やそこでの儀礼の内容に反映されていた可能性は、大湯環状列石の一例をもってしても明らかといえる。

土偶の正体

縄文《じょうもん》の儀礼行為を物に映し出したものとして、土偶《どぐう》はもっとも代表的な存在だ。モニュメントからもたくさん出土するので、儀礼の場でさかんに使われたと考えられる。

土偶は何をかたどっているのだろうか。その「モデル」に人間の要素が含まれていることは疑いない。しかし、それと現実の人間の姿との間にはさまざまな違いがあるし、その違いは、当時の人びとも同じように認識していたはずだ。その違いが、約四五〇〇年前からの縄文時代後半の土偶にますます明白に、意図的に、類型的に表現されるようになったことは先に述べた。

ホモ・サピエンスの脳が生み出す超自然的存在《スーパーナチュラル・ビーイング》の姿は、ベースが人間であることが圧倒的に多い。下半身が馬の人間だったり、ライオンの首から下が人間だったり、人の姿だが特殊な力を付与されていたり、などなど。超自然的存在を生み出すことと、それが自分たちの姿を変形・発展させたものであることは、人の要素に自分たちとのつながりを、それとは違う要素に特別な力をそれぞれ想定するという、ホモ・サピエンスに共通した心の働きだ。私たちは、リアリティを帯びながら、少しの不可解さや非現実性を残すものやことがらにひかれ、そういう存在や物語をつくりだしていく性向をもっている。神話・迷信・占い・都市伝説などはみなそうだ。その意味で、神・幽霊・ネッシー・河童《かっぱ》・UFO・超能力者・神格化された君主などは、同じ心の働きの産物といえる。

この点では、土偶もしくはその「モデル」も同じような存在だろう。そして、土偶に造形された、現実の人間とは違う要素が、そのキャラクターや能力の表現と考えられる。河童の頭のお皿の意味を私たちが語れるように、ハート形の顔や、ミミズクのような輪郭と目鼻や、遮光器《しゃこうき》といわれるまなざしが体現する人間ばなれした意味や力を、当時の人びとは語ることができたに違いない。だが、その語りの内容は時の過ぎゆくままに消え去ってしまい、今、私たちにできるのは不確かな想像だけだ。

ただ、かなりの数の土偶にみられる要素として、胸の一対《いっつい》の突起と腹のふくらみがある。これらはむしろ現実の人間と共通する要素で、胸の突起は乳房または乳首、腹のふくらみは妊娠を表わすとみてよい。これらの突起やふくらみは縄文時代を通じてしばしばみられる造形で、当時の人びとが土偶の多くに期

7

◉土偶の造形
独特の表情、胸や下半身の複雑な文様、へそから上にのびた線。これらの造形の一つひとつに意味があったのだろう。函館市著保内野《ちょぼないの》遺跡出土の、北海道初の国宝。（高さ約四一・五cm）

待した能力やキャラクターの反映と考えられる。行きすぎた想像はしたくないが、生命を宿し育てる力への期待が、そこに映し出されているとみることくらいは許されるだろう。

土偶以外の土製《どせい》フィギュアとして、イノシシ、クマ、鳥、カメ、キノコなどの動植物をかたどったものがあり、おもに縄文時代後半の東日本で流行する。また、同じころ東日本を中心に発達する石棒《せきぼう》には、男性器の形をしたものが少なくない。男性器の形は、縄文時代晩期の約三〇〇〇年前になって中部地方で発達する、石冠《せっかん》という特殊な形の磨製石器《ませいせっき》にも表現された。このほか、数は多くないが、女性器を表わした造形もある。これらもまた、生命や生殖をかたどっているという点で、土偶と共通した性格がうかがえる。

縄文時代の心のありよう

モニュメントと土製《どせい》フィギュアに、縄文《じょうもん》の儀礼の内容を明らかにする手がかりを探してみた。それらを整理してほぼ間違いなくいえるのは、モニュメントは太陽の運行や季節のめぐりとの密接な関係を認識しながら設計・施工されたこと、および、土偶《どぐう》を含

8

◉動物形の土製品
左上はイノシシ、左下はクマの土製品。右の土製品（重文）はカメ、水鳥、ムササビ、アザラシなど諸説ある。（左上／千葉県市原市能満上《のうまんかみ》小《こ》貝塚・左下／青森県弘前市尾上山《おのえやま》遺跡・右／北海道千歳市美々《びび》4遺跡出土）

む各種フィギュアは、生命や生殖の力を表わしたり、それを想起させたりするものがほとんどだということだ。

太陽の運行や季節のめぐりと、生きることや生命を宿すこととは、互いに密接な関係があるだろう。太陽軌道の変化によって季節は移り変わる。植物の発芽や稔《みの》り、動物の繁殖などは、進化の結果として季節の移り変わりに応じてそのメカニズムが働くようになっている。自分たちを取り巻くさまざまな環境や世界のなかで、一年を一周期として回帰する天体と季節と生命の営みに対する関心が、モニュメントや土製フィギュアに映し出された儀礼内容のもっとも中心にあったことは、ほぼ間違いない。

このようなテーマを演出する儀礼の場として、縄文のモニュメントに共通する円環《えんかん》という形は、きわめてふさわしい。太陽の運行を映す「日時計」の影は、その円に沿って動き、もとのところに戻ってくる。終わりも始まりも切れ目もなく、たどればまたもとのところに戻ってくる円は、エンドレスな回帰という動きを表現したり演出したりできる唯一の図形だ。天体や生命の回帰という現象に最大の関心をいだいた縄文の人びとは、そのエンドレスな時間の流れを、ホモ・サピエンス独特の高度なアナロジーと抽象化の能力で、円という形になぞらえて表現していたのかもしれない。

円はまた、旧石器《きゅうせっき》時代の環状のキャンプ地のところで述べたように、メンバーどうしの対等な位置関係を目にみえるよう示す形でもある。縄文時代に平等原理と序列原理がみられることは先に述べたが、円は、当時の社会関係のなかの平等原理の側面が人工物の形に表示されるときの空間構造として用いられたといえるだろう。社会のなかにともに埋め込まれていたはずの序列原理と平等原理のうち、儀礼を行なう場であるモニュメントが、後者の平等原理をより力強く演出する姿につくり整えられたことは、古墳《こふん》というモニュメントの大きさや形に序列原理を表現した、のちの古墳時代と比べた際に、縄文の社会と文化の性格をとくにきわだたせるものだ。

また、同じく儀礼に用いられたらしい、お腹のふくらんだ土偶や動植物のフィギュアなどは、命やその営みをかたどったものである。見る人の心に力や脅《おど》しを呼び起こす弥生《やよい》時代の武器形などの儀礼用具と並べたときに、これらもまた縄文時代の文化や社会を織りなしていた心性を浮き彫りにするものといえるだろう。

おびやかされる平等原理

それにしても、縄文《じょうもん》時代はほんとうに平等で、分け隔てのないつながりを重んじる社会だったのだろうか。それとも、反対に、現実に格差が強まってきたために、それを覆い隠したり合理化したりしようとする人びとの気持ちが、平等原理を醸《かも》し出すモニュメントや道具を用いた儀礼をつくりだすに至ったのだろうか。先にも述べたように、このことは難しい問題だが、後者の側面をもっと考える必要があるのではないかと思う。

先にも説明したが、儀礼は、もともと、個人どうしが関係を確かめ合うためのコミュニケーションの行為がパターン化したものといわれる。また、喫煙・喫茶などの定期的な嗜《し》好《こう》の行動も、心の不調や緊張を緩和するために、個人が自分自身に対して行なう儀礼に類する行為と理解されることがある。摂食や生殖とは関係がないにもかかわらず繰り返され、パターン化した行為、すなわち儀礼は、右のように、個人どうしの、あるいは個人が自分自身に対してする心理的な合理化の欲求から生み出されてくるものだ。

ほんとうに分け隔てのない円満な社会で、社会関係からくるストレスも少ないのなら、ことさらにそれを強調するような儀礼が発達する必然性はないだろう。考古学が扱う物質文化は、過去の人の行動を正直に反映することもたしかにあるいっぽうで、ヒトという生物がもつ認知と行為の複雑さゆえに、その社会のほんとうの姿をゆがめたり、反転させたりして映し出す場合も少なくない。物質文化のもつこういう単純ではない性格にヒューマン・サイエンスの光を当てながら考古資料を分析しないと、私たちは縄文人にまんまとだまされてしまうだろう。

縄文時代の後半に入るころ、モニュメントやそこで使う道具が日常から独立し、儀礼の場がはっきりと人工物の形に映し出されたことと、それが平等原理の観念を呼び起こす内容をもっていたことは、逆に、そのような原理をおびやかすような関係が、社会のなかに強まっていたからだと考えられる。そこでつぎに、モニュメントがそこから独立してしまったのちの集落や埋葬の跡に、そうした関係の真の痕跡《こんせき》が少しでも正直に反映されていないかを点検してみよう。そして、そのような社会関係の変化が、弥生《やよい》時代の幕開きにつながっていく仕組みを明らかにしてみたい。

保守と変革

消えていく環状集落

縄文《じょうもん》時代の後半に入る約四五〇〇年前、住む場所から別のところにモニュメントが独立していったあと、集落の姿はどうなったのだろうか。このころに進んだ集落の変化として、まずいちばんに指摘されるのが、大きな環状集落がなくなるという現象だ。

環状集落がもっとも大規模に発達していた関東南部では、中期の終わり近くになるとそれらが軒並みすたれ、二〜三軒あるいは五〜六軒ほどの住居からなる小さな集落に分かれていく。つまり、人びとがたくさん集まって生活することをやめ、ふたたび、数組のカップルとその子供たちからなる、一〇〜二〇人ほどの小規模な集団ごとに暮らすようになったのである。

集住から分散居住へという変化が起こった理由については、いくつかの説がある。もっとも有力なのは、縄文時代前期の七〇〇〇〜六〇〇〇年前ごろを温暖化のピークとしてふたたび寒冷化しはじめた気候の変化によって、縄文の前半から後半への折り返し点となる四五〇〇年前ごろは環境が大きく変わり、それまで頼っていた食料がとれなくなって人口が減ったから、とする説だ。

たしかに、気候の寒冷化は食料資源に大きな影響を与えたに違いない。しかし、たんにそのために人が減り、集落が小さくなった、という完全に受身の対応だけではなかっただろう。環境の変化に対して、個人や集団がそれをどのように認識し、どのような意思決定をし、そのなかから選ばれたどのような行為が世代をつなぎ、つぎの社会づくりにつながっていったのか、という主体的な人の営みの跡をあぶりださなければならない。それこそが、歴史学のもっともおもしろいところだ。

個人の住居や墓をいろどる

大規模な集住から小規模な分散居住へという動きのなかで、住居や墓にはどのような変化がみられるだろうか。

この動きが進む縄文《じょうもん》時代中期の終わりから後期の初めにかけての関東や中部で目立ってくるのが、集落のなかの一部の住居を特別な形にしつらえる行為だ。おもに、板石《いたいし》を敷き詰めた特別な床をつくることや、出っ張らせたり門柱を立てたりして入り口を整えることが、中期後半に盛んになる。さらに、後期に入るころには、床全面から入り口の出っ張りにかけて板石を敷き詰めた、柄鏡形敷石《えかがみがたしきいし》住居という特別な住居の形が確立して広まった。床と入り口に手をかけた特別な家が、集落のなかにつくられるようになったのである。

墓にも変化が現われる。まず、後期よりのちになると、とくに東日本で、副葬品の数が増える傾向がみられる。だがもっと重要なのは、やは

9

◉柄鏡形敷石住居
入り口（手前）と床（奥）とに、石を丁寧に並べたり張ったりして手をかけた特別な住居。（埼玉県入間《いるま》市坂東山《ばんどうやま》遺跡）

り東日本を中心に、石を使って墓を飾るのが流行することだ。板石を立てて組んだり石を積んだりして、小なりといえども弥生《やよい》時代や古墳《こふん》時代のものと見まがうような石棺《せっかん》や石室《せきしつ》をつくる例が、中期の終わりごろ以降、中部から東北にかけて現われる。また、墓穴の上に石を立てたり組み置いたりするものは配石墓《はいせきぼ》と呼ばれ、これも同じころ、九州から北海道にかけての広い範囲で増える。配石墓は、先に詳しく述べた大湯環状列石《おおゆかんじょうれっせき》などの大規模なモニュメントにしばしば取り込まれるが、そうではない一般の墓地にも出てくる。住居と同じように、墓地においても、石を用いて個々の墓に手をかけることが多くなるのである。

このように、縄文時代の折り返し点をなす中期と後期の境の時期には、儀礼の場がモニュメントとして独立していくいっぽうで、一般の集落や墓地では、個々の住居や墓の形に「凝《こ》り」を盛り込む傾向が現われてくる。

身体の人工的な加工

集団で分かち合うものよりも個人に属するものに「凝《こ》り」を与える傾向が強まったのは、住居や墓だけではない。縄文《じょうもん》時代の後半になると、個人の身体そのものに人工の手を加える動きが目立つようになる。

特定の規則にのっとって健康な歯を抜いてしまう抜歯《ばっし》の風習は、縄文時代の早い段階からあるが、盛んになるのはこのころからだ。痛みに耐えて大人の仲間入りをする儀式だなどという説もあるが、なんらかの麻酔を施していた可能性もないわけではなく、そのあたりの実態は想像の域を出ない。むしろ、歯を抜くことで、その後死ぬまで顔に特定の目じるしがつくというところに大きな意味があったのだろう。具体的なことは知る由《よし》もないが、たとえば出自や職能など、ある決まった法則によって個々人をカテゴリー分けし、それを明示する手段となっていたことは疑いない。

抜歯と同じ縄文時代の後半に流行したものとして、ほかに耳飾りがある。車輪形に造形し、半乾きの状態で透《すか》し彫りなどの文様を彫り出した見事な土《ど》製品《せいひん》で、土《ど》偶《ぐう》にそのような表現があることから、ピアスのように耳たぶにはめ込んでいたと考えられている。直径が五〜六センチメートルにも及ぶものがあるので、これも抜歯と同様、互いに認識しあううえで大きな目じるしとなっただろう。

そのほか、土偶の表現から類推して、当時の人びとが顔に入《い》れ墨《ずみ》をしていたのではないかとする説がある。入れ墨については証明できないけれども、抜歯や耳飾りのあり方からみて、縄

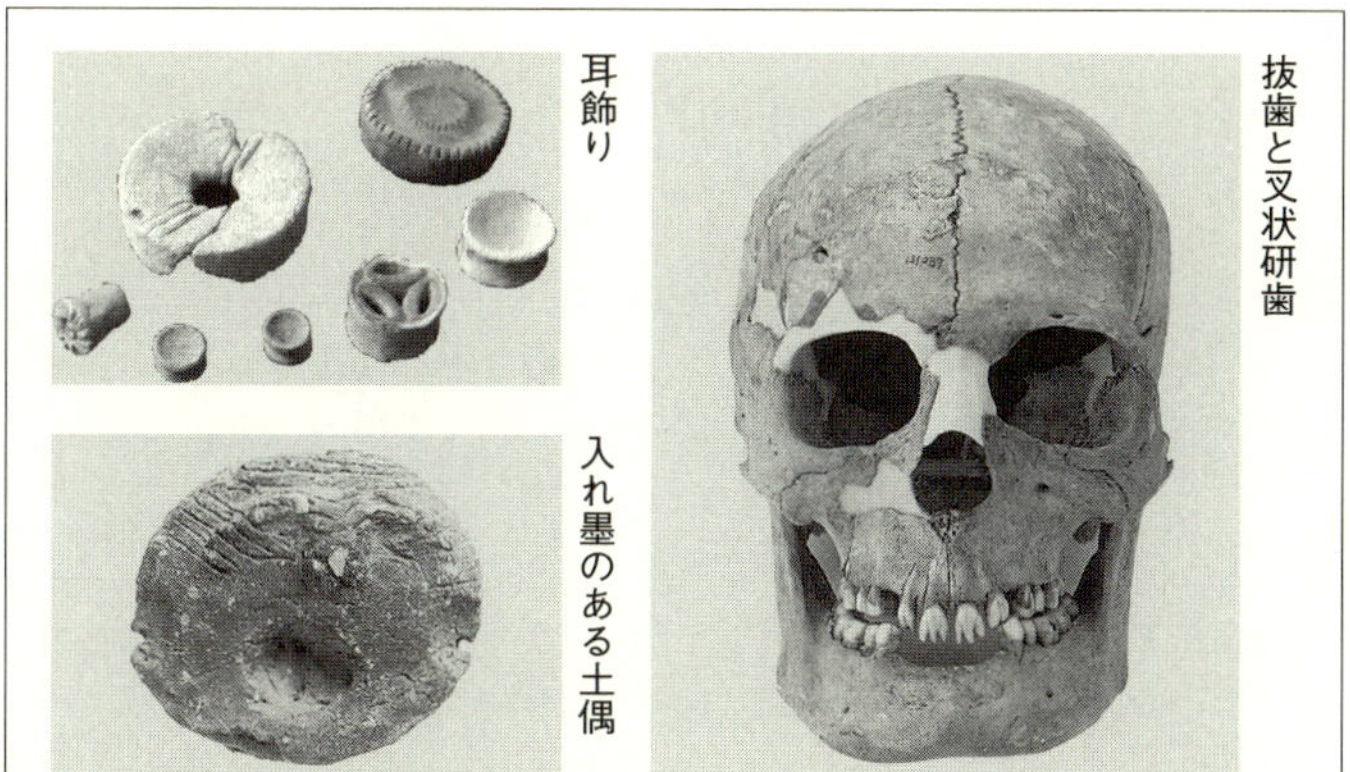

◉抜歯・耳飾り・入れ墨
縄文時代後半には、抜歯のほか、歯に刻み目を入れる叉状研歯《さじょうけんし》も多い。耳飾りや入れ墨同様、個人の社会的位置づけを示すのだろう。（右／大阪市国府《こう》遺跡・左上／千葉県市原市祇《ぎ》園原《おんばら》貝塚・左下／滋賀県守山市赤野《あかの》井《い》浜《はま》遺跡出土）

文時代のとくに後半には、顔を中心に人工的な加工を施し、なんらかの約束事にのっとって個々人の区別を明示することが、きわめてさかんに行なわれていたようだ。そしてこれも、先ほど述べた、それぞれの住居や墓に凝りを盛り込んで区別を明示することと同じように、集団全体よりも個々人にかかわるメッセージ性を、人工物を用いて演出しようとする傾向の現われと理解できるだろう。

石刀をふるう人、土偶になる人

さらに縄文《じょうもん》時代の後半には、それまでモニュメントなどに立てていた石棒《せきぼう》に、小さくて丁寧なつくりのものが多くなる。そのなかから、握るところとその先の部分とが明確に分かれた「石刀《せきとう》」「石剣《せっけん》」などと呼ばれる石の道具が出てくる。もちろん刃はついていないので、刀や剣といった実用の武器ではないが、それと同じように手に持ってふるうことで、見る人の心に持ち主の力や権威を喚起させる、メッセージ性あふれる用具だ。このように、どこかに置いたり立てたりしてみんなで分かち合うのではなく、丁寧に小さく持ちやすくつくられ、個人が所持して見せつけるための石の用具が、縄文時代の後半から終わりにかけて増える。これらも、それを持つ人と持たない人という、個々人の社会的カテゴリー分けにひと役買ったに違いない。

また、同じころに、粘土で造形し、焼いてつくった土製《どせい》の仮面《かめん》が現われる。注目すべきは、その顔面に土偶《どぐう》と共通する表現がみられることだ。土偶が、人びとにとって崇拝や畏敬をすべき超自然的存在《スーパーナチュラル・ビーイング》の物象化だった可能性は先に説いた。そうだとすると、土偶と同じ特徴をもつ土製仮面をかぶった人は、そうすることによって土偶がかたどる超自然的存在に近づいたことになる。崇敬すべき存在に直接つながる人とそうでない人、という違いが、個々人の間に現われていたかもしれない。

集団から個人への変化

以上にみてきたように、縄文《じょうもん》時代の後半になると、現実の暮らしの世界では、個々の家や墓、そして個人の身体、持ち物や服飾など、集団全体よりもむしろ個々人のアイデンティティや相互の差異を表わす「凝《こ》り」が、人工物に盛り込まれる動きが顕著になった。しかしながら、そのいっぽうで、先にみた儀礼の場として独立した環状列石《かんじょうれっせき》などのモニュメントは、逆に、平等の原理や、そこからくる集団の一体性を醸《かも》し出す舞台装置として整えられた。

社会の理想や、それに基づいた人間どうしのあるべき関係を目にみえる形で表現する儀礼の場では、集団の一体性と平等がうたわれ、現実の暮らしの場ではメンバーそれぞれの個性や格差が人工物に示される。このことは、縄文時代の後半になって、社会の理念を形に表現したモニュメントが、個々人の営みや相互格差が明確化した現実の社会的緊張を覆い隠し、合理化しようとする気持ちのなかから現われたという、先の想定を裏付けるものだ。このような理念と現実とのねじれは、温暖化する気候に適応して発展してきた縄文時代前半の社会が、ふたたびの寒冷化という地球規模の変

11

◉土偶によく似た土製仮面
秋田県二ツ井町麻生《あそう》遺跡出土の土製仮面。高さ一四・五cm。紐を通す穴が両側面にあって、かぶる場合は額にあてたと思われる。

動に直面することによって、環境との間に緊張をはらみながら変容しはじめたことの表われだろう。

では、環境の変化が、具体的にどのようにして、どのような方向への社会の変容を導いたのだろうか。個々人の営みや相互格差が物質文化に反映されたはじめた社会とは、実際にどのようなもので、つぎの時代にどのようにつながっていったのだろうか。

人びとが大きな環状集落に集まって暮らすのをやめ、一〇〜二〇人ほどの集団ごとに分かれて住むようになったということは、生活の場面において、それぞれの集団が自立性を強めた状況を示す。この変化は、あるとき突然に生じたものではないだろう。縄文前期から中期にかけての環状集落全盛期に、それを構成したいくつかの集団が、一年じゅう定住していたのか、それとも季節によって出入りをしていたのか、詳しいことはわかっていない。しかしおそらく、中期の終わりごろからは、集まって暮らす日数や回数も減っていき、ついには誰も来なくなるという長いいきさつのあとに、環状集落は放棄されたのだろう。

考古学の資料に現われる変化は、現代の私たちには、えてして一瞬の出来事のように急激なものにみえる。ほんとうは何十年も何百年もかかった変化が、発掘現場の土層のわずか数センチメートルの差、あるいは土器の形のわずか数ミリメートルの違いに押し込められていることが、むしろ普通だからだ。考古学研究者が「画期」「革新」などと呼ぶような変革の多くは、実際には何十年も、何世代もかけて徐々に進んだ小さな変化の積み重ねであることが少なくない。そして、このような小さな変化の積み重ねこそ、歴史が動くメカニズムであり、そこに人類史の本質がある。

社会はなぜ変化するのか

ヒトの文化や社会が、世代を超えて継承され、地域を超えてつながりをもつのは、ホモ・サピエンスが進化の過程で獲得した、高度な学習能力のためだ。「学ぶ」と「まねる」とが同じ語源であることからもわかるように、学習とは、模倣することである。ヒトが高度な模倣の能力をもつに至ったのは、模倣という行為が、脳の進化をもたらした社会的な環境のなかで有利だったからだろう。何か行為をおこすとき、自分でいちいち判断してその計画を練るよりも、ほかのたくさんの人がしている行為――だからこそ、おそらく成功していると判断される行為――と同じことをするほうが、脳の負担や要する時間も少なくてすみ、しかも成功の確率が高い。私たちが日ごろ何気なくやっている行為は、すべて模倣といってよい。言語・慣習・宗教などといった文化も、そのもととなる共有の「知」を、模倣を通じて実体化したものだ。私たちが社会を維持できるのは、私たち自身の学習能力のおかげだ。

このような社会のなかで進化したからこそ、私たちホモ・サピエンスの認知と行為の仕組みには、本質として模倣に頼る、保守的な傾向がある。つまり、そのままでうまくやっていけるかぎり、私たちは、上の世代や自分たち自身が過去にしてきたとおりのやり方を、できるだけ守ろうとする。それまでのやり方から逸脱する動きは出にくいし、もし出ても抑えられやすい。こういう場合、文化や社会の変化のスピードは遅くなるだろう。伝統や、それを守る集団の絆《きずな》が強い、保守的な社会である。

これに対し、環境が変化するなどして、それまでやってきたことがしだいにうまくいかなくなったときには、従来のやり方から逸脱した動きをとるほうが、逆に成功しやすくなる。つまり、模倣でなく、独創性や洞察力によって、環境の変化により適応した新しい行動を切り開く行為のほうが、うまくいって生き残るのだ。文化や社会が速いスピードで変化するのは、このような場合だろう。伝統が捨てられたり、集団の絆が弱まったりするかわりに、個人の才覚や意図が発揮されやすい、革新的な社会である。

環状集落が消えた理由

以上の見方をあてはめると、中期と後期の境、すなわち縄文《じょうもん》時代の前半から後半への転回期にあたる約四五〇〇年前に、環状集落への集住がすたれて分散居住が普通になった現象は、つぎのように説明できるだろう。

まず、環状集落ならではの資源獲得の方法、つまり、ある季節にたくさんとれる特定の食料資源を多人数でいちどきに収穫・貯蔵するという暮らしが、寒冷化による食料の収穫量や分布の変化によって、しだいに従来どおりいかなくなってきたと推測される。それまでのとりすぎによる資源への負担が、気候の変化によって一気に表面化した場合もあったかもしれない。

12

◉芋を洗うサル
宮崎県幸島《こうじま》では、ニホンザルの芋洗い行動が模倣によって広まった。もっと複雑なヒトの文化も、模倣によって伝達されている。

このような状況のなかで、環状集落に集まっていた個々の集団が、不安定になった資源をもっとも効率的に獲得できる時と場所を求めて、それぞれ単独に居を営む時間が、しだいに多くなっただろう。それにつれて、いつどこに居を構え、何をどう収穫するかといった選択が、個々の集団やそれを率いるリーダーにゆだねられる機会も増えていったと考えられる。またそのように、意思決定の主体が、個々の集団という小さな単位になることによって、リーダー以外のメンバーの才量《さいりょう》も、よりはっきりと発揮されるようになったとみられる。床や入り口に凝《こ》った住居や、石を用いて手をかけた墓は、こうした動きのなかで、集団のリーダーや主要メンバー個々のアイデンティティと相互の格差が人工物に表わされるようになった結果と理解できるだろう。

行く人、来る人

西日本の人口増加

縄文《じょうもん》時代の折り返し点をなす中期と後期の境の時期に、今述べた環状集落の解体よりも、さらに大きなスケールをもって進んだ列島規模の大変化がある。西日本における人口の急増だ。

縄文時代中期までの西日本は、温暖化とともに暑苦しく生い茂った照葉樹林にはばまれ、人口の伸びも鈍く、大規模な定住も発達しなかった可能性が高い。東日本に比べて人口密度はぐっと低く、集落や土器などの人工物に「凝《こ》り」が盛り込まれる度合いも少なかった。中期の遺跡数からうかがえる東日本と西日本の人口の比は、だいたい三〇対一くらいではなかったかといわれている。

だが、後期に入ると、近畿・瀬戸内・中国地方山間部・山陰・九州といった西日本の各地にも、しっかりとした定住の跡を見せる集落や大きな貝塚《かいづか》が出てくる。近畿地方の集落の動向を追いかけた瀬口眞司《せぐちしんじ》の研究によると、中期には、季節ごとに得られる収穫を追って居場所を変えていく移動性の高い生活が主体だったのが、中期の後半から後期になると、年間を通じて定住の場を決め、住居と墓地からなるしっかりとした集落を形成するようになるという。それでもまだ、東日本の中期のように大集落が林立するわけでなく、東日本と西日本の人口比は、せいぜい五対一くらいにまで差が縮まるにすぎない。とはいえ、日本列島の人口分布が、中期から後期にかけて大きく変動したことは確かだ。弥生《やよい》時代になると、こんどはそれまでとは逆に西日本の人口が東日本をしのぐようになるので、縄文後期に東西の人口比が変わりはじめた動きは、縄文から弥生への歴史の足どりをたどるうえで、きわめて重要である。

この時期に西日本で増えた人口は、いったいどこからやってきたのだろうか。東日本から移動してきたとみる説と、西日本で増えたとする説とが考えられる。先にも述べたように、考古資料では急激にみえる変化も、実際には何十年、ことによっては一〇〇年以上もかけて生じた変化の積み重ねであることが多い。縄文後期における西日本の人口増も、東日本の人が大挙して一度に押し寄せた結果というわけではないだろう。たとえば、クリなどの大型ナッツ類を含む豊かな食料資源をもたらす落葉広葉樹林が、寒冷化によって西日本にも広がるようになったことが、人口の増加を導いた面もあったに違いない。

東から西への流れ

しかし、西日本の人口増加が、西日本内部の事情だけで説明しにくいことも事実だ。人口の増加とともに西日本で目立つのは、配石墓《はいせきぼ》、柄鏡形《えかがみがた》住居など、もともと東日本で生み出された文化要素が、規模は小さいながら点々と現われることである。土偶《どぐう》も、縄文《じょうもん》時代後半のものは大きく凝《こ》ったつくりとなり、明らかに東日本からの影響が見てとれる。石棒《せきぼう》もまた、この時期に東から伝わった要素だ。

このような文化要素の東から西への流れが、そのまま人口の移動を反映するわけではない。しかし、文字もない当時、文化

地域別推定人口密度　（単位：人 1km²あたり）

地域＼時代区分	縄文早期	縄文前期	縄文中期	縄文後期	弥生時代
東北	0.03	0.29	0.71	0.66	0.50
関東	0.31	1.30	3.00	1.60	3.20
北陸	0.01	0.17	1.00	0.64	0.85
中部	0.12	0.91	2.59	0.79	3.07
東海	0.19	0.40	1.06	0.61	4.50
近畿	0.00	0.05	0.08	0.13	3.33
中国	0.02	0.04	0.04	0.08	1.80
四国	0.03	0.02	0.01	0.14	1.61
九州	0.05	0.14	0.13	0.24	1.56
全国（北海道を除く）	0.07	0.36	0.89	0.55	2.04

◉増加した西日本の人口
縄文中期と後期との間に、東北から東海までの各地では人口が減少しているのに対し、近畿から九州までの各地では逆に増加している。（泉拓良「縄文社会の限界」より作成）

を伝える唯一の手段は人の動きだった。大規模な移民のようなことがなされたかどうかは疑問だが、東日本の暮らしや儀礼を身につけて西のほうにおもむいた人びとが少なからずいて、西日本の生活や文化に大きな影響を与えた可能性は高い。ちょうどこの時期から、磨消《すりけし》縄文や、横帯《おうたい》を基本とする文様パターンなど、土器の技法やデザインのきまりごとが東西日本で広く共通して確立する動きも、このような人の流れの活性化に導かれたものと考えられる。

東から西への流れを主流として列島内の人の移動が活性化したことは、生きていくための行動戦略を、集団ではなく個人が決める比重が高まったという、先に推測した社会状況と関連するものだろう。つまり、どこで暮らし、何をするかの意思決定に、それまでのような集団の制約があまり働かなくなるのとともに、増えすぎた人口と寒冷化によって環境が悪化した関東をあとにして、資源にゆとりのある東海・北陸へ、関西へ、中国・四国へ、そして九州へと、しだいに西へと向かう人びとの流れが生じた可能性が高い。この流れは、一年や一世代といった短い時間単位でみれば遅々としたわずかな移動だっただろうが、その何十年、何百年にもわたる積み重ねによって、東日本の文化要素が西へ伝播《でんぱ》したと考えられる。

東からやってきた人が、一か所に定住して季節ごとの資源を一気に獲得・貯蔵する暮らしのしかたや、それを支える儀礼を西へと伝えた。それらは、資源の豊かな落葉広葉樹林がおりからの寒冷化によって広がったことと相まって、かつて東日本で繁栄を呼んだ暮らしぶりを、西日本にも根づかせた。これが、縄文後期以降の西日本での人口増加を導いた要因だろう。

西日本縄文社会の文化構造

しかし、地域ごとにみてみると、西日本の繁栄は、局地的かつ一時的である場合が多い。たとえば中国地方では、縄文《じょうもん》後期に入った四五〇〇年ほど前に集落の数が急に増えるが、その後はふたたび減少傾向となる。また九州では、四〇〇〇～三五〇〇年前に阿蘇山《あそさん》周辺の台地上にたくさんの集落が現われ、急激な人口増加があったことがわかるが、まもなく衰退し、かわって南九州で集落が激増する。ある場所にたくさん住み着いては資源を食いつぶし、つぎの時期にはまた別の場所で栄えては衰える、といったことの繰り返しのようだ。

このように、縄文時代後半の西日本は人口は増加したが、地域ごとにみれば、増えた人口をずっと保ちつづける安定性には欠ける。ゆとりができたとはいえ、資源の豊かさそのものが全盛期の東日本に及ばないことが、その根本の理由だろう。大きな環状集落や、派手に飾り付けた土器など、見る人の心に集団の絆《きずな》を呼び起こすメッセージ性を盛り込む気運は、西日本では最後まで東日本のレベルに達することはない。

集団の絆をより強く表わす文化は、保守的で、外部からは入り込みにくい。逆にそうでない文化は、保守性や排他性の小さい、柔軟な社会をつくる。縄文時代後半の西日本は、述べてきたように

13

◉**西日本の大きな集落**
九州ではじめて環状集落が確認された、宮崎市の本野原《もとのばる》遺跡。大型の掘立柱建物をもつなど、東日本の集落との共通点も多い。写真は掘立柱建物の柱跡。

東日本の影響を受けながらも、人口密度の低さとも相まって、このような柔軟な性質の文化のもと、流動性や開放性が比較的高い社会を営んでいたと考えられるだろう。

弥生への胎動

西日本への文化の流入は、東日本からだけではない。縄文《じょうもん》時代後半には、海を越えて、大陸や朝鮮半島から、さまざまな文化が伝わったようだ。その様子をみていこう。

かつて、弥生《やよい》時代の開始を告げるもっとも明確な指標と考えられていたイネは、西日本ではすでに縄文時代後半から存在していた可能性が高いことがわかってきた。土器の表面にイネ籾《もみ》の圧痕《あっこん》がついた確実な例は、約四五〇〇年前の縄文中期末のものが今のところ最古だ。この圧痕がイネ籾かどうかを疑問視する声があるけれども、プラントオパールと呼ばれるイネの葉の成分が縄文時代の土器の胎土《たいど》の中に含まれている後期中ごろの例が岡山県で発見されているので、遅くともそのころにイネが存在していたことは確かである。

また、イネのほか、オオムギ、ハトムギ、ヒエ、アワなどの穀物や豆類などの圧痕が残った土器の例が、九州を中心に後期の中ごろから増えることが、山崎純男《やまさきすみお》らの研究によって明らかになってきた。山崎らはまた、コクゾウムシと呼ばれる、貯蔵穀物につく甲虫《こうちゅう》の圧痕も確認している。遅くとも約四〇〇〇年前の縄文後期中ごろには、西日本、とくに九州や瀬戸内を中心に、イネやそのほかの穀物・豆類などが栽培されていた可能性はきわめて高い。

それらは必ずしも圧倒的な量とはいえないし、明確な田や畑の跡が発見されていないことから、栽培されていたとしても、用水路などを伴う本格的なものではなかっただろう。イネについては、平地の湿地や川の氾濫《はんらん》源を利用した焼畑栽培などが想定されている。縄文時代のイネは、ほかの穀物や豆類とともに、「主食」ではなく、海や森やムラの近辺から広く集められるたくさんの食料源のひとつにすぎなかったという見方が有力だ。

しかし、イネやそのほかの穀物・豆類の増加とともに、おもに西日本で、低い平地にムラが進出してくるという現象には注目しなければならない。縄文時代後半には、寒冷化に伴って海面が著しく低下し、そのあとに湿った広い平地ができた。このような土地は、それらの栽培に絶好の場所だったに違いない。縄文後期以降の西日本では、植物栽培やイモ掘りに用いたらしい打製石斧《だせいせきふ》や、穀物の穂を刈るための道具とみられる打製石鎌《いしがま》などと呼ばれる石器が、たくさん出るようになる。畑を開くための伐採具と考えられる磨製石斧《ませいせきふ》も増える。

穀物や豆類の一部は、すでに述べたように縄文時代前半の七〇〇〇～六〇〇〇年前ごろには栽培が始まっていたが、イネは、そののちに大陸から朝鮮半島経由で、あるいは直接に伝わ

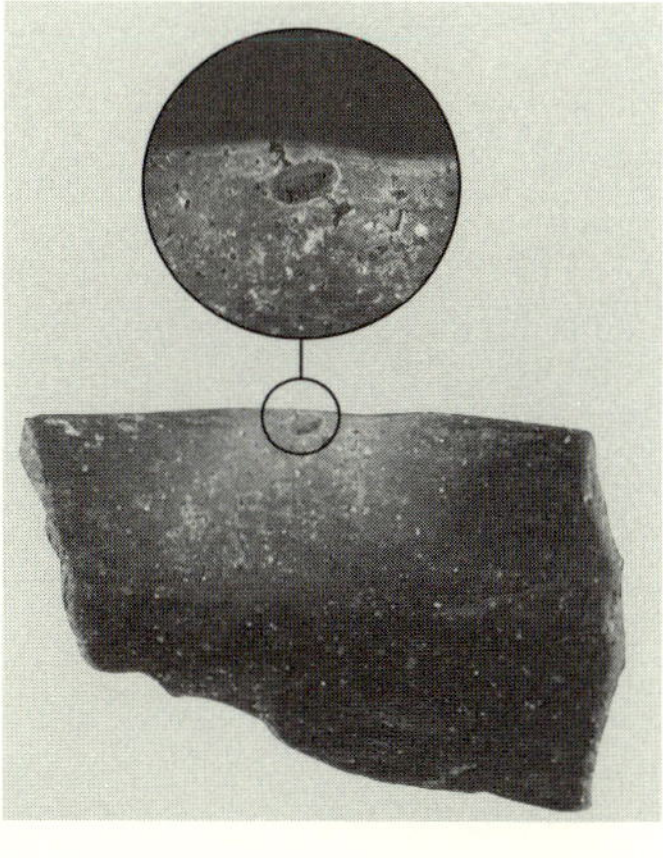
14

●イネの籾の圧痕がついた土器
岡山県総社《そうじゃ》市南溝手《みなみみぞて》遺跡で見つかった土器にあった圧痕。実体顕微鏡での観察により、イネ籾《もみ》のものと判定された。約四五〇〇年前の瀬戸内地域にイネが存在したことを示す証拠である。

ってきたものだろう。後期以降、瀬戸内以西を中心に、寒冷化による低地の拡大という条件に後押しされてイネの栽培が定着するとともに、ほかの穀物や豆の栽培もいちだんと盛んになった。このような多角的な植物栽培の比重が、西日本では高まってきたため、それに都合のよい平地にムラを営む人びとが増えていったと考えられる。

土器にみる文化の変化

以上のように生業や生活のしかたが変わるにつれて、人工物の世界にも変化の兆《きざ》しが現われた。約四五〇〇年前の縄文《じょうもん》時代後期に入ると、九州では土器の文様がしだいに減る傾向を見せ、什器《じゅうき》の外見は簡素になっていく。同じ変化が朝鮮半島でも認められるので、九州の土器の無文化《むもんか》は、朝鮮半島と連動して生じたと考えられる。

約四〇〇〇年前以降の後期後半になると、九州の土器はさらに変わる。焼く前にヘラで表面を磨き上げ、焼成の最後にいぶして、真っ黒でツヤツヤした質感をもった黒色磨研土器《こくしょくまけんどき》と呼ばれる一群が出てくるのである。触覚ともつながる質感という要素は、物を認識するうえで、形や色とならんで重要だ。文様よりも、むしろ色と質感のほうに強いこだわりを見せる黒色磨研土器は、前期から中期にかけて東日本で発達した土器とは、相当に異質なものといえるだろう。

黒色磨研土器の異質さは、それだけではない。この土器群には、深鉢《ふかばち》（煮炊《にた》き具）、鉢《はち》（深めの盛り付け具）、浅鉢《あさばち》（皿に近い盛り付け具）といった種類があるが、いずれも器の上部が内反りしてへこみ、下部が外反りしてふくらむという共通形をもつ。認知考古学の松本直子《まつもとなおこ》や中園聡《なかぞのさとる》は、このようなものを「形態パターン」と呼び、器の種類を超えて一貫する土器の基本デザインとして注目するが、同じように色や質感もまた、種類を超えた統一デザインの一環とみるべきだろう。つまり、形のデザイン・色・質感の三者でもってスタイルを統一した什器のセットということだ。ウェッジウッドやマイセンの食器セットを思い浮かべる人もいるかもしれない。

さらに中園は、黒色磨研土器が、内反りの上部と下部の比率や長さをそれぞれ変えることによって、深鉢・鉢・浅鉢といった種類のつくり分けをされていることに注目する。合理主義ともいえる体系的な土器づくりだ。口縁《こうえん》を波立たせず平らにするのも、つぎの弥生《やよい》時代以降に共通する機能本位の特徴だ。

文様はないかあるとしても簡素で、器の種類を超えてデザイン・色・質感が統一され、システマティックなつくり方をした什器の一群は、弥生時代以降に多くなる。みずからのアイデンティティなどのメッセージ性をほとんど表出しない什器だ。什器というものの社会的な位置づけ、すなわち、人びとが共有する「知」の体系のなかで、什器とほかの概念や知識とがどのように結びついているかという点で、縄文後期後半の九州は、弥生時代に近づいていたと見なすことができるだろう。

15

◉黒色磨研土器
胴部中央の稜を境に、上半部を絞り、下半部をふくらませるという共通のデザインをもつ。(大分県緒方町大石遺跡出土)

さまざまな弥生への道

水稲農耕の伝来

以上にみてきたように、西日本、とくに北部九州から瀬戸内にかけての地域では、遅くとも約四〇〇〇年前の縄文《じょうもん》時代後期中ごろには、イネおよびほかの穀物・豆類などからなる植物栽培の比重が高い生業と、簡素な什器《じゅうき》を用いる生活が広まっていたようだ。これらの要素はいずれも、大陸、とくに朝鮮半島との共通性が高い。縄文時代後期以降に本格化した寒冷化に伴って人口の流動が激しくなったことを背景に、列島と半島の間でさかんな人の行き来が生じ、それを媒介にして、このような文化の相同化《そうどうか》が進んだのだろう。先に述べた東日本からの人びとや文化とともに、海の向こうからの人びとや文化もまた、西日本に流れ込んだのである。

このような、東西からの人や文化の西日本への流入には、縄文時代後期から晩期までの間に何度かの波があっただろうが、そのなかでも以後の日本列島の歴史にもっとも大きな影響を与えたと考えられているのが、約二八〇〇〜二七〇〇年前のこととされる、朝鮮半島南部からの水稲《すいとう》農耕の伝来だ。これをもって弥生《やよい》時代の始まりとする研究者も少なくない。ではなぜ、何度も生じただろう人びとや文化の流入の波のうち、とくにこのときの波が、時代の画期となるほどの強いインパクトをもったと考えられているのだろうか。それを具体的にみていこう。

このときに朝鮮半島南部から渡来して日本列島に住みついた人びとのものと考えられるムラが、北部九州の玄界灘《げんかいなだ》沿岸に点々と現われる。そのもっとも典型的な例とされる佐賀県唐津《からつ》市菜畑《なばたけ》遺跡では、水田の痕跡《こんせき》のほか、伐採用の大型で重たい磨製石斧《ませいせきふ》、加工用の小型の磨製石斧、イネなどの穂摘みに使ったらしい磨製石庖丁《いしぼうちょう》、鋭い刃のついた磨製石剣《せっけん》・石鏃《せきぞく》といった武器などがみられる。

また、菜畑遺跡では見つかっていないが、ほぼ同じ時期の福岡市那珂《なか》遺跡・江辻《えつじ》遺跡などでは、ムラを囲む環濠《かんごう》が確認されている。さらに、磨製石剣・石鏃を副葬した墓が、北部九州でもやや西寄りの地域を中心として発見される。そのなかには、墓穴の上に大きな石を載せて墓標としたものがある（支石墓《しせきぼ》）。こうした道具や武器や施設は、いずれもそれまでに大陸から朝鮮半島南部に伝わったり、朝鮮半島南部で発達してきたりしたものだ。水田をつくる技術や、ムラに環濠を巡らせて守りを固める思考をもった人びとが、そのための道具や武器を携えて、朝鮮半島南部から北部九州に移り住んだことは疑いない。

労働編成と社会組織の変化

このときにもたらされた文化が、すでにそれまでに流入・定着していたイネやそのほかの穀物栽培の文化ともっとも異なる

16

◉磨製石庖丁（右）と磨製石剣（左） 磨製石庖丁は紐をかける孔が細長い溝状なのが特徴（長さ一二・四cm）。磨製石剣は木の柄《え》を取り付けて使う（長さ一七・七cm）。どちらも朝鮮半島由来と考えられる。（佐賀県菜畑《なばたけ》遺跡出土）

点は何だろうか。ここからが弥生《やよい》時代であると、多くの研究者に考えられている理由が、そこにあるはずだ。

この時点で初めて現われた文化要素は、水田・武器・環濠《かんごう》の三者である。伐採用や加工用の石斧《せきふ》や穂摘み具は、形態は新しくなるが、同じ機能のものは縄文《じょうもん》時代後半から存在するので、やはり水田・武器・環濠の三者が、縄文時代と弥生時代とを分けるときのもっとも大きな基準になるだろう。そこで、三者それぞれの意味を考えてみたい。

まず、水田は、半永久的に森を切り開き、水を張るための水平な土地の面を何枚もつくり、そこに水を引くための堰《せき》や水路をつくるという、高度な技術と労働力を要する。それまでの焼畑と比べると、同じ面積の耕地をつくるのに何倍もの手間がかかっただろう。小人数ごとに経営できる焼畑と違って、水田を営むためには、ムラをあげての協力と、それをとりまとめるための合議や統率のシステムが必要になってくる。これが、縄文時代とは異なった労働の編成や、集団のメンバーどうしの関係をつくりだすことによって、弥生という新しい時代の社会が織りなされていったとみる研究者が多い。

広瀬《ひろせ》和雄《かずお》は、とくに、灌漑《かんがい》の設営や管理の必要性が、弥生社会の新しいリーダーを生み出していく大きなきっかけになったと説く。灌漑を伴うような本格的な水田が成立したところでは、この考えは有効だ。だが、灌漑水田が早い段階から列島の広い範囲に普及していったかどうかについては疑問がある。さらに、イネの栽培に一定の比重を置いた生業そのものが、列島のどの範囲でいつごろ確立したかということも、まだ明らかになっていない。具体的なことはこれからの課題だが、縄文以来の穀物や豆類の栽培、狩猟や漁撈《ぎょろう》への依存が、地域によっては弥生時代のかなり遅い段階まで残ったと考える研究者も多く、弥生時代の生業は水稲《すいとう》農耕一色ではなかったようだ。そうだとすれば、弥生社会をまとめるシステムやリーダーの性格は、別の側面からもあわせて検討しなければならないだろう。

弥生の対人観と行動理念

そこで注目されることになるのが、弥生《やよい》時代とされる段階に新たに現われるもう二つの要素、すなわち武器と環濠《かんごう》である。先に触れたように、すでに縄文《じょうもん》時代後期以降、剣や刀の形をした磨製石《ませいせっ》器《き》があり、それをふるう人の力や権威を、見る人の心に呼び起こしていた可能性が高い。しかし、それら縄文時代の石剣《せっけん》や石刀《せきとう》は、先端は丸みを帯び、両側縁に刃が研ぎ出されていないので、それで実際に人をあやめるのは難しいし、そのような使われ方はしていなかっただろう。

それに対して、水稲《すいとう》農耕とともに朝鮮半島から伝わってきた武器は、先端は尖《とが》り、両側縁には鋭い刃が研ぎ出されている。福岡県志摩《しま》町の新町《しんまち》遺跡では、大腿骨《だいたいこつ》に後方斜め上から磨製石鏃《せきぞく》が突き刺さった熟年男性の人骨が発見されていて、実際に人に向けて使われていたことが明らかだ。人を殺傷するための専用の武器をつくり、それを使って人を殺す行為が、水稲農耕とともにもたらされたということである。その後、武器は列島内でつくりつづけられ、それが刺さったり、それで傷つけられたりした人骨の確実な例も、北部九州を中心に三〇体ほどにのぼる。

いっぽう、環濠は、外敵の襲来から生命と財産を守るという目にみえる役割とともに、自分たちとほかの人びととを厳然と分けようとする思考の表われであり、そのことをメッセージとして物質世界に表現したものでもある。環濠もまた、九州から関東までの広い範囲で、弥生時代の終わりに至るまでつくりつづけられた。

以上のように、水稲農耕とともに伝わった武器と環濠とが、弥生社会のなかでつくりつづけられたことは、人を殺すための道具をつくり整えるという行為にみられる対人観や、問題の解決に暴力を用いたり、それに備えて守りを固めたりする行動理念が、社会の軸になっていった状況を示すものだろう。このような対人観や行動理念をもった社会は、内部においては利他主義が強く、外部に対してはたやすく敵意をむきだしにする傾向が強い。つまり、集団の存続のためにみずからの生命を犠牲にすることをいとわない個体が存在し、その精神的な代償として、そのような個体を美化するイデオロギーをもった文化が成立しているのである。文化、すなわち知が、生物本来の欲求とは逆の行動を個体にとらせるという、ホモ・サピエンスだけが生み出すことのできる特異な社会だ。

縄文と弥生の心と社会

このような対人観と行動理念は、耕地の開発や灌漑《かんがい》の整備を伴う本格的な農耕と、心の働きにおいては同じところに根ざしている。

フランスの考古学者ジャック・コーヴァンは、地中海東岸のレヴァント地方に農耕が根づいていく過程で、動物に乗った人物像など、ほかの生命に対する支配を連想させる彫像《ちょうぞう》その他の表現が出てくることに注目した。コーヴァンは、周囲に対するこのような支配的性向が、環境や植物の生命を完全に統制することによって実現する農耕という行ないと、同一の心の働きから出てくるものとみる。すなわち、人工物に猛々《たけだけ》しさを表現することと農耕することとは、周囲の自然やほかの人びとと自分たちとの関連づけ方という、知の根本において共通するというわけだ。

縄文《じょうもん》の文化と弥生《やよい》の文化とのもっとも本質的な違いは、このような支配的性向が、そのもとになる知の根本にあるかどうかという点だろう。縄文社会は、たくさんの人口をもった大きなムラやモニュメントのような複雑な人工物を生み出したにもかかわらず、少数の人びとを頂点とする階層的な社会や、広い範囲での政治的な統合をつくりださなかった。その理由は、社会を織りなしていく人びととの思考や行動に、経済上の独占や政治上の統制につながる支配的な要素が含まれていなかったためと考えられる。

反対に、弥生時代以降、階層化や政治的な統合が進み、ついに王や貴

17

◉環濠集落
市街地のなかに復元された福岡市板付《いたづけ》遺跡の環濠集落。弥生前期の福岡平野を代表する環濠集落で、写真の環濠（内堀）の外側に、もう一重の環濠（外堀）があったことが確認されている。

族を頂点とする古代国家が完成した要因は、人びとの思考や行動に宿った支配的性向が、経済上の独占や政治上の統制を積極的に推し進める方向に働いたからだろう。農耕が階層化や政治的統合を生み出すという一方的な関係ではなく、人びとの心の支配的な性向が農耕という行為を導き、それによる富の拡大とそれをめぐる競争が階層化や統合を後押しする、といった双方向の力が、弥生時代以降の社会変化を強く推し進めたのである。

四大河文明と弥生時代

このような支配的性向をもった文化の波は、直接には朝鮮半島を故地《こち》とするにしても、そのもともとのルーツはどこにあるのだろうか。

先に述べたように、今から七〇〇〇〜六〇〇〇年前をピークとして、日本列島付近の気温は低下しはじめ、五〇〇〇〜四〇〇〇年前の縄文《じょうもん》時代中期末から後期初めには寒冷な時期を迎えていた。この寒冷化は地球規模のもので、世界に目を転じると、この時期にはいわゆる四大河《たいが》文明（四大文明）が芽生えて栄えていた。メソポタミアのチグリス・ユーフラテス両川のほとり、エジプトのナイル河谷《かこく》、インド北西部のインダス川上流、中国の黄河《こうが》流域の四か所では、世界に先がけて大規模な農耕が始まり、都市が現われ、軍隊をもって戦争を行なう古代国家が生み出され、王侯や貴族が支配の頂点に立つ社会が発達する。四大河文明の萌芽と繁栄もまた、寒冷化という環境変化への人びとの対応のなかから生み出されてきた可能性が高い。

四大河文明が生み出された場所には、共通した特徴がある。気候が温暖な中緯度地帯であること、水資源を保証する大きな川が流れていること、開かれた地形で、さまざまな集団がまわりから流入しやすいことなどだ。寒冷化に伴い、これらの場所は、たくさんの集団が流れ込み、生存や繁栄をかけて競い合う舞台になったに違いない。

そのなかから、環境の変化を乗りきるための方策のひとつとして、植物管理を農耕という究極の姿にまで推し進めて自然を支配し、そのための場所を不動産として占拠して侵入者を拒み、守りを固め、人もまた支配の対象とすべく武力を誇示・行使するという支配的性向をもった文化が編み出されたのであろう。このような文化を、ここでは「文明」型文化と呼ぶことにする。

「四大河」地域に発達したこのような「文明」型文化は、その後、近隣の集団を呑《の》み込んだり、彼らにまねされたり、憧《あこが》れの対象として同化されたりして、まわりに広がっていく。朝鮮半島経由で日本に及んだ支配的性向をもった文化も、中国の「文明」型文化を源《みなもと》とするものだろう。

だが、このような「文明」型文化は、必ずしも朝鮮半島経由とは限らず、さまざまな経路で日本列島に及んでいた可能性も考えられる。だとすれば、従来は朝鮮半島経由の文化の波が及ばなかった、あるいは十分に浸透しなかったとされる地域にも、別の見方をすることができるかもしれない。

列島北部の縄文の終わり

まず、先に紹介した大湯環状列石《おおゆかんじょうれっせき》やキウス周堤墓《しゅうていぼ》のように、集団のメッセージ性を盛り込んだ大規模なモニュメントを縄文《じょうもん》時代後期につくりだした東北や北海道は、その後、どのようにして縄文時代を終え、つぎの社会に移り変わっていったのだろうか。

約三二〇〇年前の縄文晩期になると、東北北部では、亀ヶ岡《かめがおか》系と呼ばれる、ひじょうに精巧な文様とつくりで有名な土器の一群が現われる。亀ヶ岡系は、深浅の別はあるがほとんどが鉢だった中期までの土器とは違い、煮炊き用の深い鉢、盛り付け用のふつうの鉢、皿といってよい浅い鉢のほか、酒や水などの容器とみられる壺《つぼ》、注口土器《ちゅうこうどき》と呼ばれる土瓶《どびん》などなど、大小さまざまな種類につくり分けられている。さらに、こうした種類の違いを超えて、つやつやに磨かれた質感と、漢字の「工」の字を横に連続させたような工字文《こうじもん》という文様の帯がつけられ、それらによって統一的なデザインの什器《じゅうき》セットとなっている。先に紹介した九州の黒色磨研土器《こくしょくまけんどき》と同じく、縄文の伝統を脱して弥生《やよい》に近づいた什器といえるだろう。

縄文中期までの東日本で流行した環状集落などの大規模な集住は、亀ヶ岡の時期にはほとんどみられない。また、環状列石など、後期に活発だった、集団のアイデンティティを盛り込むモニュメントの築造も、この晩期の段階にはすたれている。そのいっぽうで、墓をみると、質・量

18

●亀ヶ岡系土器あれこれ
同じ文様で統一されたさまざまな種類の土器。壺が多いことも、弥生土器と共通した特徴である。（青森県木造《きづくり》町亀ヶ岡遺跡出土）

ともに副葬品が豊かになり、ほかよりも多くの品目を収めた特別な埋葬も目立つようになってくる。集団の結束やアイデンティティが、現実の生活の場はおろか、社会の立て前を標榜《ひょうぼう》するはずの儀礼の場でもあまり表わされなくなり、もっぱら個人や個人間格差を表わすメッセージ性が、人工物にさかんに盛り込まれるようになった社会といえるだろう。

津軽《つがる》海峡を隔てた北海道でも、土器の変化は東北ほどはっきりしないが、墓の形や副葬品によって、集団よりも個人のアイデンティティを盛り込むことが、晩期にはますます盛んになる。これら北の地域の縄文晩期の文化は、精緻《せいち》な亀ヶ岡系の土器のほか、人間ばなれが極まったあまり「宇宙人」との珍説もある遮光器土偶《しゃこうきどぐう》、各種の動植物形土製品《どせいひん》、土面《どめん》など、視覚に訴える要素の強い人工物がたくさんあるために、縄文の真髄《しんずい》のようにいわれる文化だ。しかし、今みた土器の特徴や、集団よりも個人のアイデンティティを表出する人工物などは、西日本でみられたのと同じ文化の変化が進んでいたことを示している。

大陸から列島北部への影響

これら北の動きもまた、西日本のところでみたのと同じように、寒冷化という地球規模の環境変化への対応として出てきたものだろう。すなわち、寒冷化によって分布が変化したり不安定になったりした資源を追って、人の流動が激しくなり、保守的な集団の伝統よりも、個々人のイニシアティブが生存や成功につながりやすい社会になったことが、その背景と考えられる。

あとでみるように、弥生《やよい》時代に入った紀元前六〜五世紀になると、東北北部の津軽《つがる》平野までは、西日本に発したイネの栽培技術が伝わってくる。だがその前に、周囲に円く柵《さく》を巡らせた環柵《かんさく》集落ともいうべきムラが、秋田県や青森県を中心とした東北北部に出現する。堀と柵という違いはあるが、外敵に対する守りであるとともに、自分たちと他の人びととを区分しようとする思考の表われという点では、西日本の環濠《かんごう》集落と同様だ。ただし、同じ形態のものは西日本にはなく、東北北部で生まれたか、大陸から直接この地域に伝わったと考えるほかはない。

大陸との関係でこれとともに注目すべきは、亀ヶ岡《かめがおか》系の物質文化のなかに、中国からもたらされた品があることだ。山形県遊佐《ゆざ》町の三崎山《みさきやま》遺跡出土の青銅《せいどう》の刀である。これも列島内ではほかに類例はなく、西日本を経ず、大陸からじかにもたらされたと考えられる。

このように、守りを固めたムラや武器といった、大陸の「文明」型文化の要素が、縄文時代が終わろうとするころ、西日本とは別のルートで列島北部に伝播《でんぱ》した可能性が高い。これらの要素が定着した痕跡《こんせき》はみられないが、それが醸《かも》し出す支配的な思考が、つぎの章でみるこの地域の新しい社会の展開に、なんらかの影響を及ぼしたと思われる。

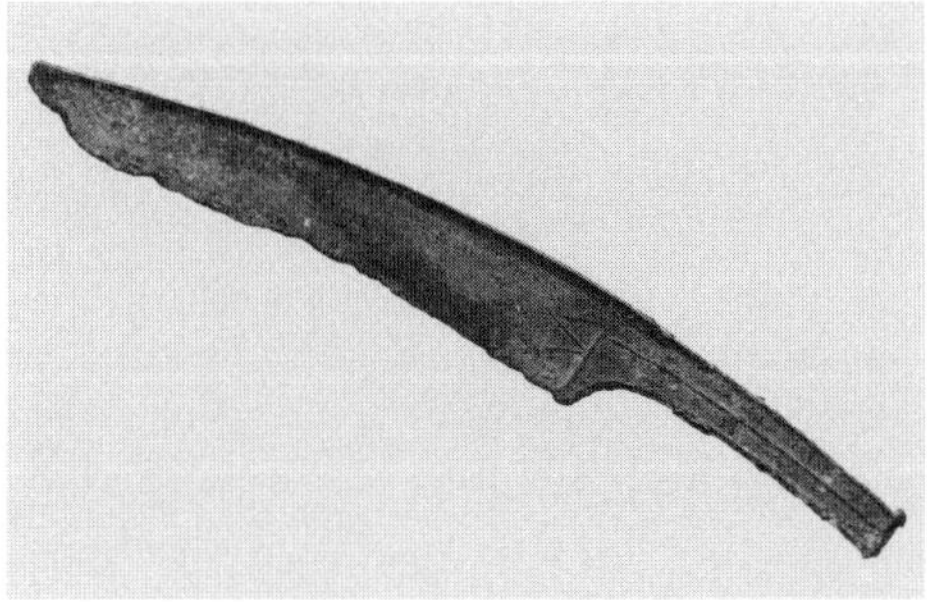
19

◉大陸由来の刀
山形県三崎山遺跡で発見された青銅の刀。縄文晩期の東北と大陸との間に交流があったことを示す資料。（長さ二六cm）

南の島の新しい文化

このような、環境変動に対応した内的な文化の変容に、中国文明を源《みなもと》とする外からの情報が覆いかぶさってさらに新しい文化を醸《かも》し出していく動きは、列島の反対側、遠く南方海上の奄沖《あまおき》地方でも認めることができる。調査がよく進んでいる沖縄本島を中心に、その様子をみてみよう。

沖縄本島と周辺の島々では、縄文《じょうもん》時代早期の終わりごろにあたる七〇〇〇年前ごろよりのち、海岸の砂丘を中心に貝塚《かいづか》がつくられる。おりからの温暖化で、今以上に水温が高かったサンゴ礁《しょう》の海にあふれる水産資源に食料の多くを頼った生活を、これら南の島々の人びとは送っていたらしい。ただし、はっきりとした長期の定住を示す集落の跡が明らかでないことから、たくさんの人びとが寄り集まって集中的に資源をとるのではなく、小人数のグループに分かれ、季節や時機に応じて、海岸線沿いに魚介類を求めて遊動するような暮らしをしていたと考えられる。先にみた本州西部や九州などの縄文時代前半と同様だ。

このような状況が大きく変わりはじめたのが、縄文後期にあたる四五〇〇年前ごろである。沖縄本島では、はっきりとした集落がみられるようになり、その立地も、従来の海岸沿いから内陸部へと広がる。さらに、およそ三〇〇〇年前の縄文晩期のころには、数十棟の竪穴《たてあな》住居からなる大きな集落が、やはり内陸の台地上に営まれるようになる。

この動きは、水産資源から陸上の植物資源へという、主たる食料源の交替を伴う生活戦略の転換を示すものだろう。そして、その背後には、気候の変動により、それまで頼ってきた水産資源の種類や量や分布などが変わってしまい、旧来の技術や社会システムではうまくいかない局面が多くなり、そのことが、もとは副次的な食料源だった陸上植物の集中的な獲得や管理に力を向けさせた、という経緯が想定できる。沖縄県宜野湾《ぎのわん》市上原濡原《うえはらぬーりばる》遺跡で見つかった畑の畝《うね》らしい地面の凹凸は、その証《あかし》となるかもしれない。

個人やその間の格差を表わすメッセージ性に富んだ人工物や墓は、本州や九州・四国、あるいは東北や北海道の同じ時期ほどは顕著でない。しかし、蝶形骨製品《ちょうがたこつせいひん》というブローチのような飾り、貝製のブレスレット、サメの歯でつくったペンダントなど、個人の身を飾るいろいろな品物は、縄文の後期から晩期にあたる時期に相次いで現われる。個人のアイデンティティを人工物に表わすという文化の性向が強まった様子は、これら南の島々でもうかがえるのである。

この時期の現象としておもしろいのは、奄美《あまみ》から沖縄にかけて、九州、とくに鹿児島あたりの土器がたくさんもたらされていることだ。土器がひとりで海を渡るはずはないから、それを九州から持ち運んだ人びとが、少なからずいたことになる。考えてみると、森を中心とする植物資源に頼りながら大きな集落をつくって住みはじめるのは、先にみたように、縄文後期以降の、九州をはじめとする西日本各地に広く共通した

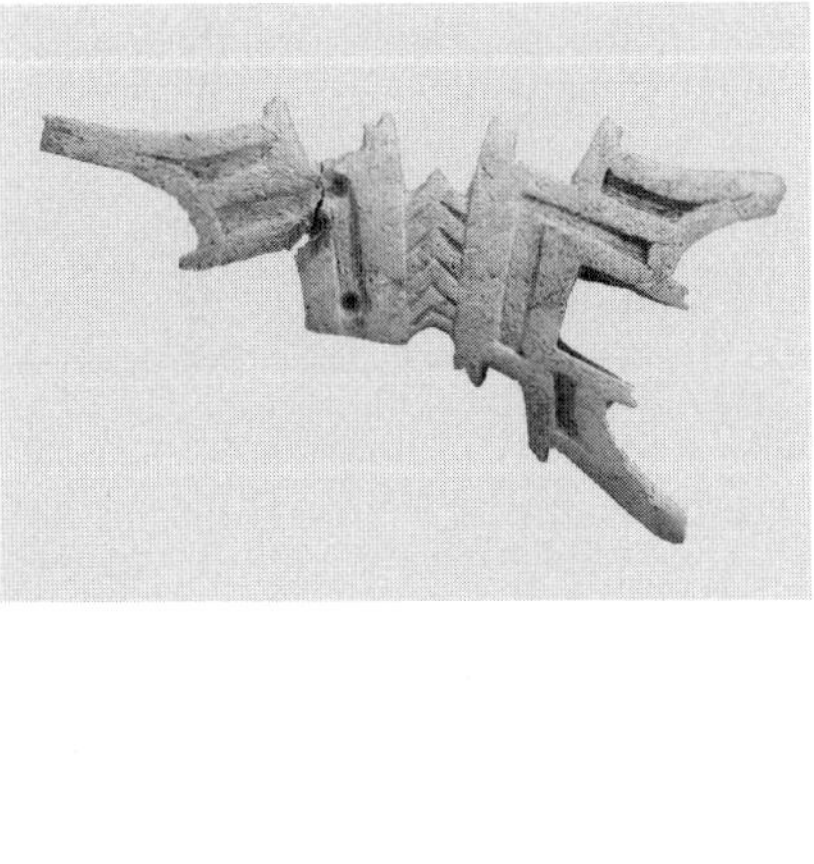

20

●**蝶形骨製品**
ジュゴンの骨製。その形が蝶を思わせることから、「蝶形」と呼ばれている。（沖縄県宜野湾市安座《あざ》間原《まばる》第一遺跡出土。幅一二・四cm）

社会の変化だ。同じ変化が、海を隔てた南の島々でも生じていたということだが、そこに九州との交流の跡がみられる事実は、九州の暮らしや文化を身につけて渡った人びとが、このような新しい生活のしかたを伝えた可能性も示すものだろう。

さらに、那覇市の城岳貝塚《ぐすくだけかいづか》から、縄文晩期にあたる土器と一緒に、明《めい》刀銭《とうせん》と呼ばれる中国戦国時代の青銅《せいどう》の貨幣が出ていることは注目される。先に紹介した東北の三崎山《みさきやま》遺跡出土の青銅刀と同じく、列島内ではほかに類例がなく、大陸からじかにこの島にもたらされたものに違いない。南の島々の人びともまた、九州や本州を介さない独自のルートで、大陸の人びとと通交を保っていたことがわかる。こうした大陸とのつき合いが、このあと、弥生《やよい》時代に並行する時期の奄沖地方にはっきりとみえてくる、個人のアイデンティティを人工物に表わす新しい社会の形成に、なんらかの具体的影響を及ぼした可能性も考えなければならない。

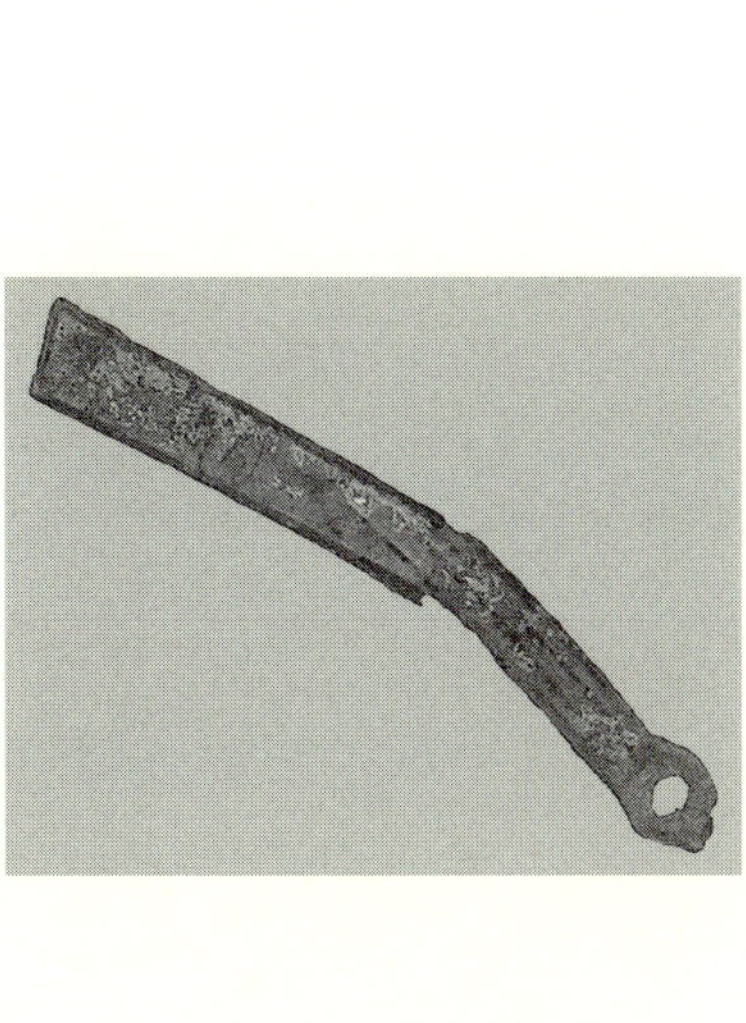
21

●明刀銭
沖縄県城岳貝塚から出土した中国戦国時代の貨幣。沖縄において貨幣として使われたかどうかは明らかでないが、沖縄と中国との交流を示す有力な証拠である。

先島諸島の文化の変化

沖縄本島からさらに南西約三〇〇キロメートルの洋上に、宮古《みやこ》および石垣《いしがき》・西表《いりおもて》の三島とまわりの小島からなる先島《さきしま》諸島がある。現在、日本という枠組みに含まれている範囲のなかでは、もっとも南西の地域だ。この地域は、同じ南の島々でも、奄沖《あまおき》地方の島々とはまた異なった、独自の歴史を歩んだところである。

これらの島々で見つかっている最古の土器は、西表島の南にある波照《はてる》間《ま》島《じま》の下田《しもた》原《ばる》貝塚《かいづか》で出た煮炊き用の鉢《はち》などだ。今から約四〇〇〇年前の縄文《じょうもん》時代後期にあたる時期のものだが、丸底で、口縁《こうえん》近くに一対《いっつい》の把《と》手《て》をもつその姿は、九州や本州の縄文土器とは一見して異なり、むしろ台湾に由来するとの考えがある。台湾の先史時代土器の詳細がわかるまで確かなことはいえないが、先島から台湾までの距離が九州までの五分の一程度であることを思うと、ごく自然な想定だろう。

九州や本州を中心とする地域が弥生《やよい》時代となるころ、先島諸島では土器が姿を消し、かわりに、焼け石を一か所に集め置いた「焼石集積遺《やけいししゅうせきい》構《こう》」と呼ばれる施設がつくられるようになる。肉や魚を木の葉などに包んで蒸し焼きにした痕跡《こんせき》と考えられており、土器での煮炊きから石蒸しへと、調理法が変化したことを示す。この調理法は、さらに南の太平洋の島々や大陸沿岸部の暮らしを起源とする可能性が説かれている。

弥生時代ごろの先島の文化が、南太平洋や東南アジアの強い影響を受けていることを示す決定的な例は、貝殻でつくった斧《おの》だ。貝殻の斧などイメージしにくいかもしれないが、ほとんどはシャコガイという巨大な二枚貝の、厚さ一センチメートル以上の分厚い貝殻を用いているので、石や鉄の

22

◉下田原式土器
先島諸島最古の土器。本州や九州とは異なる系統を想起させる。

斧と比べても見劣りしないし、研げば切れ味は十分である。貝製の斧は、ポリネシア、メラネシア、ミクロネシアの島々や、インドネシア、フィリピンなど、暖かい海洋を舞台とした南太平洋の暮らしのなかで活躍する道具だ。

このように、縄文から弥生への移行と並行する時期の先島の文化変化は、貝製の斧や石蒸し調理など、南太平洋の暮らしの文化が伝わってきたことが、大きな契機になったと考えられる。具体的には想像するほかないのだが、少なからぬ人が、カヌーやボートに乗って南からやってきたことが、弥生に相当する時期の、先島独自の新しい文化を生み出す原動力となったに違いない。貝の斧などは奄沖地方にも伝わっており、さらに北東への人や情報の流れが活性化していたことを物語る。

本州や九州・四国の弥生化とは内容が大きく異なるが、同じころ、この南西の端の島々でも、暮らしや文化の変化が起こっていたということだ。そしてそれが、おそらくは環境の変化に伴う人びとの流動性の高まりに根ざしていたこともうかがえるのである。

23

◉貝斧
シャコガイの貝殻でつくった斧。先島諸島から南太平洋に分布する南方系の道具で、先島が南太平洋の文化圏内にあったことを示す。

弥生時代の人類史的意味

縄文《じょうもん》から弥生《やよい》と移り変わるころの社会の動きについて、東日本から西日本、東北・北海道から奄沖《あまおき》、そして先島諸島《さきしま》と、舞台を移しながらみてきた。最後に、目線をぐっと高く据えなおし、日本列島全体を視野に入れてそれらの動きを整理し、この社会変化のメカニズムと歴史的な意味とを確認しておこう。

五〇〇〇～四〇〇〇年前に著しくなる地球規模での気候の寒冷化と、それによる資源の変動に反応して、地球上のさまざまなところで、文化の変容や人口の流動化が生じる。環境変化の内容、地理的な特性、そして先行する文化の伝統や知識・技術の積み重ねなどに従って、多彩な文化が編み出され、それらが互いに競争を繰り広げることになっただろう。

環状列石《かんじようれつせき》に代表されるモニュメントや土偶《どぐう》にみられるような超自然の信仰にいろどられ、個々人のアイデンティティを人工物により強く盛り込んだ東日本や西日本の縄文時代後半の文化、東北の亀ヶ岡《かめがおか》の文化、装飾品を量産しはじめた沖縄の文化などは、いずれもが環境変動に反応して各地で新しい文化が生み出される人類規模の動きの、日本列島各地での現われである。これを、「内からの弥生化」と呼んでおこう。

これら新しい文化のひとつとして、中国の黄河《こうが》流域を中心とした平原地帯で生み出されたのが、「文明」型文化だ。この文化は、四五〇〇年前ごろをすぎると、精緻《せいち》な土器や原初的な都市国家で知られる龍山《りゆうざん》文化へと成長し、それを母体に夏《か》・殷《いん》・周《しゆう》などの強力な王国をつくり、政治的な支配、経済的な交流、思想的な影響、そこからの人びとの流出といったさまざまな形で、周囲の文化や集団を呑《の》み込み、同化していった。水稲《すいとう》農耕・武器・環濠《かんごう》を北部九州に伝えた人びとの到来は、中国を源《みなもと》としたこのような動きが東アジアの辺境にも及び、朝鮮半島を直接の媒介として、ついに日本列島にも届いたことを示す。これによって新しい社会が編み出されていった動きを、「外からの弥生化」と呼んでおきたい。外からの弥生化の波が、微弱ではあるが、東北北部や奄沖地方にも及んでいたことは先述のとおりだ。

列島各地の弥生化

以上のように整理すると、内外二つの弥生《やよい》化のうち、内からの弥生化は、縄文《じょうもん》時代後期に入る約四五〇〇年前から長い時間をかけて、北は北海道から南は奄美《あまみ》・沖縄、さらには先島《さきしま》諸島にまで、くまなく進んだものと理解できる。これが、列島のそれぞれの地域において、人びとの心の仕組み、人工物のメッセージ性、生活の技術、人間関係などに及ぶ文化の総体を変容させ、つぎの新しい社会をつくっていくための普遍的な基礎をなしたことは疑いない。

いっぽう、外からの弥生化は、地理的な条件に左右され、それがつぎの社会形成に大きな比重をもった地域とそうでない地域とがある。もっとも大きな比重をもったのは、いうまでもなく大陸にいちばん近い北部九州で、つぎの弥生時代を通じ、朝鮮半島や中国にかなり接近した物質文化や社会の仕組みを編み出した。その東に連なる中国・四国や近畿、および南九州は、当初は北部九州を

黄河文明の発展と日本列島

（年前）	中国	日本
7,000	（長江流域で稲作始まる）	縄文早期
6,500	仰韶《ヤンシャオ》文化（黄河の上・中流域で栄える）	縄文前期
6,000		
5,500		
5,000	（地球規模での寒冷化）	縄文中期
4,500	龍山文化	
4,000	青銅器の使用始まる 夏王朝の成立か?	縄文後期
3,600	商（殷）王朝の成立	
3,000	西周王朝の成立	縄文晩期
		弥生時代

通じて間接的にそれらの影響をこうむりながら、弥生社会を織りなしていくことになる。

地図を見ると、北部九州に次いで大陸に近いのは、北海道や東北北端などの列島北部だ。これらの地域では、おもに内からの弥生化によって個人やその格差を人工物に表わす新しい文化が醸《かも》し出されたようだが、環柵《かんさく》集落や青銅刀《せいどうとう》が示唆する外からの弥生化が、それを後押しした可能性もある。いっぽう、奄沖《あまおき》の島々もまた、大陸に向かって張り出した位置にあり、しっかりした船と航海術をもてば、海を媒介として、じかに大陸に接触可能だ。ここにも、明刀銭《めいとうせん》のように中国との交渉を立証する資料が実在し、内からの弥生化に加えて、外からの弥生化が新たな社会形成を後押しした可能性を示している。

これら両端の地域に対し、縄文時代の前半に人口が集中し、縄文文化の真髄《しんずい》ともいえる物質文化の花を開かせた関東や中部は、大陸に対して奥まった位置にある。事実、これらの地域は、今みた九州や本州西部、北海道、奄沖などに比べ、当初は「外からの弥生化」の波を直接にこうむった形跡があまりない。あとで述べるように、関東や中部は、おもに九州や本州西部からの文化伝播《でんぱ》や人びとの流入により、日本列島ではもっとも遅れて「外からの弥生化」を経験した地域となった。

多様化の始まり

以上のように概観してみると、「朝鮮半島からの渡来者が北部九州に水稲《すいとう》農耕の文化を伝え、さらにそれが西日本から東日本へと広がった」という弥生《やよい》時代の開始像は、それ自体は事実の一部ではあるけれども、ずいぶんと視界が狭く、ふところが浅く、長い見通しにも欠けた理解だったと思わざるをえない。また「稲作の文化が及ばなかった地域、すなわち北海道と南西諸島の両者が縄文《じょうもん》のまま取り残されることによって、列島文化は三つに分かれた」などというのも、先にみた北海道や奄沖《あまおき》・先島《さきしま》諸島それぞれの文化の独自的展開、つまり内からの弥生化を軽視したとらえ方だろう。弥生に並行する北海道の文化を「続縄文《ぞくじょうもん》」と呼んだりすることは、そうした西日本中心の一面的な弥生時代像に根ざす態度といえる。また、「南島続縄文文化」などと一括されることのある奄沖と先島も、ひとつの文化にまとめることのできない、おのおのの個性をもっていた。弥生文化とそれ以外、という固定化したとらえ方が、北や南の地域の自律的な文化の展開だけではなく、それぞれのなかでの地域色も見逃してきたのである。

縄文から弥生への動きは、もっとも大きな視点からみれば、五〇〇〇～四〇〇〇年前の地球環境の変動に根ざした各地文化の変容と人口の流動化、その

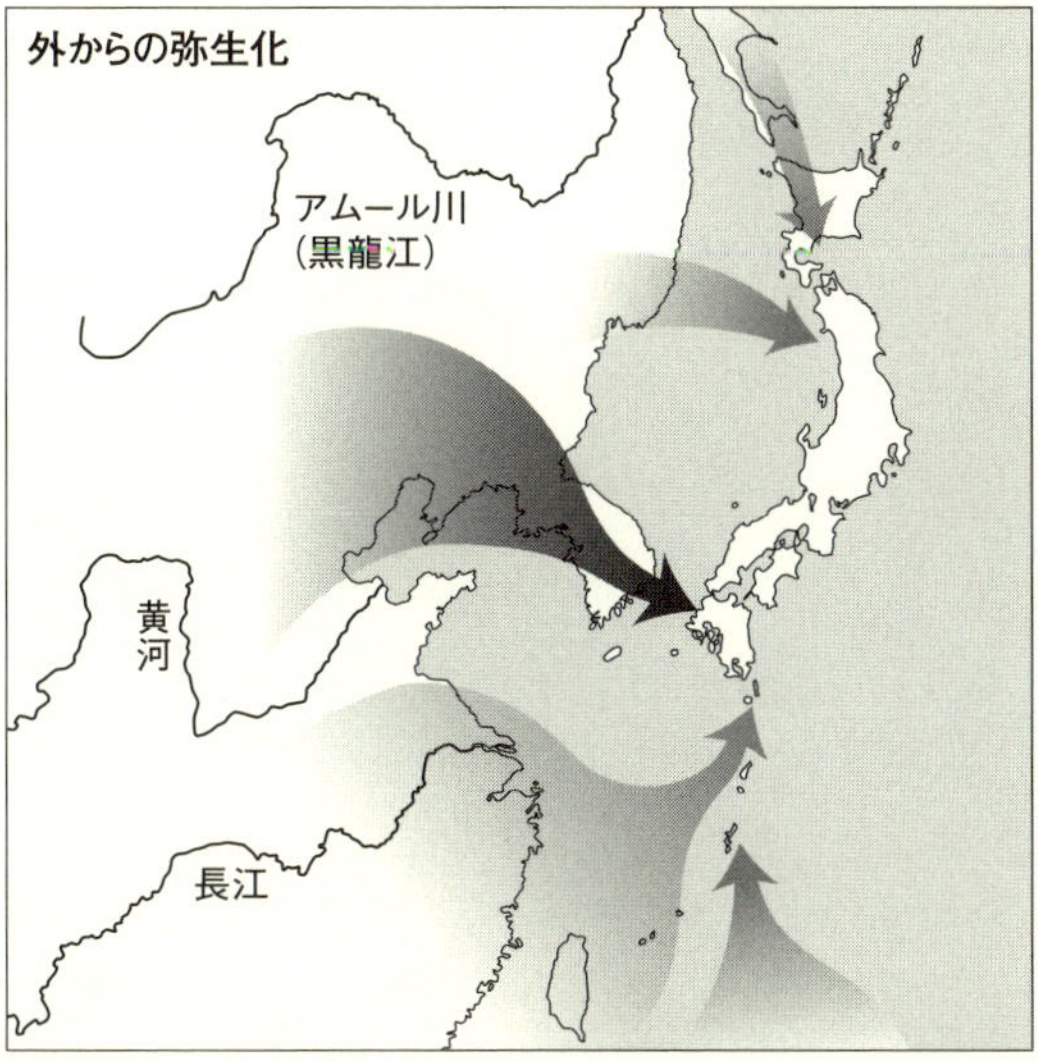

●多様化する列島各地の文化
日本列島各地における外からの弥生化の影響の強弱が、弥生時代の列島各地の文化に鮮明な地域色をもたらしたと考えられる。

なかからの「文明」型文化の適応・拡大という人類史的動きの、東アジアでの一現象だ。各地文化の自律的変容である内からの弥生化と、「文明」型文化の到達という外からの弥生化は、それまでの歴史的経緯や地理的条件に応じ、北海道から奄沖・先島までの列島各地域で、両者それぞれ異なった割合をもって進んだ。そのことによって、列島文化の地域色の色分けは、弥生への移行とともにいちだんと尖鋭化《せんえいか》したといえる。

また、朝鮮半島の文化の流入が北部九州社会を弥生化させ、南太平洋の文化の伝達が先島の新たな社会を生み出したように、多様化した列島各地の文化は、それぞれが最寄りの列島外の文化と深く結びついていた。列島全域をつつむ一様な文化もなければ、列島外との文化上の境界もなかったわけである。今日《こんにち》の日本国の範囲、あるいは日本人の居住域と一致するような共有知の範囲はまだまだ現われていないどころか、縄文以上に不明確になった時代といえる。

もはや説明も不要だろうが、念のために注意しておくと、ここで用いた「弥生化」という言葉は、列島全体が弥生というひとつの文化にまとまったという意味ではない。縄文社会が列島各地域でそれぞれに変容を遂げ、また外からの文化を受け入れて、おのおの新しい社会の段階に入ったことを総称した表現である。この表現そのものが西日本中心の歴史観を色濃く残したもので、ほんとうは「脱縄文化」とでもしたほうが適切であることも承知だ。ただ、そこはかとなく季節の移りを連想させるこの表現が、時代の大きな変化を言い表わすのに好もしく思えるのと、何よりもわかりやすいことから、ここでは北海道から奄沖・先島に至る各地の新たな社会形成のプロセス全体を、とりあえずそう呼んでおくことにする。

縄文時代後半に変化しはじめた列島各地の社会が、内からの模索や外からの影響によって、弥生文化を代表とする新しい社会へと移り変わっていくさまをみてきた。つぎの章では、個人やその間の格差、あるいは他者や環境への介入や支配をモットーとするこれらの社会の文化が、どのような人間関係や集団関係をつくりあげ、それを演出する人工物を生み出していったのかを眺めてみたい。

弥生時代の始まりについてはすでにこの章で述べたが、その年代は、放射性炭素年代測定法（有機質に含まれる炭素の量から動植物の死亡年代を測定する方法）の新しい計測データに基づくと、今から約三〇〇〇年前、紀元前一〇世紀頃ということになる。これにはまだ反対意見もあるが、かりに修整案が認められる場合でも、紀元前八〜七世紀よりは新しくならないと考えられる。次章で対象とするそれよりあとの弥生時代は、土器の特徴から前期・中期・後期の三つに分けられ、古墳《こふん》時代への移行は紀元後三世紀中ごろのこととされる。紀元前後をはさむその一〇〇〇年間は、この章で扱った約二〇〇〇年間に比べると短い時間だが、より多くの変化が矢継ぎ早に起こった激動のミレニアムだ。まずは、紀元前一世紀頃までの弥生時代前半を中心に、その様子をみていこう。

弥生の時代区分

前半	前期	紀元前8〜7世紀から紀元前4世紀なかば
	中期	紀元前4世紀なかばから紀元前後
後半	後期	紀元前後から紀元後3世紀前半

コラム2　邪馬台国の考古学

「はじめに」でも述べたが、本書では、文字記録（文献史料）によらずに、物質資料（考古資料）によってヒトや人工物・社会の変化を復元する方法をとっている。だが、この方法では、「邪馬台国《やまたいこく》」「卑弥呼《ひみこ》」「倭《わ》の五王《ごおう》」といった、文字記録に出てくる重要な事項や人物は考察のなかに取り入れられない。そこで、このコラムを利用して、とくに関心の高い邪馬台国と卑弥呼の問題に、現在の考古学でどこまで、どのようなアプローチがなされているのかを説明しよう。

邪馬台国と卑弥呼は、三世紀の中国の歴史書『三国志《さんごくし》』の「魏志《ぎし》・東夷伝《とういでん》・倭《わ》人《じん》条（通称・魏志倭人伝《ぎしわじんでん》）」に出てくる国と女王の名前だ。三世紀の前半、日本列島にあった国々の多くが女王卑弥呼に属し、そのひとつの邪馬台国に女王の都が置かれていたと記されている。邪馬台国に至る道筋には対馬《つしま》・一支《いき》・末盧《まつら》・伊《い》都《と》・奴《な》・不弥《ふみ》・投馬《とうま》の各国があり、それぞれの距離（旅程）と方角とが記述されているが、記述をそのまま受け入れると邪馬台国の位置は九州の南方海上になってしまう。距離か方角のいずれかを誤りと仮定して邪馬台国の位置が論じられ、「九州説」「畿内説」をはじめとするさまざまな説が出てきているが、それらは完全に文献史学の仕事で、考古学とは本来別の作業だ。

「魏志倭人伝」の記述が事実だとすれば、邪馬台国や卑弥呼が存在した物的な痕《こん》跡《せき》が、列島のどこかに残されているはずで、それを特定するのは考古学の仕事になる。邪馬台国の位置は、卑弥呼の居館・墓といった不動産的証拠からさぐらなければならない。ただし、発掘された居館を卑弥呼のものと同定するのは至難だし、卑弥呼の墓が都の邪馬台国につくられたという確証もない。また、卑弥呼が中国の王朝から授かったと記されている、「親魏倭王《しんぎわおう》」の金印や鏡のような動産的資料は動かすことが可能だから、邪馬台国の位置の特定作業には使えない。

このように、考古学から邪馬台国の位置を一〇〇パーセント確実に特定するのは、おそらく不可能だろう。しかし、だからといって邪馬台国を探究する考古学の歩みを止めるわけにはいかない。近年の調査の進展や年代決定作業の精密化によって、邪馬台国と卑弥呼が存在したとされる三世紀前半の集落や人口の分布、物流や墳墓の実態などが、ずいぶんと明らかになってきた。詳しくは本書第五章で述べているが、前方後円形《ぜんぽうこうえん》・前方後方形《ぜんぽうこうほう》の墳丘墓《ふんきゅうぼ》が現われ、奈良盆地の纏向《まきむく》を中核拠点とした広域のムラどうしのネットワークが生み出された段階が、ちょうど三世紀前半にあたる。

また、卑弥呼が亡くなり、「径百歩」（約一五〇メートル）の墓が築かれたとされる紀元後二五〇年前後は、最初の倭王の墓と本文で考えた奈良県桜井《さくらい》市の箸墓《はしはか》を筆頭に、各地で大型前方後円墳の造営が始まる時期である。さらに、やはり第五章で触れているが、邪馬台国を語る際によく出てくる北部九州勢力の近畿への大規模な東進説や、北部九州対近畿・瀬戸内の対立説は、考古資料からはその跡をうかがうことは困難である。

決定的な証拠は出てこないだろうが、このような具体的なデータを積み重ね、より矛盾の少ない解釈を導くことによって、邪馬台国の位置をある程度絞り込める日はくるだろう。

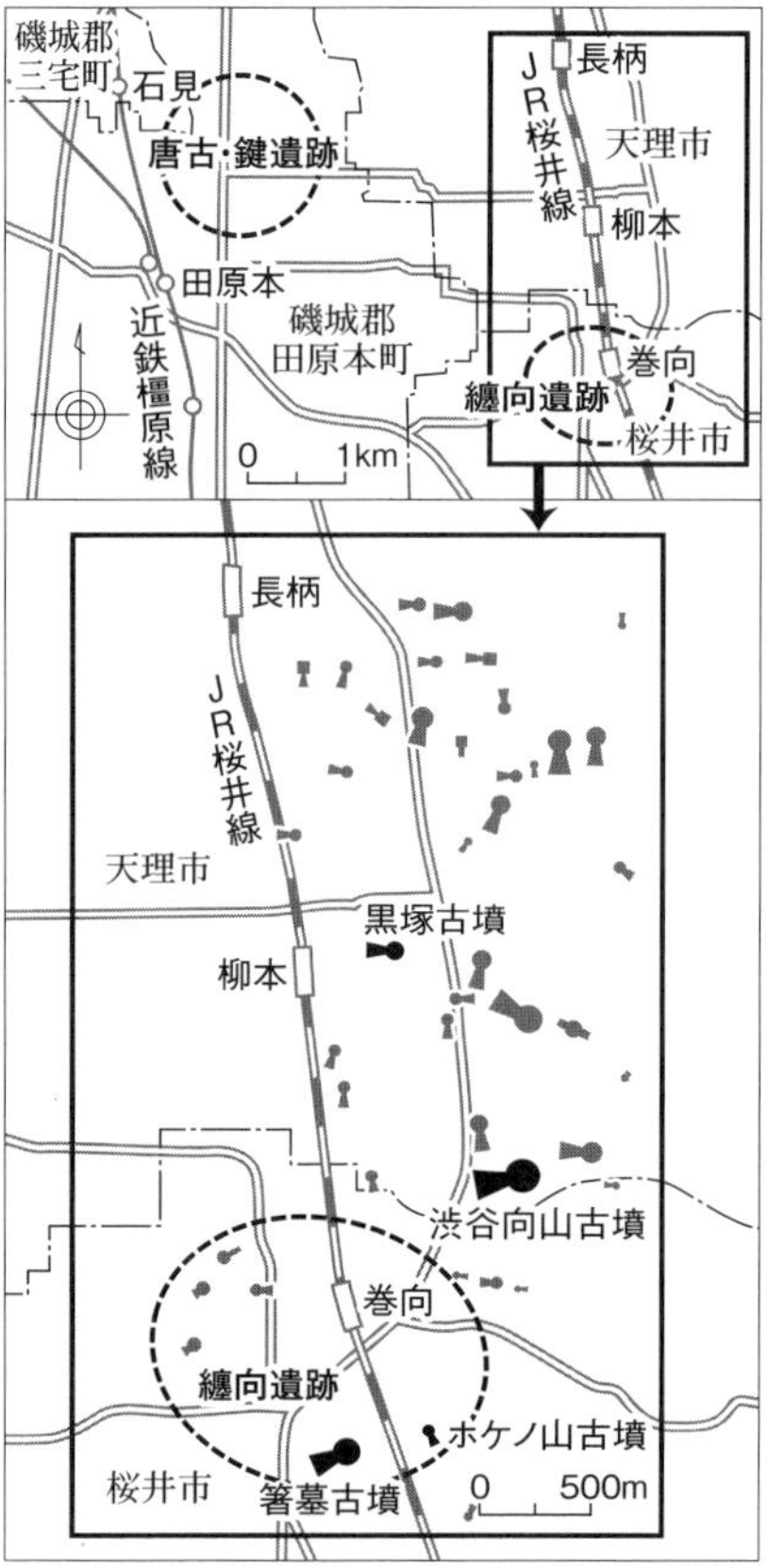

◉列島の中心、纏向

奈良県桜井市の纏向周辺は、唐古《からこ》・鍵《かぎ》などの弥生時代のムラや、箸墓以外にも三角縁神獣《さんかくぶちしんじゅう》鏡《きょう》が三三面出土した黒《くろ》塚《づか》古墳などの古墳が密集している。二〇〇七年（平成一九）には、纏向が中核地点となった三世紀前半のもので列島最古とされる、木製仮面が出土した。

第四章

崇める人、戦う人

弥生時代前半

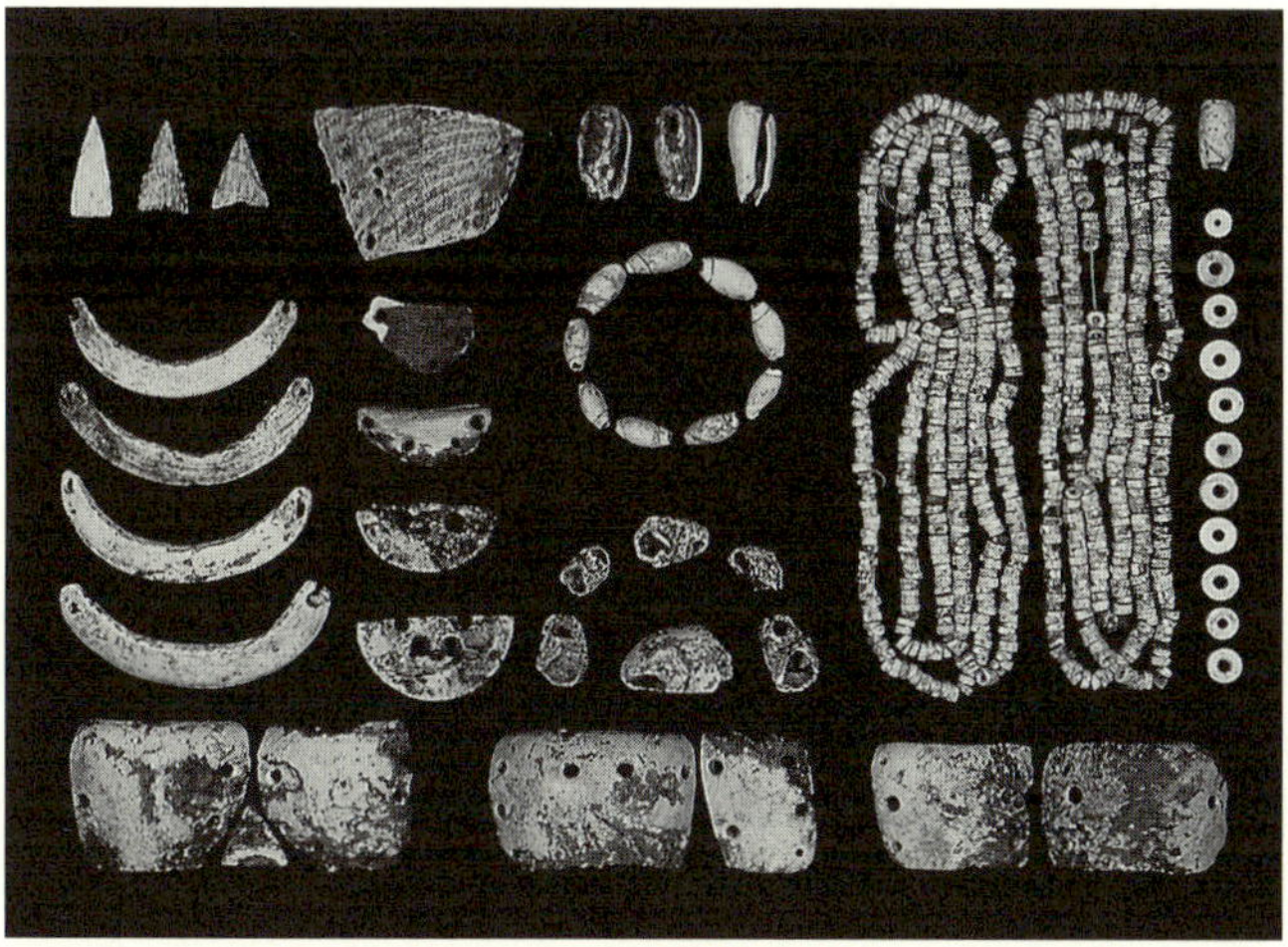

北の弥生社会

丁重に葬られた高貴な男の子

この章も、前の章に引き続いて、北のほうから話を始めることにしよう。最初の舞台は北海道だ。釧路《くしろ》の市街地の中心近く、釧路川に架かる幣舞橋《ぬさまいばし》のたもとで、一九八九年（平成元）からの数度の調査の過程で、本州以南の弥生《やよい》時代前半にあたる紀元前三世紀頃の墓地が発見された。深さ一メートルくらいに地面を円く掘りくぼめた墓穴が群《ぐん》をなす共同墓地である。

墓のひとつをのぞいてみよう。八九号墓。コハクや貝殻でつくった小さなビーズ、イノシシの牙《きば》やベンケイガイという二枚貝の貝殻を加工したペンダントなどの装飾品がぎっしりと取り巻いた人骨が見える。土器も副葬してある。驚くのは、これほどの豊かな着装品や副葬品を伴う人物が、九歳前後の男の子だということだ。

豊かな埋葬は、日高《ひだか》山脈の西側、道央や道南の地域にも多

1

●幣舞遺跡八九号墓の墓と副葬品
墓穴の底から発見された九歳前後の男の子の骨に、たくさんのペンダントやビーズがからみあっていた。特別な身分に生まれ、幼くして亡くなった子供と考えられる。弥生時代前半の北海道は、豪華な副葬品をもつ墓が多い。

い。白老町《しらおい》アヨロ遺跡では、噴火湾《ふんかわん》を見下ろす台地のすそに、約六〇基からなる墓地が広がっている。時期は幣舞よりやや新しい紀元前二〜一世紀。もっとも内容豊かな「墓二五」には、美しい青灰色の石材でつくった磨製《ませい》の斧《おの》、数種類の石材からなる色とりどりの精緻《せいち》な打《だ》製石鏃《せいせきぞく》のほか、ナイフ、石モリなど、さまざまな労働用具が供えられている。また、「墓二六」からは、土器のほか、数百点に及ぶコハク製の赤茶色のビーズと、わずかではあるが、碧玉《へきぎょく》という緑色の石でつくった管玉《くだたま》が出土している。こちらは、豊かなアクセサリーにいろどられた埋葬だ。

このように、労働用具・装身具など、さまざまな種類の副葬品が、さまざまな組み合わせで個々人の墓に伴うのは、先にみた千歳《ちとせ》市のキウス二号周堤墓《しゅうていぼ》の埋葬など、縄文《じょうもん》後期以降の北海道の伝統ともいえる。しかし、それが質・量ともに格段に充実し、墓に収めるものによって個人のアイデンティティや個人間の格差をより濃厚に演出することが始まったのは、紀元前三〜二世紀の幣舞やアヨロのころからだ。

意外に思われるかもしれないが、弥生時代の前半にあたるこの時期で、もっとも華々しい副葬品をもつ墓がたくさん現われ

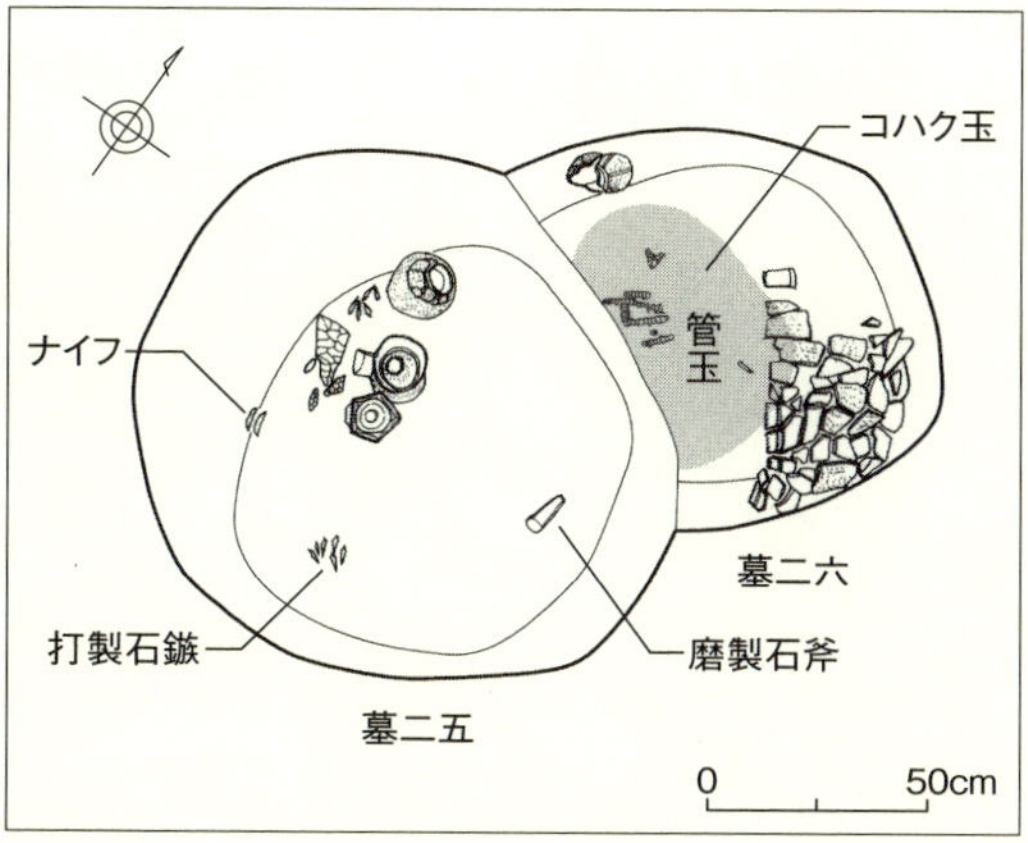

●アヨロ遺跡の墓二五・墓二六と副葬品
重なりあう二つの墓は、ともに豊富な副葬品をもちながら、その内容は大きく違う。社会的役割を異にした二人の重要人物の墓だろう。

る地域は、北海道をおいてほかにない。副葬品の量やバラエティについていえば、あとで詳しく述べる西日本弥生文化の代表・北部九州の社会を優にしのぐほどである。

大物ねらいの英雄漁師

アヨロの墓地のかたわらには集落があり、竪穴《たてあな》住居三棟が見つかっている。また、それらを見下ろす台地の上にも集落があったらしい。臨海性のムラだ。北海道の、とくに南西部では、紀元前三世紀頃になると、このアヨロ遺跡のように、河口に近い海岸部に立地する集落がたくさん出てくる。同時に、骨角《こっかく》製や石製のモリ、釣り針、ルアーとの説もある魚形《ぎょけい》の石器など、海の狩猟具や漁撈《ぎょろう》具が増える。実際に遺跡から出る動物性遺物の分析からは、北海道の南西部を中心に、オットセイや、ヒラメ（あるいはオヒョウ）・マダラなど大型魚の骨が多くを占めることがわかっている。海獣や大型魚をより効率的かつ集中的にとるという生活戦略の強化があったことは、ほぼ間違いない。

2

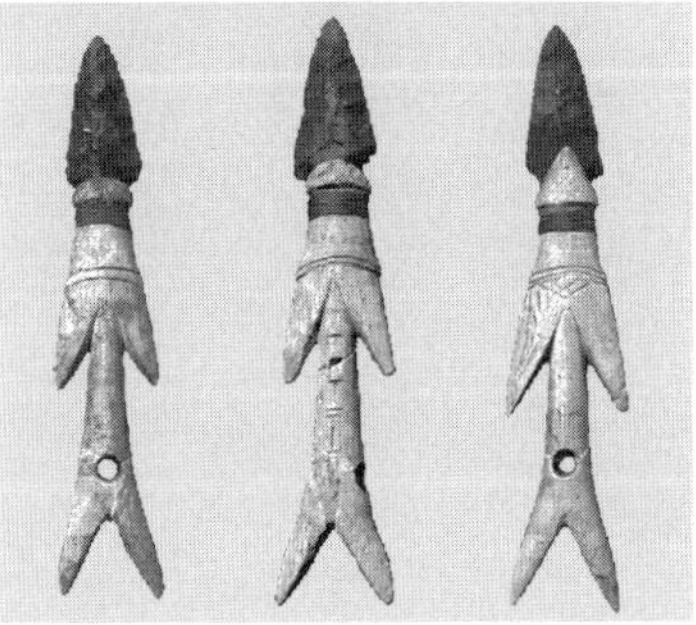
3

◉モリ（右）と魚形石器（上）
どちらも英雄漁師の誇りと威信を演出した特別な道具である。（右／北海道豊浦町礼文華《れぶんげ》貝塚出土、左端の長さ一三・二㎝。上／北海道上磯町茂別《もべつ》遺跡出土、長さ二〇・七㎝）

おもしろいのは、骨角製のモリは精緻《せいち》な彫刻をほどこし、実用を超えた意匠面での「凝《こ》り」を追求していることだ。大型のヒラメやオヒョウを釣り上げるためのルアーともいわれる魚形石器についても、高瀬克範《たかせかつのり》は、コスト・パフォーマンス重視で最適化した漁撈具ではなく、それを駆使して「どれだけの大物を釣るか」という目的のために特殊化した石器と考えている。約一万数千年前の旧《きゅう》石器《せっき》時代の終わりごろに現われた凝りに満ちた神子柴《みこしば》型の石ヤリを連想させる道具だ。

このことで思い浮かぶのは、メラネシアのウミガメ漁の話である。オーストラリア・ニュージーランド間のトレス海峡に浮かぶマー島の原住民メリアムには、岩礁《がんしょう》でのモリ漁や貝類の採集と、ボートで何日も遠洋に乗り出してのウミガメ漁という、二種類の漁撈活動がある。このうち、経済的にみて純粋にコスト・パフォーマンスがいいのは岩礁でのモリ漁と採集だ。かたやウミガメ漁は、首尾よくいけば大物がとれるが、何日もかけて収穫がないときや、命の危険にさらされるときさえある。経済的なコスト・パフォーマンスからすれば、けっして引き合わない。

経済的に引き合わないこのような行動が、すたれないのはなぜだろうか。ヒトが、生きるために一見無駄なことをするよう進化的にプログラムされた生物であることは、前に述べた。すでにみてきた凝った石ヤリ、派手な飾りの土器、これからみていく古墳《こふん》のような巨大な構造物などなどは、ただ生きるうえではなんの必要もない。同じように、食べるためだけなら、危険で引き合わないウミガメ漁など、する人はいないだろう。むしろ、メリアムのウミガメ漁は、その行為自体を見せつけ、収穫だけでなく勇気を競い、そうしている自分に酔い、「おれを見てくれ」と誇示するための行ないである。見ている側にとっても、その行為を称《たた》え、相手に憧《あこが》れ、惚《ほ》れるといった、さまざまな感情をかきたてられる行為だ。そして、この行為をうまく運ぶことが、より多くの名声や、異性の人気を勝ちとるチャンスをもたらす。より多くの生殖機会や名声をめざすことは、「他人より多くの遺伝子を残したい」「社会的に上位に立ちたい」という生物学的欲望を満たすという意味で、食物に対する経済的欲求に負けず劣らず本源的な営みである。ウミガメ漁のような行為は、そうした営みにおける勝ち組と負け組とを振り分けていくゲーム、いいかえれば、不平等な社会関係を演出するための芝居のような働きをもっている。

芝居で使う道具が美しく強調されるように、このような行為で用いられる道具は、往々にして凝りが盛り込まれ、豊かなメッセージ性を発散するようになる。凝りが盛り込まれた道具はまた、それを用いる行為をうまく運ぶことのできる個人と結びつき、その人物の特性を人びとに示すアイテムにもなる。

紀元前三世紀頃の北海道に出てくる精巧なモリや魚形石器も、こうした劇場的漁撈を舞台として、より多くの名声や生殖機会を勝ちとる英雄的な漁師が登場してきたことの証《あかし》といえるだろう。

ヘテラルキーの階層社会

ただ、注意しなければならないのは、この時期の北海道の社会には、英雄的な漁師とは別に、先に紹介した男の子のようにたくさんの装身具をつけて葬られる人物や、碧玉《へきぎょく》と呼ばれる緑の石の管《くだ》玉《たま》や鉄器など、本州からもたらされた遠来の品物を供えられる人物もまた現われていることである。たくさんの装身具をまとう人物は子供だけとは限らないのだが、少なくとも、そのなかに子供を含むことは重要だろう。英雄漁師のように大人ならではの労働行為を通じて社会的優位を勝ちとる人物に対して、特定の血縁に連なるためなのか、子供ならではの聖性が意識されたためなのかは知る由《よし》もないけれども、宗教的な資質を生まれながらにもつと信じられている人物がいたことは間違いない。また、遠来の品物を供えられた人物は、長距離の通交や交易をつかさどり、遠い世界とのメッセンジャーのような役割をもって任じる人として敬意を払われていた可能性が高い。

このように、紀元前三世紀頃よりのちの北海道の社会では、英雄漁師、宗教的資質者、外界とのメッセンジャーなど、さまざまな能力や資質や役割をもった有力者たちが並び立ち、それぞれの分野でたてまつられていた様子をうかがうことができる。墓の規模やつくりを見ても、どれかひとつの分野の人物がとくに傑出した地位や威信を築いていた状況はうかがえない。

さまざまな分野で階層的なピラミッドができるが、それぞれのピラミッド間の関係が対等で並列的な構造をヘテラルキー（多頭的階層）という。ひとつの分野のピラミッドが支配的になるヒエラルキー（寡頭的階層）とは異なった仕組みを表わすものとして、近ごろ注目を浴びている概念だ。ヘテラルキーの概念を先史社会の分析に初めてもちこんだアメリカの人類学者キャロール・クラムレイらによると、「ケルト」と呼ばれてきた青銅器《せいどうき》時代から鉄器時代にかけての西ヨーロッパ社会などが、これにあてはまるという。紀元前三世紀頃以降の北海道も、墓と人工物の分析によるかぎり、ヒエラルキーよりもヘテラルキーを志向した人びとの序列を演出する社会だったと考えられる。

このようなヘテラルキーの仕組みは、縄文《じょうもん》時代の社会にも、ある程度みられたようだ。前章で述べたとおり、キウスなど縄文後期の北海道の周堤墓《しゅうていぼ》では、石斧《せきふ》や弓矢のような生産用具、石棒《せきぼう》のような宗教用具、ヒスイの玉《たま》のような遠来の器物などを、それぞれ専門的に供えた埋葬がある。さまざまな分野での能力や役割をそれぞれに認められ、期待された人びとがいたということだ。気候の寒冷化という環境変化に対応して、個人の資質や職能が重要な役割を果たす社会へと移り変わったことの反映だろう。

しかし、瀬川拓郎《せがわたくろう》が明らかにしたように、紀元前三世紀頃から、こうした副葬の傾向は、質・量ともにわかに顕著になった。このことは、ヘテラルキー的な序列の仕組みをはらんでいた北海道の社会がますますその傾向を強め、あとでみる九州や本州とはまた異なった性質の序列を前面に押し出した社会を営むようになった様子を示している。

注目すべきは、ヘテラルキーの仕組みを反映する、同じような副葬の習わしが、ロシアの沿海州《えんかいしゅう》などでも認められることだ。北海道の縄文から弥生《やよい》への移行を画期づける、右のような副葬の充実

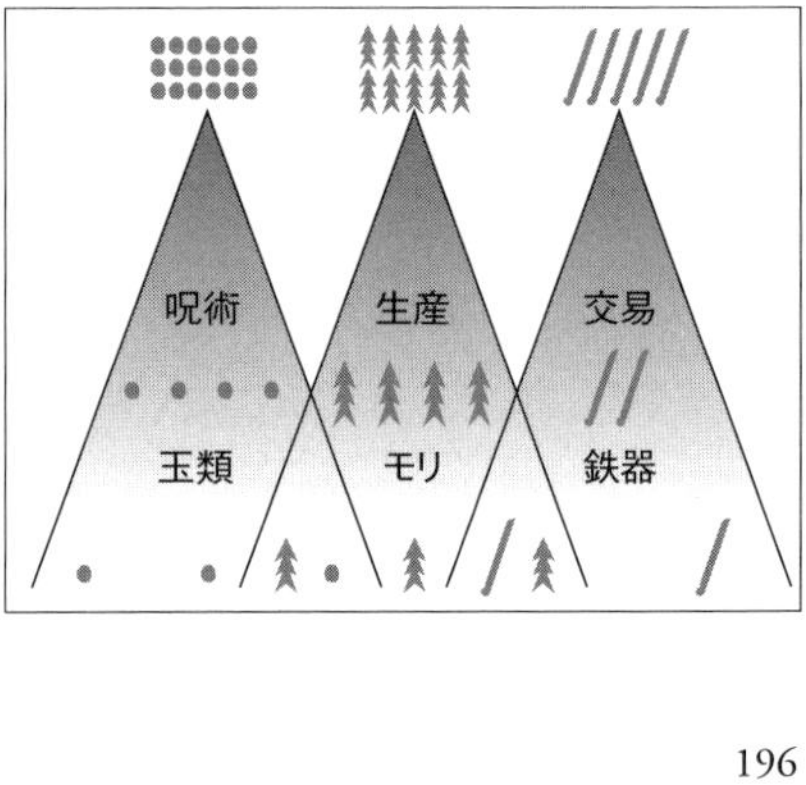

◉ヘテラルキーの社会構造
生産活動、宗教儀礼、外の社会との交渉など、それぞれ異なった社会的役割で頂点に立つ、さまざまなタイプの重要人物が併存して活躍する。墓の副葬品も、役割の違いに応じて種類が異なり、その数の多少が序列を示していたと考えられる。

化が、海を越えた外部の社会から伝わった思想に基づくものだった可能性をうかがわせるものだろう。これまで「続縄文文化」と呼ばれてきた弥生期の北海道は、九州や本州とは異なる形ではあったけれども、やはり縄文とは違った新しい時代へと変化していたこと、そしてそこには大陸の影響も想定されることが指摘できる。

文明の遺伝子

武器に飾られた人

ヘテラルキーの序列社会が北海道で栄えたのとちょうど同じころ、北部九州では、また違ったタイプの序列社会が生み出されていた。

福岡市西区。繁華街博多《はかた》のある中央区からは丘陵をひとつ隔てた、早良《さわら》平野と呼ばれる地域だ。年々、

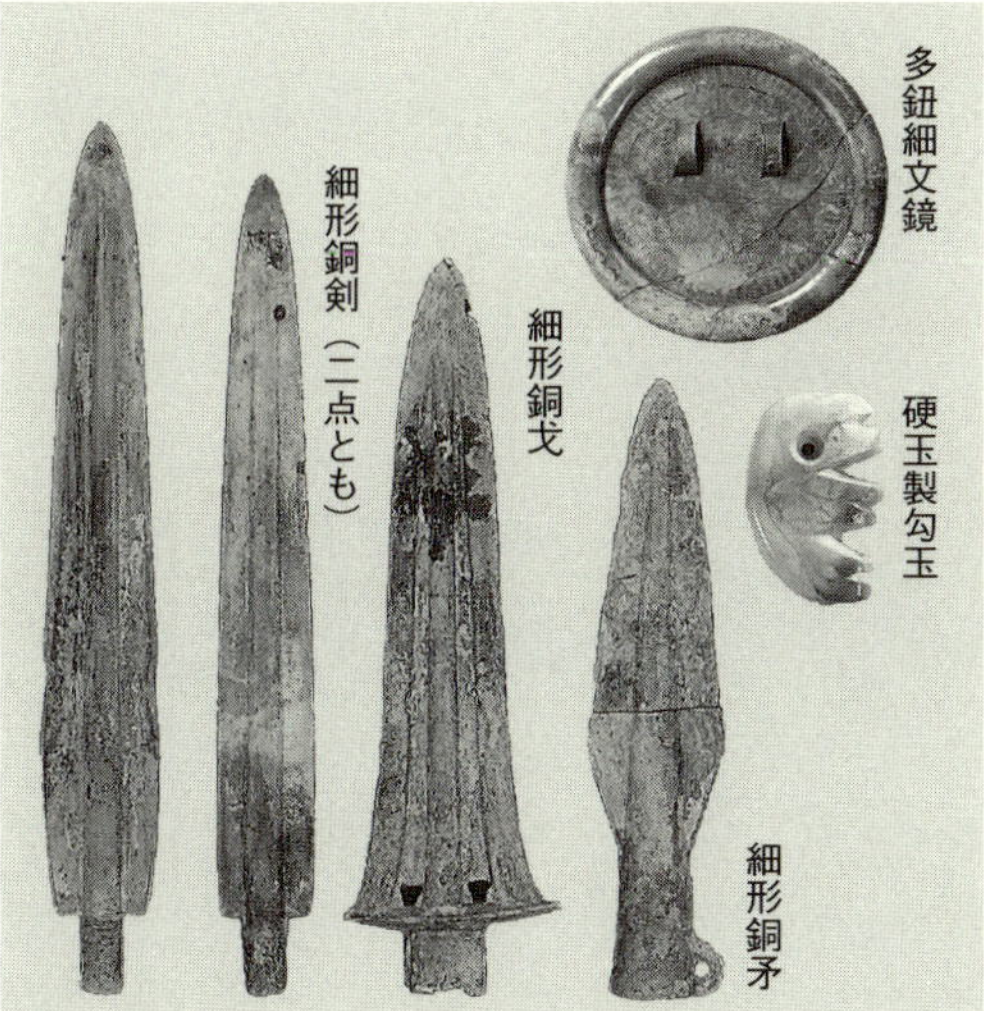

◉吉武高木遺跡三号木棺の副葬品
武器を中心とするのが特徴。鏡・青銅製武器とも、朝鮮半島に由来する品である。北部九州最初の有力者は、朝鮮半島との結びつきを権威のよりどころとしていたようだ。

住宅街が広がりつつあるが、ところどころにまだ農地も残っている。一九八一年（昭和五六）、その一角の吉武高木《よしたけたかぎ》遺跡から、たくさんの副葬品をもつ木棺《もっかん》（三号木棺）が見つかった。板材を組み合わせてつくった、長さ約二・五メートルの棺《ひつぎ》の中に、青銅《せいどう》の鏡一面、同じく青銅製の剣《けん》二本、矛《ほこ》一本、戈《か》一本、ヒスイの勾玉《まがたま》一個と碧玉《へきぎょく》の管玉《くだたま》九五個が入っていたのである。鏡は多鈕細文鏡《たちゅうさいもんきょう》という、紐《ひも》通し穴（鈕）を二つもった朝鮮半島からの舶来品だ。また、矛と戈は長い柄《え》をつけた武器で、矛は柄の先端に切っ先を装着して敵を突き刺すもの、戈は柄の先近くに切っ先を直角に取り付け、ハンマーのように打ち込んだり引っ掛けたりして敵を倒すものである。これらの青銅製の剣・矛・戈もまた、源《みなもと》は朝鮮半島に求められる。「外からの弥生《やよい》化」の波に乗って紀元前八〜七世紀頃に伝来し、そののち戦いの場でさかんに用いられるようになった石剣《せっけん》や石鏃《せきぞく》よりもさらにすぐれた武器として、ちょうどこのころにもたらされたものだ。

　この三号木棺を囲むように、青銅製の剣を一〜二本、ヒスイや碧玉の玉《たま》、青銅の腕輪《うでわ》などを入れた木棺や甕棺《かめかん》（人を埋葬するためにつくった大きな甕）が、一〇基ほどつくられていた。有力者とその一族やとりまきからなるグループの墓地だろう。さらに、この墓地の北西には、吉武大《よしたけおお》石《いし》遺跡と呼ばれるもうひとつの大きな墓地があって、そのなかの一部

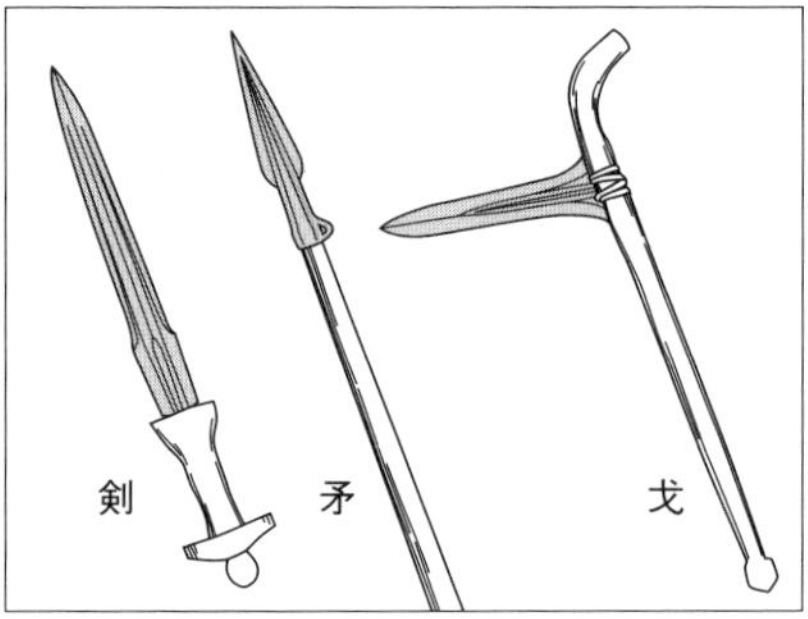

●剣と矛と戈
発祥地の中国では、矛《ほこ》は馬上で、戈《か》は戦車の車上で用いた長柄の武器だったが、馬も車もなかった弥生時代の日本列島では、矛と戈は儀礼的な場面で用いられるようになった。

に、青銅の剣・矛・戈がそれぞれ一〜二本ずつ副葬されている。副葬品の数からみて、吉武高木のグループに次ぐ力をもった人びとの埋葬らしい。吉武高木・吉武大石とともに、弥生時代を三つに分けた一番目にあたる前期の終わり近く、紀元前四世紀頃に営まれたものとみられる。

吉武高木・大石のような北部九州の有力者の埋葬は、先にみた北海道の幣舞《ぬさまい》やアヨロの有力者の埋葬と、どこが違っているだろうか。まず、もっとも大きな特徴は、明らかに人をあやめる目的でつくられた武器を、副葬品の中心にしていることだ。そして、多くの武器を入れた墓ほど、玉や鏡などの他種の副葬品もたくさん伴う傾向があり、そのまわりを、少量の武器と玉、あるいはそのどちらか一方だけを副葬した墓が取り囲むなど、副葬品の種類と量で人びとの序列を演出しようとする傾向が著しい。つまり、武器が中心で、序列性が強く、さまざまな資質や職能を表わす要素が上位の少数の人びとに集中するという特徴をもっているのである。

このような副葬のシステムによって演出される序列は、北海道のようなヘテラルキーよりも、ひとつのピラミッドが支配する、ヒエラルキーの構造をもっていたとみていい。北部九州では、たくさんの武器を帯びて武の威信を醸《かも》し出す少数の人物が、外界とのメッセンジャーや宗教者としての性質をもまた鏡や玉で体現し、さまざまな局面での声望や畏敬《いけい》をひとり占めする社会だったようだ。

戦いがつくる人の序列

ではなぜ、弥生《やよい》化したのちの北海道ではヘテラルキーの仕組みが、いっぽう北部九州ではヒエラルキーの仕組みが、それぞれ強まったのだろうか。これを解く大きな鍵《かぎ》のひとつとなるのは、北部九州では、人びとの序列がもっぱら墓に供えられる武器の数量、すなわち武の威信の強弱として表現されていることである。武の威信とは、戦いの場における名声や声望という意味だ。戦いは、ムラ全体にとっては利益や生存をかけた活動であるとともに、参加する個人にとっては、命を落とす危険も多い引き合わない行為ではあるけれども、戦いをうまく運び、勇気を競い、見せつけることによって、メンバーとしての地位や威信や異性の人気などの社会的な利得を勝ちとることのできる絶好の場でもある。その意味では、メリアムのウミガメ漁や北海道の海獣猟と同等の役割を、北部九州では、武器をふるっての戦いという行為がもっていたということができるだろう。英雄を生み出す芝居という点で同じだ。ただし、それらよりも落命の危険と利得の価値がともにより大きい、ハイリスク・ハイリターンの大芝居である。

戦いが、大物ねらいのウミガメ漁や海獣猟と異なるもうひとつの点は、それが個人単位ではなく、ムラのメンバーあげての組織的な行為だということだ。その成否は、個人の損得だけでなく、男女を問わずムラ全体の存亡や盛衰と直結している。また、人の命と命がぶつかりあう戦いという行為は、する人に対しても見る人に対しても、その感情を直接ゆさぶり、強烈な記憶を残す。そしてその記憶はメンバーに共有され、時につくりなおされてムラの物語となる。古代の神話や叙事詩がいくさのエピソードに満ちあふれているのは、戦いという行為が、ほかのどのような行ないよりも人の感情や思考、すなわち認知に強いインパクトを与えるからだ。

このように、戦いという行為は、その集団性、致命性、認知的なインパクトの強さなどゆえに、ムラや個人のさまざまな活動や思考の、有無をいわさぬ軸となっていきやすい。ほかの集団との交渉、超自然的存在《スーパーナチュラル・ビーイング》や宗教・儀礼・芸術といったあらゆるものが、戦いという行為やその根底にある思想にそって体系化されていく。そのなかで、戦いを舞台に声望を勝ちえる個人が、外交・宗教・儀礼などのほかのさまざまな面においても、威信を発揮するようになる。

このようにして、戦いは、社会のなかの多くの職能や資質による序列の仕組みがひとつのピラミッド、すなわちヒエラルキーの階層構造にまとめられていく強力な吸引力となるのである。

北部九州の戦いの痕跡

このような戦いが実際に行なわれた証拠は、吉武高木《よしたけたかぎ》遺跡のころを中心に、北部九州でとくにたくさん認められる。福岡県飯塚《いいづか》市スダレ遺跡では、磨《ま》製石剣《せいせっけん》（石戈《せっか》の可能性もかなりある）の切っ先が頸椎《けいつい》に突き刺さった熟年男性の人骨が見つかった。調査と分析をした橋口達也《はしぐちたつや》と永井《ながい》昌《まさ》文《ふみ》によると、背後から首筋に一撃を加えられた可能性が高いという。傷のまわりの骨の病的増殖の様子から、この男性は、傷を受けた数か月後に亡くなったようだ。スダレ遺跡のこの男性のほかにも、石剣・石戈や

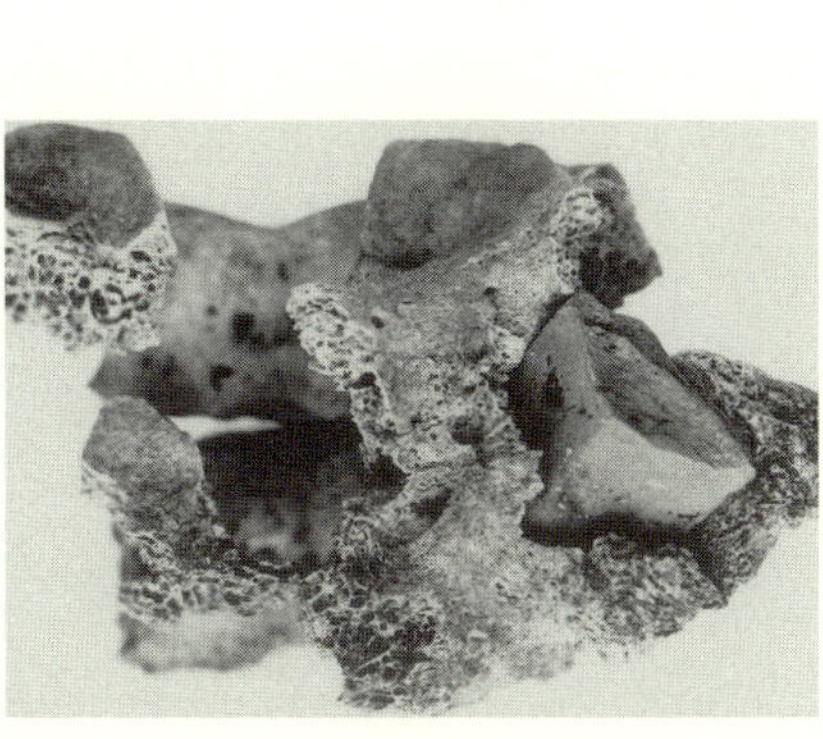

5

◉**スダレ遺跡の殺傷人骨**
首に刺さる武器は石剣か石戈か？石剣なら、逆手に持って背後から首筋に突き刺し、石戈なら首筋に打ち下ろしたと考えられる。

青銅《せいどう》製の剣・戈の切っ先が刺さった遺体の例は少なくない。

紀元前八〜七世紀に、人をあやめる道具としての武器が、戦いや農耕という、まわりの自然や人に介入し支配しようとする志向性を体現する人工物として朝鮮半島からもたらされて以来、北部九州では途切れのない武器の発達過程がみられる。磨製の石剣や石鏃《せきぞく》が、この地域独自の姿にしだいに形を変えながら、量を増やしていくのである。スダレ遺跡の男性を襲った石剣（または石戈）もそのひとつだ。

このような、武器や戦いを重要視する支配的な文化を「文明」型文化ということは先にも説明した。これは、四大河《たいが》文明のひとつとして、東アジアでは中国で発生したものだ。北部九州でヒエラルキーの一元的な階層社会が発達したのは、「文明」型文化の影響を列島内でもっとも直接的に強く受けることによって、縄文《じようもん》社会からの脱皮を果たした地域だったからだろう。

武器がもたらされた紀元前八〜七世紀から、吉武高木の有力者が出た紀元前四世紀までの三〇〇〜四〇〇年の間、北部九州の人口がほぼウナギのぼりに増加した様子が、ムラの拡大や墓の数の増加からうかがえる。一般に、農耕が本格化すると、定住の強化、穀物を用いた離乳食の出現、それに伴う出産間隔の短縮などの理由によって、人口が一時急激に増えることが、さまざまな例から確かめられている。そうすると、こんどは増えた人口を養うために新しい耕地を開拓しなければならなくなり、人口増と耕地拡大の連鎖が生み出される。その結果、耕地の拡大は、同様に耕地拡大を図る近隣のムラとの衝突をまねき、争いの根本要因となる。

この経済的な要因と、まわりを支配し、支配や力の誇示に人びとがひかれるという要因とが、互いに強めあうことによって、農耕、戦い、共同武装などを軸とする「文明」型文化が維持され、強化されていくのである。人びとの心をひきつけ、農耕の経済的成功を約する戦いという行為のなかで、人気や崇敬を一身に集めることによって、ひとつのピラミッドからなる序列の頂点に立つ存在が現われたのだろう。そのような存在を、あるまとまりをもった集団の長として、ここでは酋長《しゅうちょう》と呼ぶことにする。さらに、かれの一族やとりまきなどがその威信や職能を分担し、有力層をつくって支配するヒエラルキーの階層社会ができていったと考えられる。

大酋長登場

「文明」型文化という外からの弥生《やよい》化の影響で、弥生時代前期の終わりごろまでには脱縄文《じょうもん》化を果たした北部九州の姿をみてきた。北部九州の弥生社会がその頂点を迎えるのは、前期に続く中期の終わりごろ、紀元前一世紀頃のことだ。

百万都市福岡のベッドタウン・春日《かすが》市。住宅街のなかのやや小高い丘の上に、「奴国《なこく》の丘歴史公園」がある。この公園の一角、芝生の広場のなかに柵で囲まれて、長さ三・三メートル、幅一・八メートル、重さ四トンの巨石が横たわっている。これはもともと、現在は住宅街となっている約二〇〇メートル北西の地点で、一八九九年（明治三二）に発見された甕棺《かめかん》の上に置かれていたものだ。この甕棺の中からは、青銅《せいどう》製の矛《ほこ》五本、剣《けん》二本、戈《か》一本と、三〇面ほどの鏡、ガラスの璧《へき》（権威を表わすとされる円盤形の持ち物)、ガラス玉《だま》などが出土した。同じころの墓で、これだけの数の武器をそろえている例はほとんどなく、戦いという行為と結びついた威信や名声を広く集めた人物が葬られていたことがわかる。

また、鏡や璧は、その神秘性やきらびやかさが呼び起こす、この人物のもつまた別の資質や職能を反映していたのだろう。さらに、これらの鏡や璧は中国前漢《ぜんかん》王朝からの舶来品で、この人物と中国との深い結びつきを演出するものでもあったと考えられる。軍事・宗教・外界との交渉という、いくつもの局面での第一人者としての資質や権威や職能を、この人物がまわりから認められていた様子がうかがえる。この人物が葬られていた遺跡は、須玖岡本《すぐおかもと》遺跡と呼ばれている。

須玖岡本とほぼ同じくらいの副葬内容を誇る人物、すなわち、さまざまな資質や権威や職能を一身に集めた大酋長《だいしゅうちょう》は、もうひとり、福岡平野から西へ山を越えた糸島《いとしま》平野にいたようだ。前原《まえばる》市三雲《みくも》南小路《みなみしょうじ》遺跡の一号甕棺の主で、青銅製の矛二本、剣・戈各一本、中国舶来の鏡三五面、ガラス璧を八枚、大量の玉などのほか、金メッキをした青銅製の棺金具《かんかなぐ》が副葬されていた。この棺金具は、木棺の部材を留める金具として、中国では有力者の葬儀に用いられていたものらしい。おそらく、この人物の死に際して、中国の皇帝ないしは王侯から贈られた品とみられるが、あいにく棺《ひつぎ》が甕だっ

6

◉**須玖岡本遺跡の中国鏡**
中国・前漢代の草葉文鏡《そうようもんきょう》が出土したことは、北部九州の大酋長と中国王朝との交流の深さをうかがわせる。(直径約二〇cm、復元)

たために使う術《すべ》がなく、そのまま副葬したものだろう。かれもまた、軍事・宗教・外界との交渉というさまざまな局面でトップに立つ大酋長だったとみられるが、棺金具の出土は、その外界との交渉が、中国の皇帝や王侯と、地位を互いに認識しあって結びつき、利用しあうという、政治的な色彩を帯びていた可能性を示している。縄文《じょうもん》時代にはなかったことだ。

なお、三雲南小路の一号甕棺に並んで、鏡や玉は大量に収めるが武器は含まれない二号甕棺がある。一号と二号とは同じ盛《も》り土《つち》で覆われているから、二つの墓の主が密接な関係にあったことは確かだ。一号の大酋長のパートナーか一族で、その威光を背景に職能の一部を分有していた人らしい。

タテの序列、ヨコの序列

今のところ、須玖《すぐ》岡本《おかもと》と三雲南小路《みくもみなみしょうじ》一号の主よりほかに、政治的な外交・宗教・軍事の各面で他を圧する大酋長《だいしゅうちょう》といえそうな人物は、北部九州では見つかっていない。この二人に次ぐ人物として、青銅《せいどう》の矛《ほこ》と鉄の剣《けん》を一本ずつのほか、中国の鏡六面を入れた、飯塚《いいづか》市立岩堀田《たていわほった》一〇号甕棺《かめかん》の主などが知られている。しかし、福岡平野や糸島《いとしま》平野を中心として、周辺へいくほど、その地域でもっと

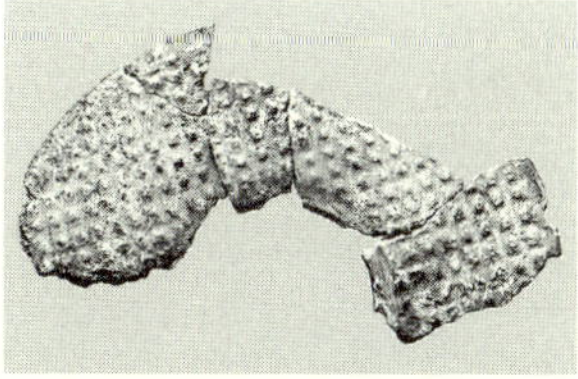
7

8

◉三雲南小路遺跡のガラス璧(上)と棺金具(下)　どちらも、中国の王侯貴族が身分の象徴として用いた道具。北部九州の大酋長が、中国の身分制度に組み込まれていた可能性を示す。

も有力な酋長の副葬品はしだいに貧弱になっていく。

このことから、須玖岡本と三雲南小路の大酋長は、北部九州一円の声望を集めるような群を抜いた有名な存在で、周囲や遠くのどの酋長たちよりも格上の人物として、北部九州一円で認められていた可能性が高い。重要なのは、かれらが拠点としたムラとみられる須玖遺跡群や三雲遺跡群もまた、たくさんの人口が集まるひときわ大きな集落であることだ。青銅器や鉄器、ガラス細工などの各種工房もそろい、その製品は北部九州一円に行きわたっていたようで、「テクノポリス（技術都市）」と呼ぶ人もいるほどである。酋長の威光だけではなく、かれが根ざすムラの経済的役割においても、福岡平野や糸島平野は、北部九州のほかの地域に対して、優勢かつ中心的な立場を占めていたらしい。酋長の地位と、拠点となるムラの経済力とは、密接に関係していたようだ。

このように、特定の地域やムラが、経済的にも、上下や主従といった意識のうえでも優位に立つという現象もまた、縄文《じょうもん》社会にはなかったことである。同じく、さまざまな局面で複数の階層構造が並び立ったヘテラルキーの北海道弥生《やよい》社会にも、このような仕組みはない。同じムラや集団のなかの、いわばタテ方向の序列のうえに、ムラや地域の間のヨコ方向の序列がおり重なって、それま

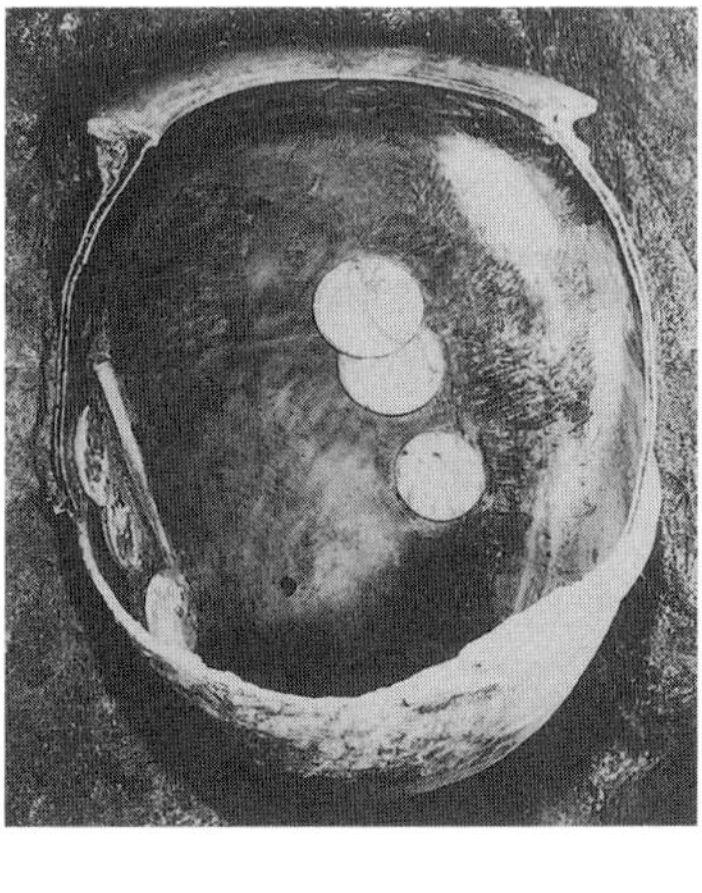

9

●立岩堀田一〇号甕棺
六面の中国鏡や銅矛《どうほこ》・鉄剣とともに葬られた飯塚盆地の酋長。棺の内部は真っ赤な朱でいろどられていた。鉄剣は当時最新鋭の武器だった。

でにない複雑な仕組みをつくるようになったのが、北部九州弥生社会のもっとも大きな特性といえるだろう。

このような社会では、タテの序列を演出してきた人工物、たとえば縄文時代の副葬品や特別な墓・家などが、こんどはヨコの序列を演出するようになったり、おもにヨコの序列を表わすためのメッセージ性豊かな人工物が新たに考え出されたりするようになる。北部九州弥生社会の場合、このようなタテ・ヨコの序列のメッセージを発する中心的な人工物に選ばれたのは武器だった。戦いという行為の場を舞台として、ヒエラルキーの序列形成が進んだゆえのことだろう。初めは、それぞれのムラや地域でつくられる石製武器がそのムラや地域のなかでのタテの序列を演出する人工物として所持され、のちには、特定のムラで製作された青銅の武器が、タテに加えてムラや地域の間のヨコの序列を表わす人工物として配布されるようになった。青銅製武器が、福岡平野や糸島平野の須玖や三雲の地域を中心として、まわりに散らばるように分布している様子は、紀元前一世紀頃までの北部九州の地域どうし、ムラどうしでの、格の違いや序列を反映しているとみてよい。

ムラどうしの序列形成のメカニズム

それでは、縄文《じょうもん》社会にはなかった、地域どうしやムラどうしでの格の序列や経済力の優劣は、どのようなメカニズムでつくられていったのだろうか。具体的にどのようにして、ある特定のムラが大きくなり、高い格や経済力を得ることになったのだろうか。

これまでは、「ムラからクニへ」などという教科書の言葉に代表されるように、強いムラが弱いムラを武力で征することによって、より大きな政治的統合が生み出されたと考えられてきた。たしかに、弥生《やよい》時代前期末の紀元前四世紀頃には、先にも述べたように、戦いで死んだり傷ついたりする人が相ついでいた状況が、甕棺《かめかん》に葬られたたくさんの人骨の観察結果からうかがえる。ムラどうしの武力衝突があったことは間違いない。

しかし、須玖《すぐ》や三雲《みくも》のムラが急激に強力化し、大《だい》酋長《しゅうちょう》を生み出そうとしていた中期終半の紀元前二～一世紀頃になると、戦死者や戦傷者の数は予想に反して増加せず、それまでの時期よりもむしろ落ち着く傾向を見せる。須玖や三雲がムラどうしの序列の頂点に立ったのは、少なくとも最終的には、武力によって周囲を制圧した結果というわけではなさそうだ。

さまざまな民族例をみると、戦いを生き抜き、優位を保つための最善の努力としてしばしばとられるのは、集団の人数をできるだけ増やしておくという方策だ。たくさんの人が寄り集まれば、戦力は上がり、守りも固くなり、なによりも心強い。強制的に他人を囲いこむよりも、自発的に寄り合

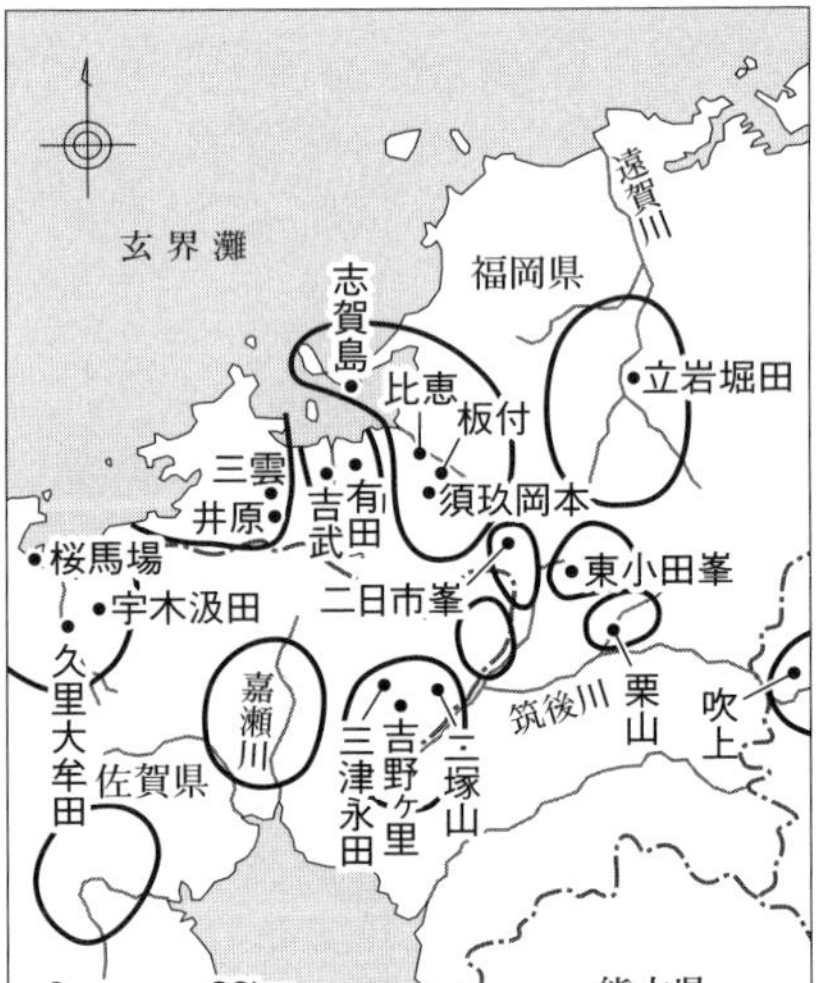

◉北部九州弥生社会の地域構造
須玖《すぐ》遺跡群・三雲《みくも》遺跡群をそれぞれ擁する福岡平野と糸島平野が、弥生時代の北部九州の二大中心地となっていた。

うことによって特定のムラが大きくなる場合が、実際には多いだろう。

こう考えられるようになった背景には、ひとつのムラがひとつの出自集団（同じ血縁に連なる、あるいは互いにそうと信じている人びとの集まり）で構成されるというかつての想定がゆらいできたという事情がある。むしろ、縄文時代の環状集落について考えたのと同じように、ひとつのムラのメンバーが、それぞれ異なった出自集団に属する複数の家族や個人から成り立っていると推定する研究者も増えてきた。つまり、同じ出自集団に属する家族や個人が別々のムラに分かれて住んでいたという事例がめずらしくないことがわかってきたのである。居住を規定したのは、出自ではなかったという可能性だ。

戦いのほんとうの役割

出自でないとすれば、何が居住の場を定めるのだろうか。もちろん、家族や個人があるムラに住む理由は、そこで生まれたからとか、カップルの相手と一緒に暮らすため（ムコ入り、ヨメ入り）だとかいう場合も多い。しかし、民族学や人類学の事例をみてみると、なんらかの事情でもとのムラにいられなくなって知人を頼って転がり込んできたり（こういうときの知人は、同じ出自集団に属する「親類」の場合が多い）、「客分《きゃくぶん》」として有力者にまねかれたり、特別な技能や知識と引き換えに居住を許されたり、などといろいろな理由による外来者がたくさんいることがわかる。個人的な事情や独自の利益追求の戦略に従って、人びとは相当自在に、住む場所、参入するムラを選び、場合によってはムラからムラへと動きまわっている様子が明らかだ。

出自によって住む場所が厳格に決まっているのではなく、社会的な事情や経済的な理由で、人びとが相当自由に動いて暮らすところを変えられるような社会だったと想定すると、北部九州で地域やムラの序列が急速にできた経緯は、武力による征服説よりもずっと説明しやすい。すなわち、農耕が早くから根づき、人口が増え、くわえて朝鮮半島からの渡来者も多かった北部九州では、紀元前四世紀頃には土地や水などの資源が不足し、それをめぐって人びとの間に抗争が頻発するようになった。農耕とともに伝わっていた「文明」型文化の、武を尊ぶ傾向とも相まって、戦いは、名声や人気を求めて個々人が競争を繰り広げる舞台となり、それを通じてつくられた序列を確認し誇示する場とも化して、ますます発展した。

このような空気のなかで生き残るために、人びとは互いに寄り合ってムラの規模を大きくしたり、大きくて有力なムラに参入したり、そこと同盟を結んで友好関係をきずくなどの動きを強めただろう。このようにして、紀元前一世紀頃、ムラどうし、地域どうしの格差や序列が、急激に発展したと考えられる。戦いそのものよりも、戦いが存在することの社会的、心理的な抑圧がもたらす安全保障への欲求が、北部九州の弥生《やよい》社会を特徴づける、顕著なヨコ方向の序列形成を推し進めたのである。

大きなムラの中核になるためには、寄り集まってくる多くの人びとを養うだけの生産力や、物資を調達しやすい立地が必要だ。須玖《すぐ》や三雲《みくも》は、広い沖積《ちゆうせき》平野の中央にある高まりの上にムラを構えていて、農耕するうえでは北部九州でも屈指の環境といえる。くわえて、玄界灘《げんかいなだ》に面する湾の奥にあって、海上交通の便もよい。耕作や開拓に力を発揮する道具として紀元前三〜二世紀頃から普及が本格化した鉄器の素材や、武器をつくるための青銅《せいどう》の原料などが、朝鮮半島や大陸から海上を運ばれてきたあと、まず陸揚げされたのもこれらの地域だろう。

このように、須玖や三雲が、農耕や交易を通じて富を蓄積しやすい条件をもっていたことは明らかだ。安全保障だけではなく、こうした経済的好条件にも誘われて、たくさんの人びとが流れ込んできたり、利益を求めて接近してきたりして、富だけではなく、人が集まることによって生まれる大きな力の結集点ともなったのである。その力は強い軍事力にも通じ、ムラの存在感や求心力をますます高めたことは疑いない。

須玖や三雲の大酋長《だいしゅうちょう》の地位は、それぞれの利害にそって集まってきた多くの人びととの間の関係調整という社会的要請によっても、下支えされていたと考えられる。

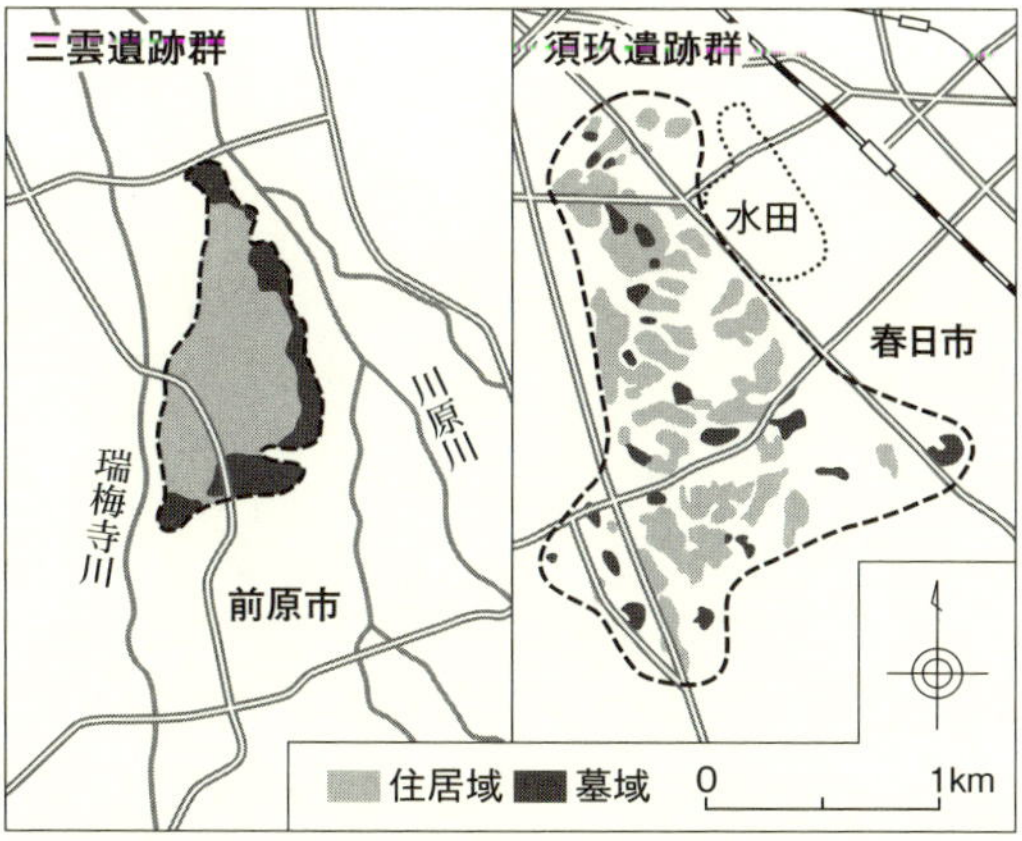

●大酋長の本拠の集落
須玖遺跡群、三雲遺跡群ともに、中心的集落は平野の中央の小高い段丘上に広がっている。住居域、大酋長墓を含む墓域のほか、青銅器や鉄器をつくる工房域をもち、テクノポリスとも呼ばれる。

よみがえる縄文

新しいムラ、古いムラ

「文明」の遺伝子をもっとも色濃く受け継いだ北部九州の弥生《やよい》社会が、農耕の本格化、人口の増加、戦いなどを通じて、タテ・ヨコの序列の頂点に大酋長《だいしゆうちよう》をいただくヒエラルキーの仕組みをつくった様子をみてきた。北部九州にもたらされた稲作とその文化は、長い時間をかけて中国・四国から近畿・東海西部に伝わり、さらには東や北の地方にも広まっていった。ただし、瀬戸内から近畿・東海西部といった地方は、先にみてきたように、縄文《じようもん》の真髄《しんずい》ともいえる文化や社会を花開かせた関東や甲信越などからの人や情報が、縄文時代の後半に濃密に流れ込んだところでもある。この側面が、もともと東日本の影響が少なく、それゆえに縄文の遺伝子をあまりもっていなかったといえる北部九州と比べた場合の、大きな違いだ。「文明」の遺伝子をもつ西からの文化と、縄文の遺伝子をもつ東の文化とが、どのようにせめぎあい、溶け合って、また独自の弥生社会を織りなしていったのだろうか。その点に注意しながら、これらの地方の弥生化の過程をみていこう。

今のところ、水田、環濠《かんごう》集落、武器、水田開拓に使う伐採用の大型石斧《せきふ》、稲穂を摘み取るための石庖丁《いしぼうちよう》などなど、「外からの弥生化」に伴う人工物や道具立てが出そろうのは、瀬戸内や近畿および東海西部の伊勢湾《いせわん》沿岸地域で、紀元前六〜五世紀のことである。これらには、「遠賀川《おんががわ》系」と呼ばれる、文様の少ない土器の一群が伴い、縄文土器には顕著だった地域色を塗りつぶすかのように、西日本のほぼ全域に広がっている。自分たちのアイデンティティをメッセージとして演出する性格をもたない、完全に脱縄文化を果たした土器だ。この遠賀川系土器が、先に述べた人工物や道具立てと一緒に瀬戸内海を東進して伊勢湾に達するまで、二〇〇〜三〇〇年という長い時間がかかっている。これらを携えて北部九州を発《た》った人びとが、短期間で一気に瀬戸内から近畿・東海に押しよせた、といった説は成り立ちそうもない。

この間の瀬戸内や近畿には、遠賀川系の土器が主として用いられるムラとならんで、縄文の系統を残す土器が目立つムラが共存することがある。新しい生活文化を取り入れた人びとが集まったムラと、昔ながらの道具や暮らしぶりを残す人がたくさんいるムラとが、数世代の間併存していたということだ。これは、外来系の集団と縄文系の集団とが対峙《たいじ》していた、などという構図を意味するわけではない。縄文系の土器といっても、すでにほとんど文様をなくしているという点では遠賀川系と同様である。

また、遠賀川系土器主体の環濠集落から縄文ゆかりの石棒《せきぼう》が出たり、縄文系の土器が多いムラでも伐採用の石斧をもっていたりするなど、両者の間には絶え間のない自由で活発な交流があったと

10

◉遠賀川系土器
ほとんど文様のない壺《つぼ》・甕《かめ》・鉢《はち》・高杯《たかつき》などからなる。縄文土器に比べて、壺の占める比率が高い。（福岡市板付《いたづけ》遺跡出土）

見なすべきだろう。現代の町場と農村のように、新しい生活を積極的に取り入れた居住地と昔ながらの暮らしを守る居住地とがあって、イネと雑穀、稲作と畑作、外来の品物と土地の産物、というふうに、生産の種類や役割を地域のなかで分け合って両者は共存し、住人もしばしば入れ替わっていたというイメージのほうが近いようだ。

縄文土器に近づく弥生土器

弥生《やよい》時代前期の終わりごろ、すなわち紀元前四世紀頃になると、両者の違いはさすがに薄れてきて、中小河川の流域平野などからなる五～六キロメートル四方の地域にひとつずつくらいの間隔で、それまでよりもやや大きなムラがつくられるようになる。瀬戸内や近畿・東海西部では、これらのムラは、周囲を堀《ほり》でほぼ円く囲んだ環濠《かんごう》集落であることが多い。

環濠そのものは、もちろん外来系の要素だ。住む場所に堀を巡らせて、機能的にも精神的にも内

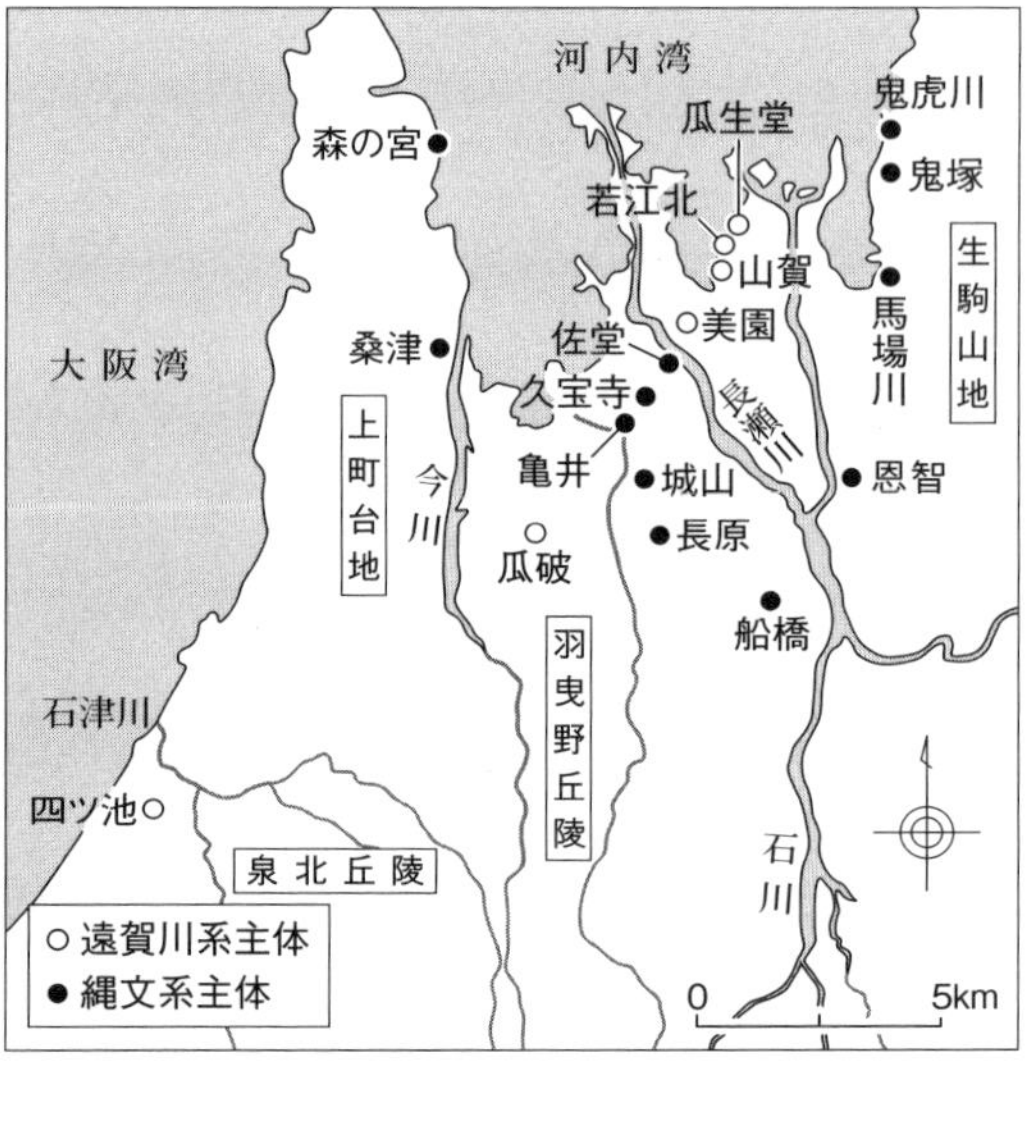

◉遠賀川系のムラと縄文系のムラの併存
紀元前六～五世紀頃の大阪平野では、遠賀《おんが》川《がわ》系土器を主として用いるムラと、縄文系の土器を主として用いるムラとが併存していた。前者が海岸線沿いに、後者が内陸寄りに分布する。（藤尾慎一郎『弥生変革期の考古学』より作成）

外を分けようとする、縄文《じようもん》社会には顕著でなかった心性に根ざした、ムラづくりの新たな方針だったことは、先にみたとおりである。環濠集落の増加と普及は、一見、それまで残っていた縄文の伝統がこれらの地域でも消え去り、「外からの弥生化」の波に由来する物質文化がようやく全面的に定着して、本格的な弥生社会が成立したことの証《あかし》のようにみえる。

しかし、そのほかの人工物もまた外来系のほうに統一されたのかというと、けっしてそうではない。まず注目すべきは、土器だ。紀元前四〜三世紀よりのちの瀬戸内や近畿では、すっきりと簡素だったそれまでの遠賀《おんが》川《がわ》系に、ヘラや、のちには櫛《くし》のような道具で一度に何本もの線を引いたり、粘土の帯を何条も貼《は》り付けたりする手法を加えることによって、ふたたび華やかに飾られた土器をつくるようになった。台の上に土器を置いて、それをゆっくりと回転させながら文様をつけるので、おのずと横方向に展開するパターンが装飾の基本になる。しかし、そのなかで、粘土の帯をとくに多用する地域、櫛で多重の直線や曲線を重ねることを好む地域、櫛を細かく止めながらスダレのような模様をつけることに専心する地域など、場所ごとに装飾が多彩に発達し、ひじょうにバラエティに富んでいる。形へのこだわりも尖鋭化《せんえいか》し、壺《つぼ》を中心に、口の広い大きなもの、張った胴の上に細い頸《くび》がつくものなど、機能的要請からきたとは思えないユニークかつ絶妙な造形上のきまりごともできていたようである。

こののち、弥生時代中期の後半にあたる紀元前一世紀頃まで、瀬戸内や近畿を中心に、右のように「凝《こ》り」を盛り込んだ土器がさかんにつくられた。これらは、縄文時代の後半から終わりにかけて現われ、遠賀川系でますますはっきりする、あっさりと飾りを控え、メッセージ性を後退させ、それゆえに地域色も顕著でない土器とは、社会的な意味や役割分担を異にしたものだろう。自分たちや地域社会のアイデンティティなど、そこに付与されたさまざまな社会的メッセージによって呼び起こされる感情や観念が、遠賀川系の段階よりも多様で濃密になっていることは間違いない。

このような、見る人がそこから読みとるメッセージの多様さという点からすれば、瀬戸内や近畿を中心とした弥生中期の土器は、ふたたび火炎土器に代表される全盛期の縄文中期の土器に近づいたようにみえる。

◉弥生中期の広口壺の地域による違い
近畿中央部の弥生中期中ごろの土器の地域色。摂津《せっつ》では頸部《けいぶ》の粘土帯、大和《やまと》と河内《かわち》では櫛《くし》描きの文様が特徴である。河内ではとくにスダレ状の櫛描き文様が好まれる。

縄文への回帰現象

近畿や瀬戸内の弥生《やよい》社会にうかがえる縄文《じょうもん》の要素は、土器だけではない。弥生時代前期の終わりごろにあたる紀元前四世紀頃から、分銅形《ふんどうがた》土製品《せいひん》と呼ばれる人の姿をしたフィギュア（像）が、とくに瀬戸内を中心に流行する。約三〇〇〇年前以降の縄文時代晩期末の西日本の土偶《どぐう》に、その起源があることが明らかだ。縄文最終の土偶以上に表現がデフォルメされてはいるが、人の形のフィギュアをなんらかの社会的コミュニケーションに介在させるという点では同じである。少数だが、動物のフィギュアもみられる。細々と保たれてきた縄文ゆかりの精神生活の一端が、ここにきてふたたび顕在化した様子を見てとることができるだろう。

縄文の心の復活を思わせるもうひとつの現象は、打製石器《だせいせっき》の流行だ。「外からの弥生化」に伴う石器は、伐採用の石斧《せきふ》、収穫用の石庖丁《いしぼうちょう》を中心に、つるりとした質感の磨製石器《ませいせっき》で、石剣《せっけん》や石鏃《せきぞく》などの武器も磨製で統一されていた。ところが、瀬戸内や近畿では、石斧などはさすがに磨製だが、武器は、伝わってきた磨製品の形を縄文ゆかりの打製の技術で写し取ることで、独特の質感をもった打製石剣（柄《え》のつけ方によって石ヤリや石戈《せっか》にもなった）や大型の打製石鏃が生み出される。

磨製石器の素材や技術にこと欠くわけでもなく、また機能的にも大きな差がないにもかかわらず、武器をあえて打製でつくる背景には、縄文からの長い伝統の認識があったはずだ。武器が醸《かも》し出す意味やそこからくるメッセージ性は、外来の磨製武器とは異なった、独特のものになっていったに違いない。

縄文と弥生に共通するもの

にぎやかに土器を飾る、古い技法と質感の石器にこだわる、人の土製《どせい》フィギュアを用いる、といったさまざまな点で、瀬戸内から近畿、および東海西部までの地方の人工物は、以上にみたように、ふたたび縄文《じょうもん》時代と共通するパターンを示すようになる。このような傾向がはっきりするのは、弥生《やよい》時代前期の終わりから中期の初めにあたる紀元前四〜三世紀、北部九州において吉武高木《よしたけたかぎ》遺跡の有力者が現われたころだ。

だが、吉武高木の有力者や、その後に登場した須玖岡本《すぐおかもと》、三雲南小路《みくもみなみしょうじ》などの甕棺《かめかん》に眠る大酋長《だいしゅうちょう》のような人物は、これら東の地方ではなかなか出てこない。これらの地方の墓は、分厚い板を箱のように組み合わせた木の棺《ひつぎ》が多く、時に数基ずつが低い方形の墳丘《ふんきゅう》に入れられることがある（方形周溝墓《ほうけいしゅうこうぼ》）。棺の大きさや、遺骸《いがい》のところにまく赤い顔料の使い方に、うっすらとした個々の差は見てとれる。しかしその差は、北部九州のように、副葬品の質や量の圧倒的違いによって、意図的に派手に演出されたものでなく、控えめににじみでた、という程度のものだ。そこに演出され、見た人が感じ、認識する墓の主どうしの声望、権威、身分などの違いも、北部九州とは比較にならないほど微弱である。また、北部九州で明確だった地域どうしの格差は、明確でない。

さらに、瀬戸内や近畿にも青銅《せいどう》の道具が伝わってくるが、銅鐸《どうたく》というムラ共有の祭器となり、北部九州のように武器とされて個人と結びつくことはなかった。

このような、個人のアイデンティティやその格差、地域間の序列など

11

●分銅形土製品
瀬戸内や近畿を中心に、西日本で流行する。顔面を描く場合は長い弧状の眉と柔和な表情が特徴。（山口県田布施《たぶせ》町明地《みょうじ》遺跡出土、高さ二一・八cm）

がメッセージとして人工物に演出されない社会は、縄文時代、それも中期までの東日本と共通している。だとすると、土器を飾る、人や動物のフィギュアを用いる、といった人工物レベルでの相似も、たんなる過去の復権ではなく、このような、社会の構造や本質における縄文との共通性に根ざしたものと理解できるだろう。約五キロメートルおきに等質的な環濠《かんごう》集落が並ぶという地域社会のあり方も、同じくらいの間隔で相似《あいに》た規模の環状集落が林立する縄文中期の関東や甲信越の社会に近い。円形プランで集住し、住居のまわりを堀、または、今はたくさんの小穴として残るなんらかの構造物で囲むという、ムラづくりの方針も共通している。

保たれた縄文の伝統

これまでの考古学では、狩猟・採集の平等な社会から格差や階層のできる農耕社会へ、といった単純な図式で、縄文《じょうもん》から弥生《やよい》への変化が描かれることが多かった。しかし、弥生時代の瀬戸内や近畿・東海の社会は、タテ・ヨコ方向の序列が人工物に演出されず、土器の飾りやフィギュアが重視されるという点で、同じ弥生時代の北部九州社会よりも、縄文時代中期の東日本の社会に、構造がはるかによく似ていると分析することができる。

これは、自然環境からの資源の獲得方法や、そのための人間集団のつくられ方、そのなかでの社会的関係のありように、近畿や瀬戸内を中心とした弥生社会と東日本の盛期の縄文社会との間に、採集・狩猟・漁撈《ぎょろう》と農耕という表面的な生業スタイルの違いを超えた共通性があったことを示す。

生業スタイルについても、先に述べたように、縄文時代にも高度な植物管理や一定の栽培があったとみられるし、弥生時代に稲作が入ってきても、それ以外の植物栽培や狩猟・漁撈・採集はなくならなかったことが確かめられている。両者の間に、ここまでが縄文、ここからが弥生と、表面的な生業スタイルの違いできっちりした線を引くことは、そもそもたいへん困難だ。

紀元前までの瀬戸内や近畿・東海西部では、北部九州よりもはるかに水量に恵まれた河川が沃野《よくや》を広げ、もともとの人口密度も低かったため、その後の人口の増加に伴う耕地の開発が長期間可能であったと思われる。イネ以外の栽培植物や、狩猟や漁撈の対象となった動物や魚介類の骨の出土例も多い。おそらく、北部九州などと比べて豊かな資源環境が長続きしたために、資源をめぐる争いや、それを舞台として声望や権限を集める大酋長《だいしゅうちょう》のような人物が現われる必然性が低い社会だったと考えられるだろう。そうした個人の裁量よりも、環濠《かんごう》で共同防衛や連帯の意識を演出するムラや、銅鐸《どうたく》のまんべんのない分布などが示すように、集団の絆《きずな》やムラどうしの同列的な連帯がより重視される社会だったようだ。打製の武器で戦闘が行なわれた可能性も高いが、武器による殺傷痕《さつしょうこん》の可能性がある遺体例は、北部九州よりははるかに少ない。戦いが、より大きなムラを生み出したり、地域どうしの格差をつくっていったりした様子はみ

12

◉鳴らす銅鐸
紀元前一世紀までの銅鐸は、片手で持ち上げられるほどの大きさで、実際に吊《つ》るして鳴らす機能をもっていた。ムラに近い山腹などに一〜二個が埋納された状態で発見される。（大阪府太子町出土、高さ四九・〇cm）

られない。

このように、瀬戸内や近畿・東海西部に西から伝わってきた「外からの弥生化」の要素は、一時的、表面的には取り入れられるが、縄文に通じる土器の文様や打製石器《だせいせっき》がすぐさま復活するなど、定着はしなかった。北部九州では明確だった大酋長を頂点とする個人間の序列や、ムラどうし、地域どうしの格差も、これらの地域では顕在化しなかった。はるか中国に発した「文明」の遺伝子は、北部九州を経てこれらの地域にも浸透してはきたが、基本的な文化の形質そのものを変えてしまうには至らなかったということである。

弥生の波

もっとも遅かった外からの弥生化

北海道、北部九州、瀬戸内および近畿・東海西部と、とくに目立った色彩をはなつ各地の弥生社《やよい》会の様子と、その成立事情をみてきた。サハリンや沿海州《えんかいしゅう》といった外部世界の影響も想定される北海道、中国を源《みなもと》とする「文明」型文化の影響をもっとも強く受けた北部九州、そして北部九州経由で「文明」型文化は入ってきたが、縄文《じょうもん》の色彩も濃く残した瀬戸内・近畿・東海西部など、内容はさまざまだった。それでは、そのほかの地域の弥生社会はどのような状況だったのだろうか。

まず、伊勢湾《いせわん》沿岸より東の東海東部・甲信越および関東の地域である。縄文文化の金城湯池《きんじょうとうち》だったこれらの地方は、前章で述べたように列島のなかで大陸からもっとも遠くに位置している。そこに達した「外からの弥生化」の要素は、北部九州などに比べるとはるかに少なく、時間差も大きかった。弥生時代前期が終わる紀元前四世紀頃までに、遠賀川《おんががわ》系土器がこれらの地方にも点々と伝わっているけれども、明らかな水田の跡や、それを営む大きなムラは見つかっていない。

紀元前二〜一世紀になると、これらの地方にもたくさんの環濠《かんごう》集落が現われ、水田が営まれて、縄文時代とはっきりと区別できる弥生社会が、ようやく成立したことが知られる。西の地方でおりから普及しつつあった鉄の道具も、いち早く入ってきたようだ。ただし、環濠を巡らせるムラどうしの間には大小や優劣の差はほとんどなく、個人やその格差を演出する人工物もみられず、土器の装飾はにぎやかだ。

こうした物質文化の型やそれが根ざす社会の構造からみて、これらの地方の弥生社会は、瀬戸内および近畿・東海西部でひと足先に形成されていた弥生社会が、さらに東に伝播《でんぱ》して成立した可能性が高い。北部九州での弥生社会の形成から遅れること五〇〇〜六〇〇年。しかも、青銅器《せいどうき》は銅鐸《どうたく》を小型化した小銅鐸がわずかにみられる程度で、武器もごくまれだ。青銅器の生産と配布や、戦いを舞台にした個人の声望や権威の獲得など、タテ・ヨコの序列づくりにつながる要素は、近畿や瀬戸内以上に、はるかに少なかった。

関東のこのころのムラには、東海東部の産とみられる土器をたくさん出すところがある。関東を中心とする地方の弥生社会の形成には、東海東部の人の行き来が大きな役割を果たした可能性が高い。おそらく、すぐ西に迫った弥生社会の情報や文物を学ぶ機会の多かった東海の人びとが、さらに東のほうにそれらを持ち込んだり、おもむいた先で農耕を生業とする新しいムラづくりを試みたりしたことが、これらの地方が最終的に弥生化する大きな決め手になったのだろう。

東北に出現した水田

さらに北へ、本州北端の東北にまでかけのぼってみよう。この地方も、縄文《じょうもん》時代後半の寒冷化に伴い、小グループに分かれて移動しながら採集や狩猟を行なう社会が、長い間営まれていたらしい。紀元前六〜五世紀頃、東北でも北端に近い津軽《つがる》平野に、最初の水田が営まれる。青森県弘前《ひろさき》市の砂沢《すなざわ》遺跡だ。今は一面のリンゴ畑に囲まれた、岩木山《いわきさん》を仰ぐ段丘の端のなだらかな斜面に、幅七〜八メートル、長さ一〇メートルほどの六枚の水田と、それに水を引くための溝がつくられていた。

13

●**砂沢遺跡の水田跡** 沢にのぞむ小さな尾根の上に、六枚の水田と用水路が見つかった。周囲の地形からみて、これ以上の水田面の広がりは想定しにくい。

砂沢の水田は、弥生《やよい》時代の早い段階に、ここ本州の北の端にまで、「外からの弥生化」に伴う情報と技術がもたらされたことを示す。東北地方北部では、現在でもそうだが、太平洋側よりも日本海側のほうが、気候は総じて温暖である。暖流の対馬《つしま》海流が北上してくるためで、これらの情報や技術も、対馬暖流に乗って海沿いに伝わってきた可能性が高い。

しかし、砂沢の水田には、石庖丁《いしぼうちょう》や伐採用の大型石斧《せきふ》など、通常西日本の稲作経営に伴う道具は見あたらない。それらにつきものの武器や青銅器《せいどうき》も皆無に近い。イネそのものと、イネを栽培するという知識だけが、本来それに伴うべき道具のセットや、それを中心的な生業とする社会の形などから切り離されて、単独で伝わっているのだ。おそらく、その知識を手がかりに、手持ちの道具を用いて、なかば自己流に開田・耕起・収穫などの作業を行なったのだろう。さらに、縄文風の石剣《せっけん》や土偶《どぐう》、石皿《いしざら》やすり石など、従来の暮らしや宗教や社会のあり方に根ざした人工物が、砂沢には多数みられる。知識だけのイネの栽培には、それらの人工物が演出する従来からの社会の全般を変える力など、なかったことがうかがえる。

みちのくの遠賀川

遠賀《おんが》川《がわ》系土器やその類似品は、砂沢《すなざわ》のほか、水田などが見つかっていないところも含めて、日本海沿いから点々と出土する。それらは、遺骸《いがい》を入れる棺《ひつぎ》として使われた例が多い。西日本に由来する土器は、見る人の心に西日本の弥生《やよい》社会とのつながりを呼び起こしたに違いない。そういう土器が、生活用具としてではなく、埋葬という行為を通して個人と結びつきを見せる形で用いられた局面が目立つことは重要だ。先に述べた、小さなムラを柵《さく》で囲む環柵《かんさく》集落の出現など、分立したグループどうしでの緊張や競争の空気も強まっていたなかで、西日本の新しい社会とのつながりを誇示することが、有利な立場や評価を得る手段と意識されていた可能性が高いからである。

これら、東北地方の北部で出土する遠賀川系の土器を、一九八〇〜九〇年代の日本考古学の第一人者だった佐原眞《さはらまこと》は「みちのくの遠賀川」と呼び、従来の説よりも速いスピードで、西日本流の弥生文化が東北日本に伝わったことを示す証拠とした。

しかし、その後に明らかになった遠賀川系土器の使われ方や、砂沢などの初期水田遺跡の詳しい状況からみて、「みちのくの遠賀川」は、今述べたように、西の新しい弥生世界の情報を得ながらもまだ縄文《じょうもん》的な世界にいた東北北部の人びとが、寒冷化に伴って集団の分立と競争が強まるなかでみずからのアイデンティティを演出するべく用いた、メッセージ性あふれる人工物だったと考えられる。東北の人びとは、西日本からきた新しい弥生社会に、ただ呑《の》み込まれたのでも、いち早く迎合したのでもない。新しい弥生社会を冷静に認識し、西日本との接触を、在地社会での競争を生き抜くために利用する段階が長く続いたのだ。

14

◉垂柳遺跡の水田跡
津軽平野の中央に六五六枚もの水田が発見された。水田からは、当時の人びとの足跡も複数見つかっている。

砂沢遺跡でのイネ栽培も、このような段階の一幕を示すものだろう。競争のなかで生き残りをはかっていた津軽《つがる》の一集団が、新たな食料資源の試用のためか、それによって外の世界とのつながりを誇示するためかは判断できないが、きわめて主体的かつ選択的に、イネ栽培という知識を取り入れ、自分たちなりのやり方で実行に移したのである。

その後、紀元前三～二世紀にあたる弥生時代の中ごろになってから、東北地方の稲作は、もう少し本格化したようだ。砂沢からあまり遠くない青森県田舎館村《いなかだてむら》の垂柳遺跡《たれやなぎ》では、津軽平野の中心部に、これまで判明しただけで六五六枚もの水田が営まれていた。太平洋側でも、宮城県仙台市の富沢《とみざわ》遺跡のように、水田の造営がしだいに盛んになる。

しかし、少なくとも垂柳など東北北部の水田遺跡には、稲作文化に本来伴っていたはずの石庖丁《いしぼうちょう》や、伐採用の大型石斧《せきふ》はない。かわりに、ナッツ類の加工に用いた石皿《いしざら》やすり石がたくさん出てきて、縄文以来の森の植物採集に大きく依存した食生活が、まだ続いていたことをものがたる。環濠《かんごう》集落が現われないことからも、西の弥生社会の伝播《でんぱ》が、関東以上に不完全だった様子がうかがえるだろう。

サンゴの海の弥生社会

列島各地の弥生《やよい》社会をめぐる旅の最後は、サンゴの海に囲まれた南の島々だ。九州や本州が縄文《じょうもん》時代から弥生時代へと変化するころ、これらの島々、とくに奄美《あまみ》や沖縄で植物資源への依存が増したことは、先に述べた。それまでの海の資源に加えて、陸の植物採集にも一定の比重をおいた生業が本格化した様子がわかる。ただし、農耕の証拠は確かでない。

弥生に相当する段階に入った沖縄で目立つのは、独特の埋葬方式だ。サンゴ礁からできた岩を組んで遺骸《いがい》を囲み、しばしばシャコガイなどの大型の二枚貝の殻を頭のまわりに立てたり、額《ひたい》に載せたりしている。海に由来するものと死者とを関連づける、この社会特有の世界観や思想が定まってきたのだろう。

しかし、特定の人物がとくに入念に葬られたり、墳丘《ふんきゅう》をもったりする様子はない。個人のアイデンティティや相互の序列を人工物によって演出する社会ではなかったようだ。また、集団の絆《きずな》を演出するモニュメントのようなものや、多人数が集住する大きなムラも見つかっていない。たくさんの個人やグループが寄り集まり、協力して一気に資源を取得することもなければ、個人の裁量で資源を求めて競争したりすることもないような経済的環境や社会が、このような人工物のパターンをつくりだしたと考えられる。

設楽博己《したらひろみ》は、南の島々で集団の大型化や序列の形

15

◉沖縄独特の埋葬
沖縄県読谷村《よみたんそん》の木綿原《もめんばる》遺跡第五号箱形石棺墓の成人男性の遺骸。額の上にシャコガイを載せ、頭や胴体のまわりにもシャコガイなどを立てている。

成が顕著でないのは、一年を通じて同じように資源がとれるため、それらをうながすはずの労働の組織化や統制が進まなかったためだと説く。生態学的にみて、暖温帯から熱帯の地域は、動植物の種類が多いかわりに一種あたりの個体数が少なく、回遊や休眠などによる季節的変化も小さい。このような環境にある社会では、特定の動植物資源のみに依存することがないので、それを多量にとったり一気に加工・貯蔵したりするための協業や労働編成は、なかなか発達しないだろう。また、全体として資源量が豊富かつ多様なので、それをめぐる競争や、そのなかでの個人の権力形成も生じにくい。同じころの北海道のように、漁撈《ぎょろう》や狩猟を舞台に威信獲得の競争がおきたり、北部九州のように資源をめぐる戦いを軸に個人間や地域間の序列が生み出されたりすることは、南の島々ではみられなかった。

貝の道、心の道

そういうなかでひとつ特筆しておくべきは、南の島々でとれる大型の巻貝や二枚貝が、九州や本州、ひいては北海道の弥生《やよい》社会で珍重され、特産物としてもたらされていることだ。とくに北部九州では、これらの貝殻を使ったさまざまなアクセサリーが考え出され、人びとの身を飾ったのである。その質感や色彩は、ホモ・サピエンスの生得的な美の感覚に訴えるだけではなく、南洋の青い空と海につつまれたはるかな世界——多くの人は行ったことはなかったが、話には聞いていたと思われる——への思いを、人びとの心に呼び起こしただろう。

これらの貝殻がさかんに搬出される時期には、九州や本州からの鉄器、碧玉《へきぎょく》、ガラス、土器、磨製石器《ませいせっき》などの文物が、南の島々にしばしば認められる。おそらく、貝殻の交換物資だろう。貝殻が海を渡って九州や列島の北のほうに運ばれるのと引き換えに、さまざまな品物が南の島々にもたらされた。この交易ルートを、木下尚子《きのしたなおこ》は「貝の道」と呼ぶ。貝の道は、これらの物資やそれを運ぶ人びとだけではなく、それらを通じて互いの世界を認識し、憧《あこが》れあう人びとの思いが行き交う心の道でもあった。

このような、外界とつながる品々の道、人の道、心の道、そして北部九州と中国との間に開かれたような政治の道をしっかりともつようになったことで、それに連なる各地の弥生社会が、おのおのの位置や立場を認識し、アイデンティティを強め、道へつながろうとする個人間やグループ間の競争をうながした。それが、これら弥生の諸社会がつぎの段階に向けてますます複雑化していくための、梃子《てこ》の役割を果たしたのである。

◉貝輪をはめた女性の人骨

佐賀県三田川町《みたがわ》吉野ケ里《よしのがり》遺跡で見つかった。南海産のイモガイ製の貝輪を右腕に二五個、左腕に一一個はめた四〇~五〇歳代の女性の墓。写真中央上が骨盤で、その左下が左腕、右横から下が右腕である。腕輪にからんでいた布から、絹の衣を着ていたことがわかる。

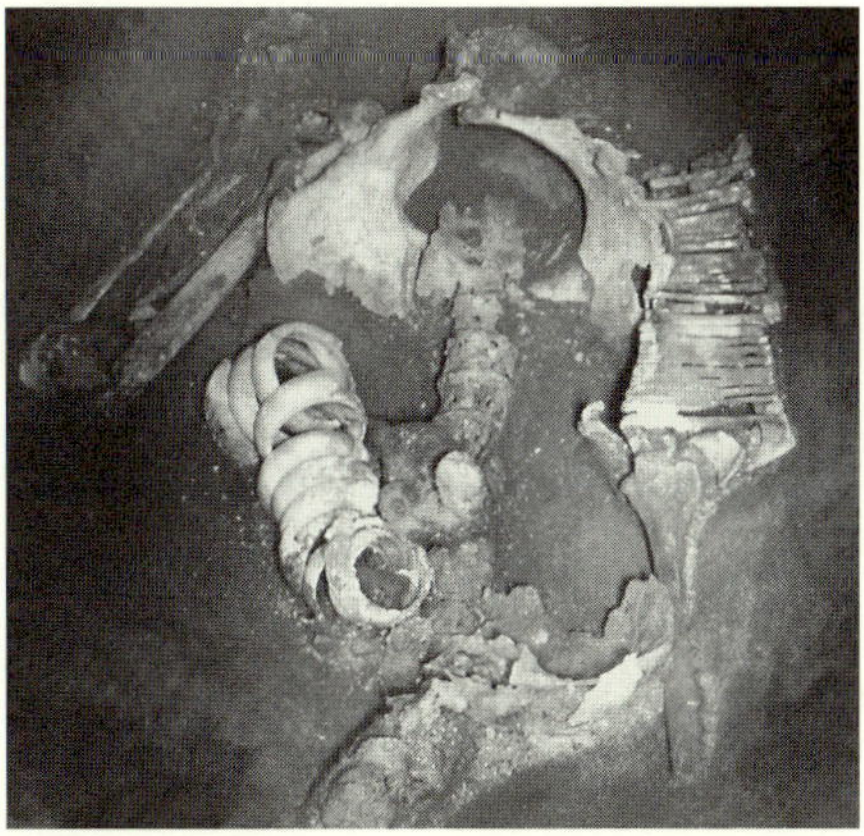

16

弥生の物質文化を解剖する

弥生の温暖化

列島各地の弥生《やよい》社会をめぐる長い旅が終わった。北海道から北部九州へ飛び、瀬戸内・近畿・東海と進み、さらに関東から東北に北上し、最後に南の島々を訪ねた。各地で花開いた弥生社会は、一見したところひじょうに多様で、ひとつの像を結びにくかったかもしれない。この章を結ぶにあたって、ふたたび視点を高く掲げなおし、この多様さがどのように形成されたのか、多様にみえる裏にどんな本質的な共通性があったのか、といった問題を検討してみよう。そのことによって、列島史における弥生時代の意味を明らかにしたい。

まず重要なのは、今みてきた列島各地の弥生社会がいちばんの盛期を迎えるとき、つまりそれぞれの物質文化がもっとも華やかに発達した時点をみると、紀元前三〜一世紀、すなわち、弥生時代中期という同じ時間幅のなかにそろってくることだ。北海道で墓への器物副葬がピークとなり、北部九州に大酋長《だいしゅうちょう》とテクノポリスが現われ、近畿や東海で環濠《かんごう》集落がもっとも大型化したのは、いずれもこの時期である。関東に環濠集落が現われて稲作が本格化し、稲作北端の津軽《つがる》に大規模な水田が営まれたのもこの時期にあたっている。

このことは、けっして偶然ではない。弥生時代中期に列島各地のさまざまな弥生の物質文化をピークにもっていく、共通の要因があったはずだ。異なったタイプの社会に同じように働く営力といえば、気候と、それに伴う環境の変化しか考えられない。

花粉の分析や地層の堆積《たいせき》、そして遺跡の分布から植物相、降水量、海水面などの変動を復元した研究成果をつきあわせてみると、縄文《じょうもん》時代中期ごろから本格化した寒冷化は、弥生時代の初頭すなわち紀元前八～七世紀頃に底をうち、その後、日本列島付近の平均気温はふたたび上昇に転じたらしい。そして、各地弥生社会の物質文化がもっとも華やかになった弥生時代中期に、この再上昇は頂点に達していたようだ。

温暖化による資源の増加

各地弥生《やよい》社会の物質的繁栄に共通する背景として、気温の再上昇があった可能性が高い。では、具体的に、寒冷から温暖への気候変化は社会や文化にどのような影響を与え、どのようにして物質文化の複雑化や入念化をもたらしたのだろうか。

気温の上昇は、多くの植物のバイオマス（その植物体の総容量）を増やす方向に働く。冷帯や寒帯よりも亜熱帯や熱帯のほうが、植物が濃く生

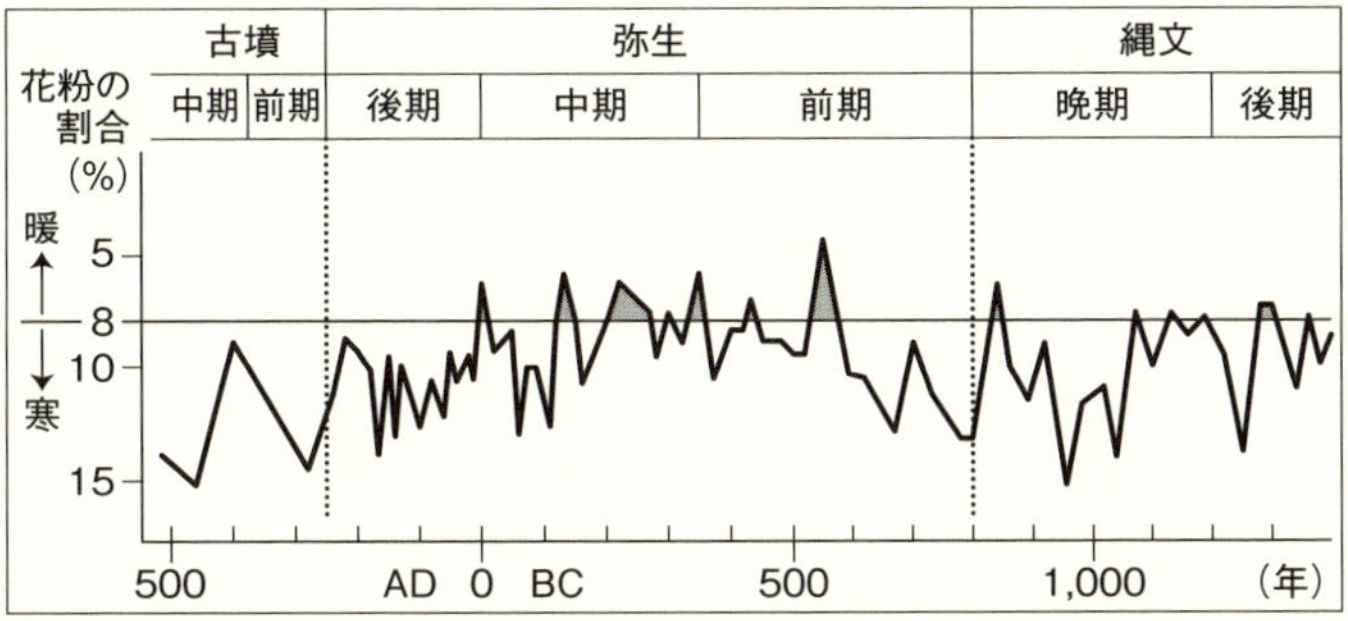

◉花粉の割合からみた寒暖の変動　寒いほどハイマツは増え、花粉量も増えることから、堆積物中のハイマツの花粉の割合を調べて、気温変動を推定したもの。（阪口豊『尾瀬ヶ原の自然史』より作成）

い茂っているのは、見てのとおりだ。植物のバイオマスが増すと、それを食料とする動物の数は多くなり、河川や湖沼・海洋も栄養分が上昇して魚介類などの生息密度も高くなる。寒冷期から温暖期への転換は、ひとつの地域や生物種をとれば減退や衰滅もありうるが、全体としてみると、温帯域から冷温帯域を中心に、生態系内での動植物の総量を増やす。当然、ヒトもその生態系の一部だから、人口やその密度は、気温の上昇とともに高まる方向性をもつことになる。

冷温帯の北海道では、先に述べたように、海に面したムラが増すとともに狩猟・漁撈《ぎょろう》具が多くなり、海洋資源を取得する姿勢が強まったことがうかがえる。気温が上がって海洋資源が増えたことで、それを糧《かて》とする人口もまた増加し、増加した人口を養うために、より集中的かつ効率的な海洋資源の取得をめざしたことが、臨海性のムラの林立につながったのだろう。そのなかから、狩猟・漁撈具の発達、英雄漁師の凝《こ》った道具やその副葬など、華やかな物質文化が生み出されたのである。

いっぽう、稲作を生業の軸に据えた九州や中国・四国・近畿・東海西部などでは、気温の再上昇によって、もともと暖かなところの植物だったイネの生育条件が向上し、コメは増産されて人口増加に拍車をかけただろう。耕地の開発は容易だが平野の狭い九州では、これが集団どうしの競争と序列化をまねき、きらびやかな装身具や舶来の品々や武器にいろどられる大酋長《だいしゅうちょう》を生み出した。かたや、土地資源が豊富だった瀬戸内・近畿および東海西部では、集団は互いに同列性と自律性を保ったまま共栄し、弥生時代中期後半にあたる紀元前二〜一世紀をピークとして、それを演出する大きな環濠《かんごう》集落を発達させた。

ちょうどそのころ、関東などの東日本にも本格的な稲作や環濠集落が伝わり、東北南部の仙台平野周辺では水田の経営が盛んになる。東北北部の津軽《つがる》平野に、垂柳《たれやなぎ》遺跡で見つかったような大規模な水田が開かれるのもこのときだ。おりからの気温再上昇の波に乗って、桜前線さながら、イネ栽培が本州の北端まで北上していったのである。

奄沖《あまおき》地方を中心とする南の島々では、もともと暖かい地方ならではの、種類は多いが一種あたりのバイオマスが小さい生態系構造にはばまれ、北海道でみられた特定資源の効率的な捕獲や、九州や本州で行なわれた特定作物の栽培といった、資源獲得を特定のものにしぼるという方策がとられることはなかった。それをもとにした社会の再編の証拠も明らかでない。しかし、特産品である大型の貝類を用いた交易によって、北の島々からさまざまな物資を手に入れるという新しい生業スタイルが、やはり九州や本州の弥生中期にあたる時期に確立されたことには注目すべきだろう。

文化が伝わる仕組み

列島各地の多彩な弥生《やよい》社会の物質文化の発展がそのピークを同じくすることと、それが気温の再上昇という、地球レベルでの環境要因に根ざした現象であることを述べた。しかし、両者の因果関係を説明するには、もうひとつ、環境の変化と物質文化の型の変化との間をつなぐ、ヒトの行為の変化という現象に光を当てなければならない。環境の変化に伴ってヒトの生態や認知や行動が変わるからこそ、それが生み出す物質文化の型にも変化が生まれる。

文化の正体は、先に述べたように、その社会の人びとに共有された「知」だ。知は情報の一種である。考古学が扱う物質文化、たとえば土器や石器や建物も、それをつくった人の脳の中の情報が、その人の身体を通じて物体化したものだ。物質文化は、土器や石器などそのものが動いて伝わる場合もあるが、多くは、そのもとになる情報と、それを物体化できる技術（技術もまた、広い意味では情報である）をもった人びとによって伝達される。同じ場所や集団のなかで世代間をタテ方向に伝わるものを「伝統」、地域間や集団間をヨコ方向に伝わることを「伝播《でんぱ》」という。物質文化は、このような伝統・伝播というタテ方向やヨコ方向の情報伝達によって、時間や空間を超えて広がっていく。伝達の過程で情報がゆがめられたり、欠落したり、さらなる情報が加えられたりすることが多いと、それだけ物質文化の型も変わりがちとなる。

伝統が生んだ個性的発展

それでは、各地の弥生《やよい》物質文化をピークに押し上げた気温の上昇は、人びとが物質文化を伝える情報伝達の仕組みを、どう変化させたのだろうか。適度な気温の上昇は、ヒトが捕食する動植物の資源量を膨張させるので、それに伴って人口は各地で増える。いっぽう、資源量が多くなると、食物を求めて動きまわる必要性が低くなり、潤沢な資源を集中的にとるための拠点や道具立ての整備も進んでくるため、移動もままならない。移動しようにも、周囲の人口も増えているから、移動先も容易には見つからないだろう。そうなると、おのずと人の動きは少なくなる。人口は定着性が強まっていく。

人びとがあまり移動せず、その情報や技術がひとつの集団やムラや地域のなかで世代から世代へと伝えられる場合、ヨコ方向の伝播《でんぱ》よりも、タテ方向の伝統のほうが、文化伝達の主たる方向となりやすい。北海道でみられる色とりどりの品々の副葬、北部九州独特の甕棺《かめかん》墓地や、武器を軸とする器物の副葬は、何百年もの間地域のなかで繰り返された伝統だ。土器の装飾や打製石器《だせいせっき》の復活、円く集住したムラの維持と発達という、近畿を中心とした縄文《じょうもん》ゆかりの人工物の世界もまた、そこで世代から世代へと反復されることによって織りなされていったものである。

このような反復のなかで、土器の形や工具や武器などのように使い勝手や性能を求められる人工物は、伝統にそいながらも、技術の積み重ねや試行錯誤を経て、機能が高まる方向での形態変化を示す。いっぽう、土器の装飾、モニュメント、副葬品のように、機能よりもメッセージ性が求められる人工物は、前の世代のもの、既存のもの以上に人びとの目をひき、心に訴えることを目的に、さらに大きく、さらに精巧に、さらに輝きを増すように、視覚をとらえるようにといった方向への形態変化をみせる。紀元前二〜一世紀にピークとなった北部九州の大酋長《だいしゅうちょう》の豪華な器物副葬や、同じときに極致を迎える近畿の大環濠《かんごう》集落の豪壮な土塁《どるい》と堀の連続は、その好例だ。

これら副葬儀礼の充実やモニュメントの整備は、個人間の序列の認識やムラの連帯意識などを人びとの心に喚起し、それらを軸とする社会関係をますます強めていくという役割を果たす。これら、反復と強化を原則とした世代間伝達、すなわち伝統がもたらす人工物世界により、列島各地域の弥生社会は、確固とした文化的基盤を与えられ、紀元前二〜一世紀頃を頂点として、それぞれが個性的な発展のときを迎えたのである。

やはり歴史は繰り返す

タテ方向の文化伝達が、同じところで反復・強化された濃度の高い物質文化の地域色を生むというメカニズムは、やはり縄文《じょうもん》時代前〜中期の東日本と共通する。温暖な気候と、それによる人口の増加と定着という同じような環境条件から、数千年の時を隔てて、一種共通した文化の型が再現されたのだ。

「歴史は繰り返す」という言葉は、社会科学を標榜《ひょうぼう》して戦後歴史学の一大支柱となったマルクス主義の発展史観においては、非科学的な俗言として一笑に付されてきた。伝家の宝刀である「生産力発展」を原動力としてつねに一方向に前進する歴史に、繰り返しはありえないからだ。採集や狩猟に頼る生産力の低い縄文時代の現象が、農耕を基礎として生産力の向上した弥生《やよい》時代に繰り返されることは、教条的マルクス主義の歴史学や考古学の研究者にとっては、あるはずのない現象だろう。

だが、先史時代の人も、古代や中世や近現代の人も、同じホモ・サピエンスで同じ脳の持ち主で

17

●東北の弥生土器
底部の基台（脚）は弥生土器に多い造形だが、口縁部の跳ね上げは縄文土器によくみられる表現。社会の変化と同様、人工物の変化も複雑で、つねに一方向に直線的に進むわけではない。（青森県脇野《わきの》沢《さわ》村瀬野《せの》遺跡出土）

あるかぎり、同様の人口や環境の条件のもとでは、同じように認知し、同じように行動する局面をもつ。したがって、相似《あいに》た環境条件のもとでは、年代や生業形態の表面的な違いを超え、底の部分でよく似た文化や社会が営まれることになる。

縄文前〜中期の社会と弥生中期の社会とは、みてきたように、物質文化の型や社会の仕組みにおいて共通するところが多い。とくに、縄文中期の関東・甲信越と、弥生中期の近畿を中心とした地方とは、前に述べたように、細かいところまで共通点が見つかる。ヒトの認知と行動の普遍性からくる同じ文化・社会現象の再現は、人類史上しばしば認められることだ。心の科学に基づく新しい考古学の観点からすると、歴史はやはり、繰り返すのである。

農耕と戦いが政治をつくる

とはいえ、縄文《じょうもん》時代前〜中期の社会と弥生《やよい》時代中期の社会とが、数千年の年代差を超えてまったく同じだというわけではない。中国の黄河《こうが》流域で生まれた「文明」型文化が、北部九州を玄関として流れ込み、程度の差はあれ、北から南までの列島各地の文化に作用したことによって、

18

◉政治的社会のムラ
周囲を圧する大型建物、高くそびえる物見櫓、厳重に囲む柵。復元された吉野ヶ里《よしのがり》遺跡の景観は、上下や優劣の関係をはらむ人びとのまなざしが、ムラのなかで複雑に交錯していた様子を想像させる。縄文のムラにはなかった情景だ。

縄文時代にはみられなかった新たな社会の展開が始まった事実を見落としてはならないだろう。

縄文ともっとも異なる文化をもつことになった弥生社会は、いうまでもなく「文明」型文化が直接伝わってきた北部九州の社会だ。戦いという行為を梃子《てこ》にして生み出されたヒエラルキーの序列と、その頂点に立つ大酋長《だいしゅうちょう》をいただくという仕組みが、縄文文化のたんなる延長上に出てくることはない。それは、心の仕組み、すなわち知識や概念の連鎖のしかたや、それが形づくる思考や行動の枠組みの大転換を経てようやく実現される異質の文化だからだ。このような大転換は、反復・強化を原則とする世代にそったタテ方向の文化伝達では起こりえない。地域間や集団間でのヨコ方向の文化伝達によって初めて可能となる。「文明」型文化という新しいタイプの文化が、外からの、ヨコ方向の伝播《でんぱ》によって日本列島の一角に伝わり、それに根ざした社会が定着したことが、縄文の繰り返しではない新しい歴史の展開を、列島の各地にもたらす端緒となったのである。

北部九州の弥生社会形成の軸となっていった「文明」型文化は、周囲の自然環境や人びとに対する介入・征服・管理といった態度や行為を生み出していく方向性をもっていた。それを成功に導くには、広く情報を集め、相手と自分との位置関係や、物事の因果関係や時間的変化を正しく分析し、結果を予測してそれに備えるという戦略的で合理的な考え、すなわち政治的思考が必要になる。農耕と戦いという行為が重ねられるなかで、このような思考を導くための政治的な情報収集や意思決定のシステムがしだいに整備されたのだろう。

安藤広道《あんどうひろみち》は、自然を超克した人間世界の形成という世界観と、世界は時間とともに変化するものだという新しい時間意識の創出が、弥生時代の急速な社会の変化をもたらしたと説く。弥生社会が、縄文の社会とは質やスピードの異なる複雑化や組織化を果たした要因を、人びとの思考形態の差に求めたのである。社会のすべてを経済の観点から考えるのではなく、認知的、文化的な要素が歴史のあり方を大きく左右するという見方をはっきりと打ち出した、意欲的な卓見だ。

遠距離交渉が社会の仕組みも運ぶ

ただし、政治的思考を行為の軸にはっきりと据えて社会をつくっていったのは、弥生《やよい》時代中期までのうちは、日本列島では北部九州だけである。北部九州の社会は、意思決定のトップにいる大酋長《だいしゅうちょう》を代表者とし、政治的思考に基づいて、中国や朝鮮半島と「政治の道」や「鉄の道」を結んで、鏡などの先進的文物や、生産用具をつくるのに必要な鉄素材などの物資を入手した。また、これらの入手を差配することが、大酋長の威信や経済力をますます増進させただろう。

同じように、北部九州社会は、列島内のほかの諸社会との間にも、さまざまな「道」を結んでいた。南の島々との間の「貝の道」はその代表だ。「貝の道」が九州を経由して北海道にまで達していることなどから

19

◉北海道で出土した南方の貝殻
北海道伊達《だて》市の有珠《うす》モシリ遺跡からは、南方からもたらされた貝製品を大量に副葬した墓が発見された。弥生時代前半の北海道の人びとが、西日本や南の島々の人びととさかんに交流していたことをものがたる。

みると、これら列島の北部や東部の社会と北部九州との間に、道を経由したいろいろな遠距離の交渉があったと考えられる。

これらの道を通じて北部九州の社会と交渉し、文物や物資をやりとりするなかで、政治的な考え方や行動が、これら南方、北方および東方の諸社会にも感染したに違いない。とくに、その交渉の窓口に立つ機会を握った人物や集団は、外界とのメッセンジャーとして憧《あこが》れや畏敬《いけい》の的になると同時に、北部九州や、その背後の大陸や朝鮮半島の政治的な流儀を学び、それぞれの社会で権威を形成していくという道を得ることにもなっただろう。北部九州の酋長は、道を通じて中国の皇帝や王侯に憧れ、そのまねをし、威を借り、その結果として北部九州の社会はタテ・ヨコの序列を軸に複雑化していった。それと同じように、北部九州との間に道をもった南方・東方・北方の社会でも、北部九州の酋長に憧れ、そのまねをし、威を借りる人物が現われ、そういう人物を軸とした社会関係や、その背景となる観念が、多かれ少なかれ醸成されただろう。遠距離交渉は、社会の仕組みや思考を広く感染させていく経路にもなったのである。

このような意味で、「文明」型文化の影響をもっとも強く受けた北部九州弥生社会が列島の一角に出現したことは、列島のほかの地域もまた新たな社会へと踏み出すための、契機になったといえる。北部九州社会で育った、縄文《じょうもん》とは大きく異なる心の仕組みをもった人びとが列島の各地を行き来し、そこの人びとと会話し（言葉は十分に通じなかったかもしれないが）、交渉し、認識や感情を分け合い、物をやりとりすることが、各地域社会の人びとの心の仕組みに影響を与え、それに根ざした文化を少しずつ、しかし確実に変容させていったに違いない。

縄文時代後半の寒冷化に伴い、列島各地に、内外からのさまざまな方向での社会変化が生じ、多様な文化の分立を特徴とする弥生時代が始まる。それらが、気温の再上昇にあと押しされた生産活動の充実、人口の増加に伴うコミュニケーションの複雑化などによって、その地その地で特徴ある人工物や社会を発展させた。これらの発展には、似た環境のもとで生じた縄文前~中期の文化の型が繰り返された部分と、「文明」型文化の流入によってまったく異なる方向への展開を導く要素とが含まれていた。

つぎの章では、これらの列島諸社会が、またしてもめぐりくる寒冷化という環境変化に翻弄《ほんろう》されながらも、そのような新しい展開のなかで得た技術や経験をもとに、また環境変化に立ち向かってつぎの新しい社会を編み出していったさまを見ていこう。年代でいうと紀元前一世紀から紀元後三世紀前半、考古学の時代区分でいえば弥生時代中期の終わりから後期がその対象だ。

コラム3 未盗掘古墳の発見

この本の執筆が佳境に達したころ、私はもうひとつの大きな仕事をかかえることになった。二〇〇七年（平成一九）の二月に、私が考古学を教えている岡山大学の学生や同僚といっしょに、数年前から調査を続けてきた岡山県倉敷《くらしき》市の勝負《しょうぶ》砂《ざ》古《こ》墳《ふん》の石室《せきしつ》が、七度目の調査によって誰にも掘られていない未盗掘のものであることが確認されたのである。

石室は長さ三・六五メートル、幅は約一・一メートル、深さは七〇センチメートル。八枚の蓋石《ふたいし》がかかっていたが、一枚は土圧で折れて斜めに落下していた。三月中旬、落下した蓋石のすき間から頭を突っ込み、懐中電灯で内部を照らしてみる。朱色に塗られた石積みの壁に囲まれて、まず褐色にさびた鉄の甲《よろい》が目に飛び込み、その周囲には複雑にもつれた植物質や、青銅《せいどう》製品らしい緑色のかたまりなどが、ところ狭しとからみあっている。身体を支えた腕のすぐ下に何かある、と思って照らせば、何十本も並んだ鉄鏃《てつぞく》の束。一五〇〇年前の埋葬空間が、そのまま立体の形を保って残っていたのだ。かわるがわるのぞきこんだ学生たちも私も興奮し、それを抑えようとしてか、かえって口数は少なくなった。

◉**勝負砂古墳の石室内**
中央奥にあるのが鉄の甲《よろい》。刀剣や馬具などの副葬品や有機物、さらに被葬者の骨も発見されている。まさに一五〇〇年の時を超えたタイムカプセルである。

たいへんなのは、それからだった。深さ七〇センチの空間では十分な調査ができないので、まず蓋石をはずすことを決断。ひとつが一トン近くある蓋石六枚を、地元の自動車整備工場の協力で、チェーンブロックによって吊《つ》り上げて除去した。その後、石室内を清掃して副葬品の全容を出すのにひと月、写真と図面による記録にひと月、副葬品の取り上げと石室の記録にひと月を、それぞれ費やす。この間、近所の農家のみなさんからはたくさんの差し入れをいただいた。筍、ワラビ、梅、ビワときて、最後が地元名産のピオーネ（青黒い大粒の種なしブドウ）。季節の実りをありがたく味わいながら、この年の全作業を完了して現場をあとにしたときには、セミの声もかまびすしい七月末になっていた。

勝負砂古墳は、先に竪穴式《たてあなしき》石室をつくって葬儀を済ませてから、その上に墳丘《ふんきゅう》を盛る様式の古墳で、墳丘は直径約二八メートル、高さ約六メートルの円形部分に、長さ一四メートルの低い突出部がつく。こうした様式の古墳は、本書第六章で述べているように、巨大古墳の築造が下火になる五世紀後半に、朝鮮半島から伝わってきたものだ。古墳は目立つため盗掘の被害を受けやすく、勝負砂古墳も、盗掘者が穴を掘った痕跡《こんせき》は残っていたが、高々と盛られた厚さ四・五メートルの土に護《まも》られ、石室は盗掘をまぬがれていたのである。

未盗掘古墳には二種類ある。ひとつは、石室や棺《ひつぎ》が崩れて土が入り込み、さまざまな副葬品が土に埋もれた状態でパックされているもの。もうひとつは、石室が崩れず、遺骸や副葬品が空間ごと残されているもの。後者の場合、ふつうは朽ちてしまう木・革・布・植物繊維などの有機質の品々が、しばしばそのままの状態で保たれている。勝負砂古墳も、数十年に一度しかお目にかかれない後者の未盗掘古墳で、石室の内部は有機質の品物でいっぱいだ。編紐《あみひも》状にみえる馬具のストラップ、鉄の甲をくるむ織目も鮮やかな布、鏡をつつむ綿状の繊維などの詳細が今後の分析で明らかになれば、古墳時代の物質文化の全体像が見えてくるだろう。これまでに想定されてきた、鉄や陶器の地味で冷たい埋葬空間のイメージも、カラフルでやわらかいものに変わってくるに違いない。全容がわかるのは、まだまだ先のことである。

第五章

海を越えた交流

弥生時代後半

ムラの消息

古墳出現への道

みなさんが学校で習った歴史の教科書や参考書に、日本の国ができていく歩みのなかで、五世紀頃、「仁徳《にんとく》天皇陵」や「応《おう》神《じん》天皇陵」のような巨大な前方後円墳《ぜんぽうこうえんふん》がつくられたくだりは、必ず出てきただろう。鍵穴《かぎあな》のような奇妙な形をした古墳《こふん》の空中写真とならんで、エジプトのクフ王のピラミッドとの大きさ比べの図があり、長さにおいては世界一、などと書かれていたかもしれない。

　イギリス新石器《しんせっき》時代の墳墓には長さ五〇〇メートルを超える土手《どて》状のものがあるので、仁徳陵は長さ世界一の墓、などという記述は必ずしも正確ではない。しかし、その高さや容積、周囲を多重に巡る濠《ほり》や堤などのことを考えに入れると、日本列島の巨大前方後円墳が世界有数の規模をもっている事実は否《いな》めない。長さ一〇〇メートル以上のものにしぼっても、日本列島で

1

◉百舌鳥（もず）古墳群

大阪府堺市の巨大前方後円墳群。手前は土師《はぜ》ニサンザイ古墳（墳丘の長さ二九〇m）、右奥が大山《だいせん》古墳（伝仁徳陵、墳丘の長さ四八六m）。

およそ三三〇基が知られている。このような大墳墓がこれほどの密度で築かれている地域は、世界でもほとんど例がないだろう。

日本列島に巨大古墳が出現するのは紀元後三世紀中ごろのことだ。これからみていく弥生《やよい》時代後期は、巨大古墳が出現する過程とその理由を考えるうえで、ひじょうに重要な時期である。それを念頭におきながら、まずは弥生中期から後期へと移り変わろうとしていた紀元前後のころから話を始めよう。

山上の人びと

四国の連峰を背に負い、波静かな燧灘《ひうちなだ》にのぞむ愛媛県東部の西条市《さいじょう》。この街を見下ろす標高約二〇〇メートルの八堂山《はちどうやま》の山頂に、弥生《やよい》時代の竪穴《たてあな》住居と倉庫が復元されている。この吹きさらしの狭い場所に人びとが住みはじめたのは弥生中期の終わりにあたる紀元前後のころ。その後、紀元後一世紀の弥生後期に入っても、断続的に人びとはここに住んだらしい。人びとといっても、住居の数からみて、一〇人に満たないほどの小さなグループだ。

八堂山から北を望めば、ほとんど島影のない湖のような燧灘の海面が広がっている。右のほうには讃岐《さぬき》（現在の香川県）に至る海岸線が、左のほうには高縄《たかなわ》半島の山並みが突き出し、正面はるかに芸予《げいよ》諸島の島々が重なって、その向こうに見え隠れするのは中国地方の本土だ。おおよそ五〇キロメートル四方にもわたる海陸を一目におさめた、圧倒的な眺望である。さらに振り返れば、左後ろに西日本最高峰・石鎚山《いしづちさん》の雄大な山容を仰ぎ見ることもできる。

必ずしも便のよくないこのような場所が人をひきつけた最大の理由が、そうした眺望がもつ価値だったことは間違いない。同様の立地条件をもつ遺跡が、八堂山と同じころ、瀬戸内海から大阪湾にかけての沿岸や、山陰の宍道湖《しんじこ》から大山山麓《だいせんさんろく》付近にかけての日本海沿岸などにぽつぽつと現われる。そのなかには、香川県三豊《みとよ》市の紫雲出山《しうんでやま》遺跡のように、大型の打製石鏃《だせいせきぞく》や打製石剣《せっけん》などの武器をたくさんもつものがある。いっぽう、山陰のものはやや特殊で、濱田竜彦《はまだたつひこ》の研究によると、堀を、山頂に巡らせたり尾根の先端を切るようにほどこしたりして区画をつくるが、区画の中に人の住んだ跡がないものが多いという。これらは、高いところに営まれた一種の「聖域」のような場所だった可能性が高い。

正しい空間認識

弥生《やよい》時代中期終わりの紀元前後に各地に続々と出てくる、これら高いところの遺跡を、考古学の用語では高地性《こうちせい》集落と呼んでいる。その性格については、砦《とりで》・逃げ城・烽火台《ほうかだい》などの軍事施設、あるいは眼下の交易路を見張る監視施設などとする説が有力だが、まつりの場所ないしは聖域とみる説も根強い。ただし、今あげた各地の事例を

2

◉八堂山遺跡からの眺望
八堂山遺跡から北西の方向をのぞむ。霞がかっているが、燧灘の海面を隔てて芸予諸島と中国地方本土が見える。

吟味すると、それぞれの説にあてはまりそうな例があり、高地性集落の性格をどれかひとつにしぼることは難しそうだ。地域によって、また遺跡によって、さまざまな理由で人びとは高いところに上がったと考えられる。

理由がさまざまだったにもかかわらず、紀元前後という同じときに人びとが高所への興味を強めた根本的要因は、やはりヒトの心の中に探るべきだろう。高いところが醸《かも》し出す心の現象は二つある。ひとつは、高所からの眺望がもたらす空間認識の客観性だ。私たちは、自分が歩いたり立ち止まったりした軌跡を、特徴的な風景や目じるしとの関係のもとに記憶し、脳内に地図を描く空間認識の能力をもっている。道を尋ねる人に、さっと略図を書いてあげることができるのは、この脳内の地図があるからだ。ただし、脳内の地図は、ふつうどこかを中心として主観的に描かれ、いろいろな印象や錯誤によって現実とはかけ離れたところも多い。それが、ひとたび高いところに上がってその範囲を一望すれば、それまで漠然としていたりゆがんでいたりした箇所も含めて、空間関係を客観的に、正しく認識しなおすことができる。高地性集落からも、眼下に見える自分たちのムラ、少し先の隣のムラ、その向こうに散らばる近在のムラムラの位置関係と、さらにその外側に広がる陸や海の形を、時にはそこを行き来する人や船の動きとともに、リアルに把握できたに違いない。

弥生時代の前半や縄文《じょうもん》時代の人びとにも、山や丘に登って客観的な空間認識を手に入れる機会はあっただろう。だが、そこにほとんどなんの物的証拠も残していないことを考えると、その機会や頻度ははるかに少なかったようだ。紀元前後になってその証拠が増えた背景には、正しい空間認識や地理情報の社会的な価値が高まって、そうした認識や情報を得ることが、生活や生存のために欠くことのできない行為になっていた様子がうかがえる。

上下のある世界

高いところが醸《かも》し出す心の現象の二つ目は、もっと深い、ヒトの普遍的な脳の働き方からくるものである。私たちホモ・サピエンスの身体が、何百万年間も地球上で進化してきたことによって身につけた「上・下」「前・後」「内・外」などの物理的関係の体感は、脳に深く刻まれ、先に述べたような、知識や概念が連鎖して思考や行動の枠組みをつくるときの、もっとも基本的な筋道になる。この枠組みに、ホモ・サピエンスに普遍的なもの、社会や集団ごとに共通するもの、および個人ごとに異なるものがあることは前述のとおりだが、物理的体感に基づく枠組みは、ホモ・サピエンスに普遍的なものだ。

たとえば東南アジアのブルネイでは、地位の低い人が、高い人よりも物理的に上の位置に座ることは許されない。日本の「山の手」「下町」などという地域の区別も、かつては社会的な階層と結びついていた。また、世界各地の宗教観のなかで、「天国」や「極楽」、あるいは神のような最高の存在の居場所は、必ず高いところに位置づけられている。

このように、「上・下」の関係性の体感が社会的な序列や不平等と結びつくことは、地球上のどの人類文化にも共通する。それはおそらく、大きな身体で相手を見下ろして威嚇《いかく》する、あるいは逆に、かなわないと思った相手を見上げて媚《こ》びるなどといった、生物としての個体どうしの競争や、序列をつくる行為のなかから、私たちの認知が進化してきたこととかかわっているのだろう。

世界各地のモニュメントの発達過程をみると、ストーンサークルや列《れっ》石《せき》のように円く平面的なものから、ピラミッドや神殿のように四角く立面的なものへという変化の決まりがある。立面的な、つまり高さを強調するモニュメントが盛んな社会は、メンバーどうしの序列や階層格差もまた著しいようだ。平面の円が、縄文《じょうもん》時代の環状列石のように平等で同列的な社会関係を演出するのに対し、直線的な立面形は、格差や不平等のアナロジー（ある物を別の物になぞらえること）となりやすい。人工物の知覚を通じて、物理的な上・下と社会的な上・下とが、私たちホモ・サピエンスの脳の中で結びついてしまうのである。

あとで詳しくみるように、古墳《こふん》もまた、その形のなかに上・下の関係をはらむ立体的なモニュメントだ。地球各地の例にもれず、同列性よりも格差を、平等よりも不平等を演出しやすい人工物である。ストーンサークルや環状・環濠《かんごう》集落などの円く平面的な人工物の時代から、高く角張った古墳の時代へと移り変わるちょうど中間の段階に、上・下の関係

3

4

◉上下の関係を含む構築物
左は、高地性集落と同じ時期の、長い梯子をかけた高殿《たかどの》を線刻した土器（奈良県田原本町唐古《からこ》・鍵《かぎ》遺跡出土）。構築物などに上下の関係を盛り込む動きは、社会の階層化とともに明確になることが多い。七～八世紀のマヤのピラミッド（右）はその典型例だ。

を演出する高地性《こうちせい》集落のような人工物が出てくるのは興味深い現象だ。

とくに、高地性集落の出現と同じころの瀬戸内や山陰で、ムラを見下ろす小高い山の頂や尾根の上に、木棺《もっかん》などからなる共同墓地が営まれるようになる点には注目すべきだろう。高地性墓地ともいうべき、高いところに死者の世界をつくるこのような例は、弥生《やよい》時代後期の紀元後一〜二世紀になると、近畿や東海の一部にも広がってくる。こうして、死者と生者とが上・下の関係に位置づけられるようになることは、古墳出現の意味を考えるうえで重要だ。

地政学の芽生え

古墳《こふん》時代への胎動が始まる紀元前後の時期に、人びとが高いところに関心をもちはじめた根本的な要因をさぐろうとした。正しい空間認識や地理情報への社会的要請が強まっていたことや、「上・下」の関係をはらむ世界観が、社会の階層化と連動しつつ人工物に演出されようとしていたことを想定した。瀬戸内や近畿の高地性《こうちせい》集落は前者の、高地性墓地や山陰の高地性「聖域」は後者の動きを、それぞれとくに色濃く映し出したものだろう。ただし、手に取るように下界をのぞめるという前者にかかわる特性が、墓地や聖地として選ばれる大きな要因にもなっていた可能性が高い。両者の動きは、互いに密接にかかわりあっていたとみられる。

このように、広い範囲を展望できる高い場所をさまざまな形で積極的に利用しはじめたことは、人びとが、自分たちのムラや土地、その向こうに広がる近隣のムラや土地と自分たちとの関係、さらにはもっと果ての海や陸や、そこへ至る道のりなどを、それまで以上に真剣に意識しはじめた様子を反映するものだろう。遠い世界への思いが、たんなる憧《あこが》れではなく、客観性や科学性をもった現実的な接近を旨《むね》とする、戦略的で政治的な行為へと熟しつつあった状況がうかがえる。

地理的なことを政治的にとらえる地政学的な認識の芽生えともいえるこのような動きの背後には、そうしなければならない現実の要因があったはずだ。地政学ともっとも密接にかかわる行為といえば、遠距離交渉である。それまでにも、先述したように貝の道、玉《たま》の道などの遠距離交渉は盛んだったが、この時期以降はさらにそれが広がりと厚みを増し、生活や生存に直接影響するほどに実体性を高めつつあった状況を想定することができる。

鉄への需要の高まり

遠距離交渉の実体化という事態があったとすれば、それを証拠だてる最大の資料は鉄器だろう。鉄器は、大陸や朝鮮半島に近い北部九州では、先にみたように、紀元前一世紀の弥生《やよい》時代中期後半には、すでにかなり行きわたっていた。かたや、中国・四国や近畿以東ではそれよりも

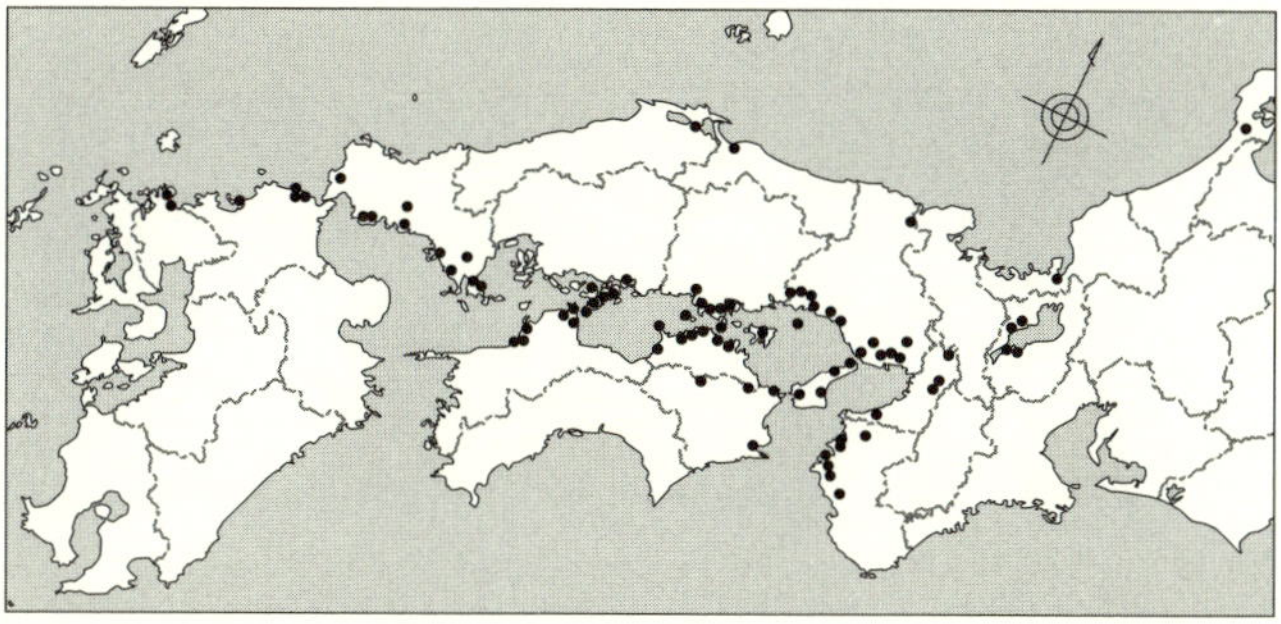

◉紀元前後の高地性集落の分布
九州から近畿にかけての瀬戸内海沿いに、とくに濃密に分布する。瀬戸内海の交通ルートの動静が大きな関心事になったことの反映だろう。（柴田昌児「高地性集落と山住みの集落」より作成）

一歩遅れ、紀元前後〜紀元後一世紀になってから本格的な普及が始まる。ちょうど、高地性《こうちせい》の集落や墓地・聖域が出てくる時期だ。

弥生時代の鉄器やその素材が日本列島産かどうかという論争は、以前からあった。これまでの研究から、鉄の道具そのものは早くから日本列島でつくられていたとみてよい。ただし、その原料となる鉄の素材は、古墳《こふん》時代も終わりに近い六世紀の中ごろになるまでは、列島内ではまかないきれなかったようだ。村上恭通《むらかみやすゆき》によると、紀元前三世紀頃に日本列島に流通した最初の鉄器は、中国東北部や朝鮮半島西北部で鋳造された鉄斧《てっぷ》のかけらを、火で溶かすことなく研ぎなおして鑿《のみ》や手斧《ちょうな》としたリサイクル品だった。その後まもなく、朝鮮半島南部産の鉄素材を手に入れ、列島内で火入れをして打ち延べや裁断を行なうことによって、さまざまな鉄の道具をつくるようになったらしい。中国や朝鮮半島でつくられ、列島に持ち込まれた既製品も少しはあったようだが、遅くとも紀元前後のころからのちは、輸入素材を火入れ・加工するというのが鉄器づくりの基本になったと考えられる。

石や青銅《せいどう》よりも粘り強く、打ち延べや裁断によって自由な形に仕上げやすい鉄は、斧《おの》や手斧などの伐採加工具、鍬《くわ》や鋤《すき》や鎌《かま》などの農具、矢じりなどの狩猟具、剣《けん》や刀などの武器の材料として大きな利点をもっていた。生産や生存にかかわる道具のほとんどを鉄に頼る状況が、弥生時代も後半に入る紀元前後よりこのかた、鉄器先進地の北部九州だけではなく、中国・四国から近畿・中部・関東といった広い地域に及びはじめたのである。

みずからの生産や生存に直接影響する鉄がやってくる道は、貝の道や玉《たま》の道とはまた異なる真剣さをもって、それに連なる集団の最大関心事になっただろう。高地性の集落や墓地・聖域の出現の背景にうかがえる領域・交通路・遠隔地への地政学的関心の高まりは、生産や生存を支える物資を、海や陸を越えた遠いところから取り寄せなければならないという、切実な思いの産物だった。

現われるムラ、消えるムラ

高地《こうち》性《せい》集落が現われ、鉄器が普及しはじめるころの中国・四国や近畿以東の地域で、まもなく明らかになってくるもうひとつの現象がある。それまで何百年も、何十世代もの間続いてきた大きなムラが相ついでおとろえ、別のところに新しいムラができたり、ほかの地域に移り住んだりするという、地域社会の大変動だ。

　この現象がもっともはっきりうかがえるのは、近畿の中央部、大阪平野である。たとえばその北部、淀川《よどがわ》の中流に面した平地に環濠《かんごう》を掘り込み、数百年の間地域の中心的なムラとして栄えてきた大阪府高槻《たかつき》市の安《あ》満《ま》遺跡。ここでは、弥生《やよい》時代後期前半の紀元後一世紀に入るころには環濠が埋もれてしまい、少しの竪穴《たてあな》住居が残るだけとなる。そして、それにかわるかのように、安満を背後から見下ろす北側の尾根上にたくさん

5

◉古曽部・芝谷遺跡
尾根全体をめぐるように、東西六〇〇m、南北五〇〇mの範囲を環濠で囲み、要塞のような威容を醸し出している。

の住居を営み、全体を大きな環濠で囲む古曾部《こそべ》・芝谷《しばたに》遺跡が現われる。また、南部の和泉《いずみ》市と泉大津《いずみおおつ》市にまたがる、弥生時代前期から中期までの中心的なムラだった池上曾根《いけがみそね》遺跡も、紀元後一世紀には環濠が埋まって小さなムラになりさがり、近くの山の上に観音寺山《かんのんじやま》遺跡と呼ばれる大きな環濠集落が出てくる。大阪平野では、このように、それまでの中心的なムラがおとろえ、別のところに新しいムラがつくられるという変動が、紀元後一世紀頃に進んだようだ。

これとやや似た動きを見せるのが、南関東である。横浜の鶴《つる》見川《みがわ》流域や東京の荒川《あらかわ》流域に林立していた環濠集落群が、紀元後一世紀に入るとにわかに衰退し、下流の低地や上流の台地など、それまではあまり人びとがいなかったところに大きなムラが新設される。人びとがこぞって移動した印象だ。

いっぽう、中国地方の山あいや山陰では、小高い丘や尾根の上に、数軒の竪穴住居や掘立柱《ほったてばしら》の建物からなる小さなムラがたくさん出てくる。なかには、鳥取県の大山《だいせん》町と米子《よなご》市にまたがる妻木晩《むきばん》田《だ》遺跡のように、ひとつの山塊にいくつもの小さなムラが群集し、全体としてかなりの人口をかかえた山上の大ムラを形成するものもある。

6

◉妻木晩田遺跡
山陰地方の弥生後期を代表する集落。日本海を見下ろす尾根上に、たくさんの住居や墳墓が築かれた。

鉄器普及前の地域社会

このように、紀元後一世紀に入るころ、中国・四国から関東に至る広い範囲で、ひじょうに大きく激しいムラや地域の盛衰がみられる。その盛衰の範囲が、この段階になって鉄器の普及が本格化しはじめた範囲と重なることは、偶然ではなさそうだ。いっぽう、これに先立つ紀元前一世紀までに鉄器の普及がすでにかなり進んでいた北部九州では、ムラや地域の顕著な変動はない。このことも、ムラや地域の変動と鉄器の普及との間に有機的な関連があることの傍証となるだろう。

鉄が普及する前、伐採加工具・農具・狩猟具・武器など、生産と生存のための基本的な道具の原料は、ほとんどが石だった。石が鉄と異なるもっとも大きな点は、おのおのの地域社会のなかで、あるいは縄文《じょうもん》以来の伝統的な地域間関係の枠内で手に入るということだ。北部九州でも、鉄がかなり

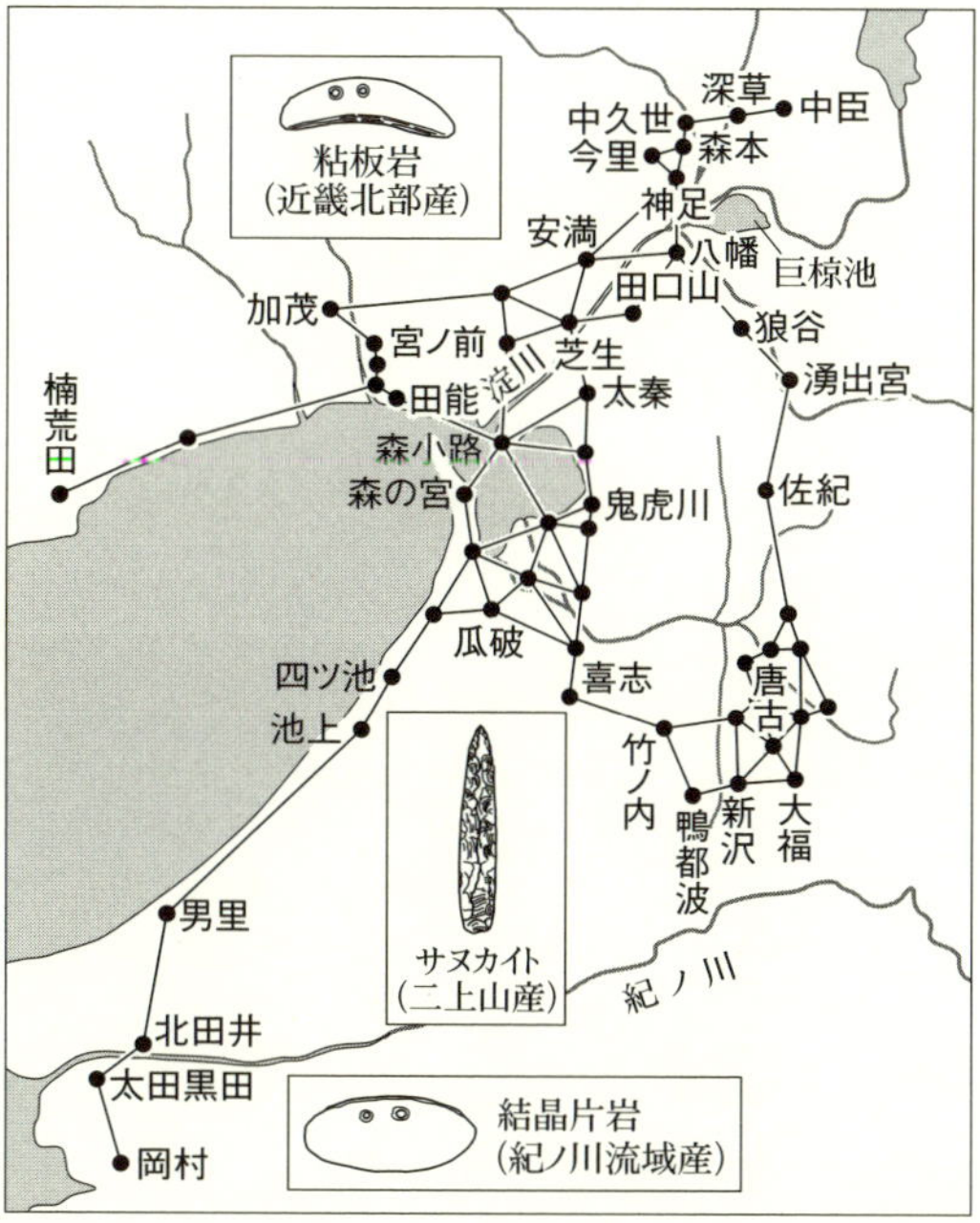

◉近畿中央部のムラムラのネットワーク
盆地や平野といった地域内での流通の中心となるムラや、ほかの地域との窓口となるムラなど、ある程度きまった流通ルートがあったと考えられる。特定の産地の石材も、こうしたネットワークに乗って流通したのだろう。（都出比呂志『日本農耕社会の成立過程』より作成）

普及する前の紀元前三～二世紀までは、福岡市今山《いまやま》産の玄武岩《げんぶがん》の石斧《せきふ》、飯塚《いいづか》市立岩《たていわ》産の輝緑凝灰岩《きりょくぎょうかいがん》の石庖丁《いしぼうちょう》などが、それぞれ半径一〇〇キロメートルに満たない流通圏のなかで、さかんにやりとりされていた。瀬戸内では香川県坂出《さかいで》市金山《かなやま》産サヌカイト（安山岩《あんざんがん》の一種）が、近畿では大阪府太子《たいし》町と奈良県香芝《かしば》市にまたがる二上山《にじょうさん》のサヌカイトや、和歌山県紀《き》ノ川《かわ》の結晶片岩《けっしょうへんがん》などが、打製《だせい》や磨製《ませい》の石器材料として、それぞれの周囲一〇〇キロメートルほどの範囲に運ばれていたことがわかっている。このほかにも、もっと小さな範囲を流通する石材も多かったようだ。

　こうした石材や石器の流通が、地域のなかのムラどうしを経済的に結びつける役目を果たしていただろう。それぞれのムラには、石のほかにも木材・森林資源・動物資源・海産物など、その立地に応じてたくさんとれる物資が集められ、足りない物資と引き換えに、ほかのムラに供給されていたと考えられる。これらの流通は、必ずしもムラを代表する有力者を通す必要はなく、別々のムラに居を置くムラびとどうしでのやりとりも、十分に可能だっただろう。

　民族例を参考にすると、ムラ近くでとれる石・土・木材・動物資源・海産物などについては、それらを産出する岩石や粘土の露頭・森林・海岸などに対し、それぞれのムラが入会権《いりあいけん》のような形でゆるやかな統制を行なっていたと推測できる。しかし、ムラびとたちがそれらの資源を利用することはおおむね自由で、各人が道具や食物に加工して、ほかのムラの住人との交換物に用いることにも、きびしい制約がなかった可能性が高い。こうした、石を軸にした、ムラびとレベルでの互恵的な物資の交換と流通のシステムが、前章でみたような、林立するムラどうしの同列的な共栄を前提とした、瀬戸内や近畿の弥生《やよい》時代中期までの地域社会を下支えしていたのである。

鉄が社会を組み換える

鉄が必需資源として加わってきたことは、このような状況をどう変えただろうか。まず、鉄が石ともっとも大きく異なるのは、地域社会の外側から、長い海路や、時には見も知らぬたくさんの人びとの手を経て、それらを調達しなければならなかった点だ。

鉄を手に入れるためには、交換物がいる。ただしそれらは、石の交換物資のように同じ地域のなかで互恵的にやりとりされるものではない。おそらく、すでに鉄の流通が常態化していた漢《かん》帝国や朝鮮半島での共通レートにのっとり、相手方の要請に従って対価を支払うことが求められただろう。こうなると、それまでの地産地消的な生産物のほかに、対価として外に出す富を、別につくりださなければならなくなる。

対価として富を外に支払うことが必要になると、地域の人びとやムラムラからそれを集約し、代表者として外部の相手と交渉し、鉄を受け取る窓口ができてくる。窓口となる人物は、受け取った鉄の分配を仕切る役目までをもになっただろう。こうした役目は、ムラびとの誰にでもできるものではない。まず、代表者として外部の社会から認知されるための地位がはっきりしていなければならないし、時には言葉の壁を超えて交渉を乗り切るための人材や、それをかかえるだけの経済力も必要だ。海千山千の外部の有力者や交易者を相手として優位にことを運ぶために、武力の誇示が必要な局面もあったに違いない。こうして、鉄の窓口になることは、外交や軍事を含む政治組織の芽生えにもつながった。いっぽう、ムラびとたちにとっては、主要な用具の入手を代表者に頼らざるをえなくなるため、生産や生存における代表者への依存体質を強めていく、大きなきっかけとなっただろう。

代表者としての地位を占めた人物が、農耕や戦いを主導してきたそれまでの酋長《しゅうちょう》だったのか、外部社会とのメッセンジャーをもって任じていた別の人物だったのか、あるいはその地位をめぐってムラのメンバーの間に争いが生じたのか、それを知るのは困難だ。それぞれのムラや地域によっても事情は違っただろう。しかし、鉄の窓口の代表者、いいかえれば東アジアの「国際」的な経済・政治体制への窓口として、ムラびとたちからの信服と依存を一身にになったこの新しいタイプの酋長が、そののちに出てくる大きな古墳《こふん》の主になっていったとみられることは重要である。

初めは、ムラや地域ごとにこのような代表者を擁する気運が高まっただろうが、そのうちに、鉄素材の入手や交換物の集積に地理的に有利で、農業生産力も高く、有能な代表者をいただいたムラが、鉄の流通を組み込んだ新しい経済構造に根ざした地域社会の中心になっていったと推測される。人びとは、みずからの生存や生活のためのより大きな保障を求めて、時にはもとのムラを離れ、鉄などの入手に有利なムラへと集まり住むようになった。北部九州で紀元前二〜一世紀に進み、須玖《すぐ》や三雲《みくも》の巨大ムラを生み出したのと同じような動きが、鉄の普及とともに、二〇〇年ほど遅れて中国・四国や近畿などにも及んでいったのである。

ただし、弥生《やよい》時代後期前半の紀元後一世紀の段階では、先に述べたように旧来の中心的なムラは解体していくものの、それにかわって明確な中心となったムラはまだみられない。古曾部《こそべ》・芝谷《しばたに》や観音寺《かんのんじ》山《やま》のような山上の大型環濠《かんごう》集落も寿命は短く、二世紀に入ると急速におとろえる。近畿地方では、はっきりと安定した大きなムラが現われ、大酋長をいただくようになるのは、弥生時代が終わろうとする三世紀になってからだが、それについてはのちほど詳しく述べることにしよう。

土器の無文化ふたたび

石から鉄へという基幹資源の交替が推し進めた社会の変化は、物質文化にも反映された。

紀元前一世紀から紀元前後にかけてもっとも目立つのは、土器の変化だ。紀元前二世紀頃までの中国・四国や近畿から伊勢湾沿岸にかけての地域では、先に述べたように、ヘラや櫛《くし》や粘土の帯で土器を華やかに飾り、しかもその手法や文様には、地域的な特徴が色濃く表わされていた。

ところが、紀元前一世紀に入ると、皮や布を丸めたものか、それらを巻きつけたヘラや指先を表面に強く当てながら土器を回転させることによって浅い溝状の線を描く、凹線文《おうせんもん》という文様が多用されるようになる。紀元前後には、何本もの凹線文で

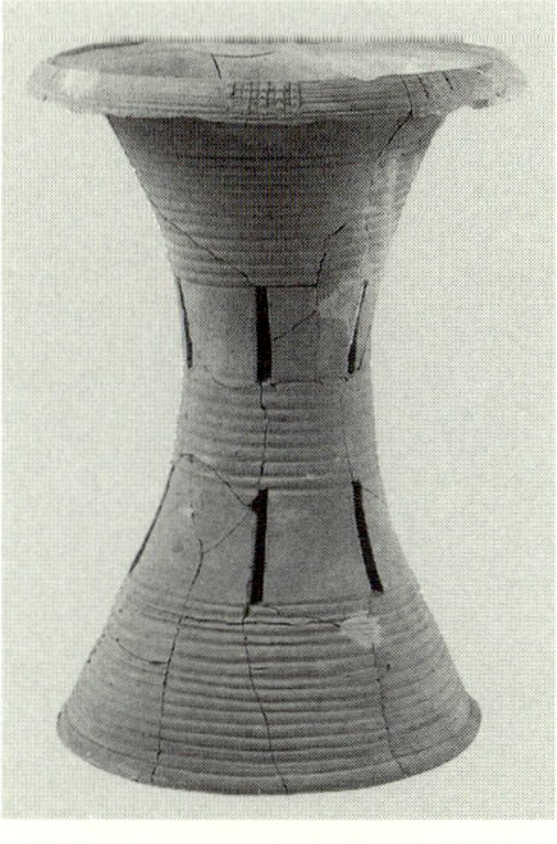
7

◉凹線文の土器
凹線文で器面を埋めるのは、紀元前一世紀頃の瀬戸内や近畿に広く共通する文様のデザインである。写真は岡山市上伊《かみい》福《ふく》遺跡出土の器台。

面を埋めていく比較的単純なデザインの土器が、それまでの複雑で華やかな土器にかわって分布を広げていく。さらに紀元後一世紀に入ると、凹線文でさえも、縁《ふち》のあたりにわずかに残る程度に追いやられ、瀬戸内や近畿を中心に、文様のほとんどないつるりとした土器が大勢を占めるようになるのである。

この動きは、華やかに飾った地域色の強い縄文《じょうもん》時代中期の土器から、磨消《すりけし》縄文や横方向の文様帯などのデザインが広く共有される縄文後期の段階を経て、ついには無文化《むもんか》に至る縄文土器の一連の変化と、たいへんよく似ている。凝った文様を誇り合い、つくり手どうしも技を競うようなコミュニケーションの媒体としての役割が薄まって、メッセージに乏しい、いわば什器《じゅうき》として合理的な道具へと近づいた縄文時代後半の西日本の土器と同じ変化が、弥生《やよい》時代後半の近畿や瀬戸内の土器に生じたということだろう。

土器の文様などが、同じ場所で世代を重ねるごとにしだいに凝っていき、それによって地域色が明確化するという現象は、人の動きが安定して、世代から世代へのタテ方向の文化伝達の動きが強まったときに生じやすい。縄文中期の東日本や弥生中期の近畿のように、安定した環境のもとで増えた人口が世代を超えてひとところに定住するようなときに、こうした人工物の特性が現われやすい。いっぽう、縄文後期以降の関東以西のように、環境の変動により人びとが世代を超えた定住をやめて、人の動きが流動的になったときには、世代を超えて「凝《こ》り」が重ねられる動きは断たれ、煮つまったものが一気に解きほぐされて拡散するような動きが、人工物の形や表現にみられるようになる。タテ方向よりも地域や集団をまたがったヨコ方向の文化伝達が強まったときの現象だ。

先に述べた大きなムラの解体、新たなムラの出現、地域社会の人口重心の移動などの現象は、おそらく、土器にみられる右のような変化に連動するものだろう。つまり、それまでタテ方向の文化伝達による人工物の凝りをはぐくむ温床となってきた大きなムラやそれらの共栄関係が、石から鉄へという基幹資源の交替とともに瓦解《がかい》したことが、土器無文化の最大の要因だったと考えられるのである。

冬の始まり

紀元前一〜紀元後一世紀にかけて、中国・四国から近畿以東にかけての広い範囲に鉄が行きわたりはじめ、そのことが社会関係や物質文化を大きく変えていったことを述べた。鉄器そのものは、これに先立つ一〇〇年以上も前の紀元前三〜二世紀のころには、北部九州ではすでにかなり流通していて、一部は瀬戸内や近畿にも入ってきていた。にもかかわらず、中国・四国よりも東の広い地方に本格的に行きわたりだすのが少々遅れたのはどうしてだろうか。なぜ、紀元前後になって、堰《せき》を切ったように急速な普及が始まったのだろうか。

岡山平野や大阪平野で弥生《やよい》時代の遺跡を発掘した人が口をそろえていうのは、紀元後一世紀の弥生時代後期に入ると、水田が洪水の砂で厚く覆われ、そのまま放棄されている場合が多いということだ。復旧できないほどの洪水が、西日本の広い範囲で、このころに頻発していた可能性が高い。

いっぽう、地層から出る花粉の分析によって気候の変化をたどった研究成果からは、弥生時代の初めごろより上がりはじめた気温が、紀元前二〜一世紀をピークとしてふたたび下降に転じ、そのあと古墳《こふん》時代にかけて、現在よりも平均二〜三度ほども低い寒冷期に入ったことがわかっている。寒冷化や洪水の頻発という、農業生産に大きな打撃を与える環境変動が、弥生時代の中期と後期の間ごろから生じはじめていたことは確かなようだ。

この危機を乗り切るために、さまざまな方策や戦略がとられたと推測される。乏しくなった物資や資源を争って近隣のムラと抗争を引きおこしたり、洪水砂に埋もれてしまった耕地を捨てて新たな土地をめざしたり、集団や世帯や個人といったさまざまな単位で、自分たちの才量に応じて人びとは意思を決定し、動きはじめただろう。先にみたムラや地域社会の変動は、こうした動きの結果である。

さらに、危機を乗り切るそのほかの有力な方策や戦略のひとつとして、鉄器という新しい有効な労働用具を取り入れ、より大規模で効率的な生産をめざすという方法もとられたに違いない。中国・四国や近畿以東の人びとの鉄器に対する希求をにわかに切実なものとし、急速な普及に向けてのスイッチを最終的に入れたのは、紀元前後に表面化した環境変動による生産と生活の危機だったと考えられる。

クニグニの夜明け

不思議な巨石

岡山市の西端を南に流れて瀬戸内海に注ぐ足守川《あしもりがわ》は、初夏の夜にはホタルが飛び交い、ヌートリアがゆうゆうと泳ぐ愛らしい里の川だ。この川の下流域には、左右を山にはさまれた幅二～三キロメートルの沖積《ちゆうせき》平野が形成され、郊外の田園風景が広がっている。平野の真ん中に、高さ二〇メートルほどの小高い丘が島のように浮かんでいて、その頂上に不思議な遺跡がある。楯築《たてつき》と呼ばれる、大きな墳丘《ふんきゆう》をもった墓で、現在は倉敷《くらしき》市に属している。

楯築は、直径約四〇メートル、高さ約五メートルほどのゆがんだ円形の墳丘の両側に、長さがそれぞれ二〇メートルほどの低い突出部分がつくという、奇妙な形をしている。円形部分の頂上は直径三〇メートルほどの広場になっていて、五つの大きな石が、ほぼ環《わ》を描くように立てられている（二つは倒れている）。一見、縄文《じようもん》時代のストーンサークルを思わせる雰囲気だ。二つの突出部分のうち、北東のものは一九七〇年代の宅地造成で破壊され、南西のものは上に巨大な給水塔が立てられて、惜しいことに原状をとどめていない。ただし、南西突出部の基底は給水塔の盛《も》り土《つち》の下に残っていて、先端は丸く、それに沿って石が立て並べられていることが、一九八五年（昭和六〇）の発掘調査のときに判明した。

給水塔の下にコンクリート製の祠《ほこら》があって、細いガラス窓から内部をのぞくことができる。薄暗い中に祀《まつ》られているのは、さしわたし約九〇センチメートル、厚さ約三五センチ、重さ約三五〇キログラムの、亀の甲羅のような形をした大きな石だ。表面には複雑な帯文様が彫り込まれ、亀の頭にあたる部分は低く円く出っ張って、そこに細い線で顔面が描かれている。

「弧帯石《こたいせき》」と呼ばれるこの巨石は、楯築の頂上で長い間ご神体として祀られていたもので、かつては、古くても江戸時代ぐらいの石造物だと思われていた。ところが、一九七九年の発掘で、棺《ひつぎ》の埋《う》め土《つち》の中から、これと同じ文様を刻んだもうひとつの弧帯石が出てきたことから、ご神体の弧帯石もまた、楯築の築造時につくられていた石造物だとわかったのである。

弥生最大の墓を掘る

一九七九年の秋、近藤義郎《こんどうよしろう》を中心とする岡山大学の調査団は、石が立つ広場の中心部に堆積《たいせき》した丸い小石の層を注意深く掘り下げ、その下から、長さ二メートル弱、幅約六〇~七〇センチメートルの木棺《もっかん》の跡を見つけだした。木棺は、木槨《もっかく》と呼ばれる外箱

8

◉楯築の弧帯石
文様の刻線にはブレやゆがみがほとんどない。周到な下描きのあとに、鉄器を用いて高度な技術で彫られたと考えられる。

に収められた二重構造だったらしく、底には真っ赤な朱が厚く敷きつめられていた。朱の面の上には、明緑色のヒスイ製勾玉《まがたま》と飴色《あめいろ》のメノウ玉を中心に、くすんだ緑色の碧玉製管玉《へきぎょくせいくだたま》を連ねた首飾りが、歯のかけらとともに残っていた。細いものが多い弥生《やよい》時代の管玉のなかでは異例に太く、メノウ玉も珍品だ。碧玉製管玉の首飾りはもう一連ある。そのほか、針のように細い管玉と群青色のガラスビーズ多数からなる玉《たま》の集まりも見つかった。玉以外の副葬品としては、長さ四七センチの鉄製短剣がある。

棺《ひつぎ》の上の小石の堆積は、もっとも厚い部分は一メートルほどもあって、その中に、粘土をこねて焼いてつくった土製の人形、同じく土製の勾玉と管玉、土器片《どきへん》・鉄片・灰・炭などのほか、先ほど述べたもうひとつの弧帯石《こたいせき》が入っていた。ご神体の弧帯石の九分の一くらいの小さなものだ。この小弧帯石のほか、ここから出た人形や土製の玉などは、ほとんどに砕かれたり打ち欠かれたりした跡がある。埋葬の儀式で使った道具を壊し、棺を埋める途中に、小石とともに投げ入れていったのだろうか。

木棺をすっかり埋め終えたのちに、高さ一メートル以上にもなる円筒形の大型土器を立てたらしい。特殊器台《とくしゅきだい》といわれるお

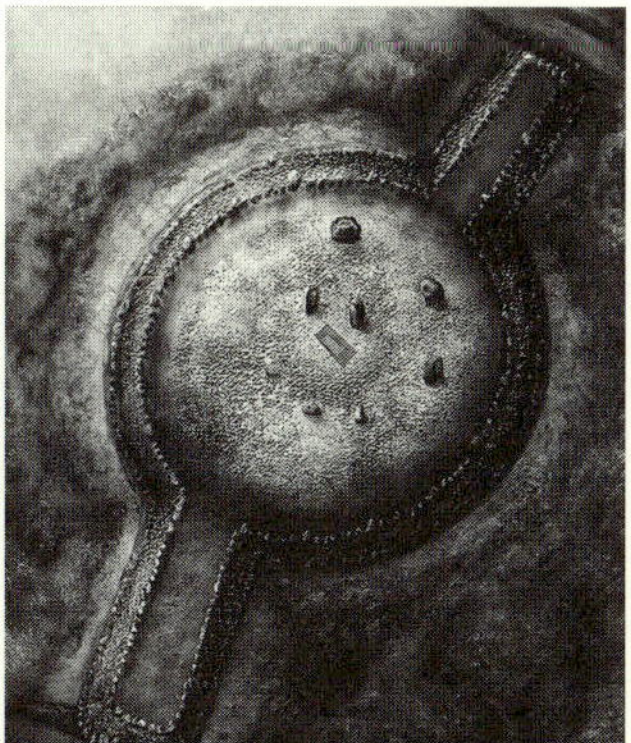
9

◉楯築の復元図
尾根のもっとも高いところを円形部分、そこから両方向にのびる尾根を突出部とし、堀割状に切り離した突出部先端には石を立て並べている。墳丘の斜面にも石が貼られている。

供え用の台で、粘土の帯を貼《は》り付けたり、文様を刻んだり、赤く塗ったりして、華やかに飾られている。特殊器台の上には、同じく派手に飾られた特殊《とくしゅ》壺《つぼ》と呼ばれる容器が載せられていたようだ。さらにそのまわりには、飲食用とみられる小型の土器のかけらがたくさん散らばっていて、この場所で飲食をしたか、ほかで飲食した器をそこにもってきて捨て置いたことを示す。特殊壺の中身（酒や粥《かゆ》など）が振る舞われたかどうかは不明だが、埋葬の儀式のなかで飲食が行なわれたことは、ほぼ間違いない。特殊器台と特殊壺とは、それまでに例をみない種類の土器で、楯築《たてつき》の例が最古と考えられている。この墳丘墓の築造にあたって新たに考え出された可能性も少なくない。

10

◉特殊器台
吉備で生まれた特殊器台は、約一〇〇年後に奈良盆地を舞台に古墳が出現するとき、墳丘を飾る道具立てとして用いられた。これが埴輪《はにわ》の始まりである。特殊器台の上には、やはり吉備で生まれた特殊壺が載せられたとみられる。

吉備の大酋長出現

大きな墳丘《ふんきゅう》、石が立つ広場、二つの弧帯石《こたいせき》、特殊器《とくしゅき》台《だい》と特殊壺《とくしゅつぼ》などなど、楯築《たてつき》の墳丘墓は、前代未聞といえるたくさんの要素でいろどられている。小さく簡素なものが徐々に発展した末にこのような凝《こ》った墓が生み出されたのではなく、弥生《やよい》時代後期後半にあたる紀元後二世紀に、岡山平野の真ん中に、突如として、これらの要素で飾り立てられるべき人物が現われたということだ。

これらの要素のいずれもが、須玖《すぐ》岡本《おかもと》や三雲南小路《みくもみなみしょうじ》など、紀元前までの北部九州の大酋長《だいしゅうちょう》の埋葬にはなかった点には注意すべきだろう。鏡をもたないことも、北部九州の大酋長との異質さをきわだたせる。紀元後二世紀のなかばごろには、北部九州にはこれといった大酋長の墓は見あたらず、楯築が、同時代では列島最大の墳墓となる。だがそこに北部九州伝統の道具立ては見えず、右のようなまったく新しい要素でもって葬送の場が創出されたのは、楯築の主への畏敬の念が、かつての北部九州の大酋長たちとは異なった系譜・宗教・権威のよりどころなどからくるものとされたためだろう。新たな大酋長の物語が、そこから始まったに違いない。

楯築のあと、規模はそれに及ばないが、墳丘をもち、特殊器台と特殊壺を立てる墓が、十数キロメートル以内の近隣にたくさんみられるようになる。そのうちでもっとも近くの倉敷《くらしき》市鯉喰《こいくい》神社の墳丘墓は、楯築以外ではただひとつ弧帯石をもっていて規模もやや大きく、楯築の主の跡を継いだ人物の墓ともいわれる。この人物も含め、楯築の主を模倣した葬られ方をする人びとが、近隣の地域に何人も出てきたらしい。さらに、数十〜一〇〇キロメートルほど離れた岡山県北部や広島県北部では、木棺《もっかん》などからなる集団墓地の一角に特殊器台が置かれた例がある。楯築やその周囲の人物とのつながりを誇示する人びとが、やや離れたこの山あいの地域などにぽつぽつ現われていたとみられる。

このように、楯築からの影響で、楯築のあと、それを模倣したり、それにちなんだりした墓が、岡山地方を中心につぎつぎと営まれた。新しい権威者としてまつりあげられた大酋長、そのとりまき、かれらと親交をもったやや遠くの関係者、というように、楯築の主がもつ威信を軸に寄り集まった有力者たちの連携が、吉備《きび》と呼ばれるこの地域に生み出されたようだ。

同列的なムラから階層的なクニへ

楯築《たてつき》のふもとに広がっていたムラムラの様子も、足守川《あしもりがわ》の河川改修に伴う発掘調査などで、しだいに明らかになってきた。足守川加茂《かも》、矢部南向《やべみなみむかい》、上東《じょうとう》など、今日《こんにち》では複数の遺跡として把握されているものの、弥生《やよい》時代には、互いに有機的に結びついたひとつの大きな村落を形成していたのだろう。たくさんの竪穴《たてあな》住居や掘立柱《ほつたてばしら》建物が集まった、二世紀の瀬戸内では最大級のムラだ。豊かな鉄器のほか、ガラス製品をつくった跡なども確かめられている。いちばん南にある上東遺跡は、現在は山陽新幹線の高架の下だが、弥生時代当時はこのあたりが海岸線で、土と木で巧みに築いた船着き場と考えられる施設が見つかっている。楯築を仰ぐムラにやってきた鉄素材などの物資を陸揚げし、交換物を積み出す港としての役割を果たしていたのだろう。

このように、弥生時代吉備《きび》の中心地ともいえる足守川の下流域では、鉄を軸とする流通経済やその前提となる遠距離交渉の窓口に立った大酋長《だいしゅうちょう》と、その力を頼って寄り集まってきた人びとのムラムラとが、発掘の成果から、目にみえる形でとらえられようとしている。大酋長の遺骸《いがい》が埋められた楯築が高くそびえ、低いところに生者のムラムラが広がるという上・下の関係性の認識を組み込んだ景観を、そこに鮮やかに復元することができる。大酋長の権威と、かれへの信服と依存とを、物質文化に託して演出した世界観だ。

さらにその周辺には、楯築ほどの大きさはないが、その影響ともいえる同じような道具立てをもった墓が営まれ、周囲にはそれを仰ぐムラが同じように広がる。特殊器台《とくしゅきだい》と特殊壺《とくしゅつぼ》という、同じデザインの道具立てで飾られた有力者の墓を仰ぎ、同じ形や意匠の道具を用い、同じまつりを共有する世界だ。こうした物質文化の知覚を通じて、一体性を体感し、同じ大酋長をトップとする序列のなかの一員であることをみずからのアイデンティティとする範囲が形成されたと考えられる。

弥生時代の社会の単位として、「クニ」というものを想定できるとしたら、このような範囲こそ、そう呼べるものだろう。つまり、中期までの、石の流通に根ざした相互に同列的で自律的なムラが林立する状況から、鉄の流通の拠点となる大きなムラを頂点に、ムラどうしの優劣の秩序が生み出されたものがクニだ。クニはまた、大きなムラを本拠とした大酋長と、それを拠点とし

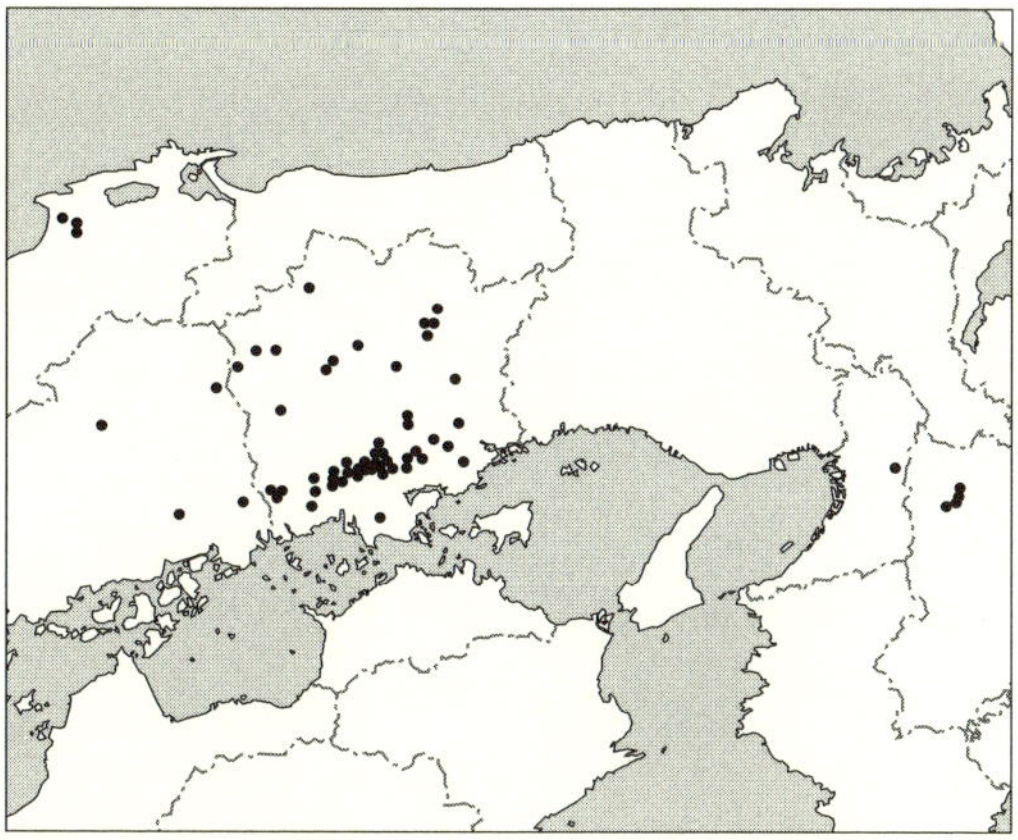

●特殊器台の分布図
特殊器台は楯築のある岡山平野南部を中心として中国山地の山間部に広がり、一部は山陰地方にまで及ぶ。近畿の例は、箸墓《はしはか》など初期の古墳に立てられたもので、製作年代は楯築より新しい。（宇垣匡雅「特殊器台・特殊壺」より作成）

て仰ぐほかのムラムラの酋長たちとの間の秩序そのものともいえる。クニの形成とともに、ムラを取り巻く環濠《かんごう》がほどこされなくなることは興味深い。守るべき対象、あるいは誇示すべきアイデンティティが、ムラのまとまりから、もっと広いクニのまとまりになったためだろう。

出雲の大酋長

楯築《たてつき》のある岡山平野から中国山地を北に越えると、日本海にのぞむ山陰の海岸線が、東西に延々とつながっている。そのなかほどに並ぶ二つの大きな潟湖《せきこ》、宍道湖《しんじこ》と中海《なかうみ》の周辺は、とくに弥生《やよい》時代から古墳《こふん》時代にかけての遺跡が密集する地域だ。中国山地に発して宍道湖へと流れ下る清流・斐伊川《ひいかわ》が平野に出ようとするあたりを見下ろす高さ四〇メートルばかりの丘の上に、山陰最大級を誇る弥生時代の墳丘墓《ふんきゅうぼ》がある。島根県出雲《いずも》市の西谷《にしだに》三号だ。

西谷三号は、約四〇×三〇メートルの長方形の墳丘の四隅に、ヒトデの足のような低い突出部がついた奇妙な形をしている。墳丘の斜面は、突出部も含めてぎっしりと石が貼《は》られ、上の面は四角い形の広場になっている。考古学の専門用語では四隅突出型墳丘墓《よすみとつしゅつがた》と呼ばれる。この墳丘墓の四角い頂上広場に掘られた二つの大きな墓穴と、そこに収められた木棺《もっかん》の詳細が、島根大学の粘り強い発掘調査によって明らかになった。どちらも、楯築と同じように底に朱が敷かれた二重構造の木棺で、副葬品は、管玉《くだたま》かガラスビーズを中心とした首飾りや胸飾りが主である。なかでも、そのひとつの棺《ひつぎ》から出土した濃紺のガラス勾玉《まがたま》は、弥生時代でもっとも美しいアクセサリーだという人も多い。このような、ほかに例をみない変わり種の逸品が玉のなかに含まれていることも、楯築と似ている。楯築と同じような鉄製短剣一振りも、そのひとつの木棺から出土した。

これらの副葬品と遺骸《いがい》を納めて棺を埋め終わったのち、埋め土の上に丸い小石を集め置いている。そこにはおびただしい土器のかけらがあって、やはり飲食をしたことは明らかだ。もっとも注目すべきは、この土器のなかに、楯築に立てられていたのと同じような特殊器台《とくしゅきだい》と特殊壺《とくしゅつぼ》とがみられることだろう。これらは吉備《きび》で生まれ、吉備を中心に用いられた葬儀の道具立てである。この葬儀の執行者か主要な参列者の誰かが、あるいは墓の主その人が、吉備の大酋長《だいしゅうちょう》とつながりのある人物だった可能性が高い。

西谷三号のような四隅突出型墳丘墓は、すでに紀元後一世紀のころから山陰や中国地方山間部にみられるが、もっとも大きくなるのはこの紀元後二世紀なかばだ。西谷三号の主は、山陰の代々の有力者の伝統に連なりながら、吉備の楯築で生み出された新しい大酋長の権威も利用してその地位を刷新し、出雲を代表する大酋長としてまつりあげられた人物だったと考えられる。

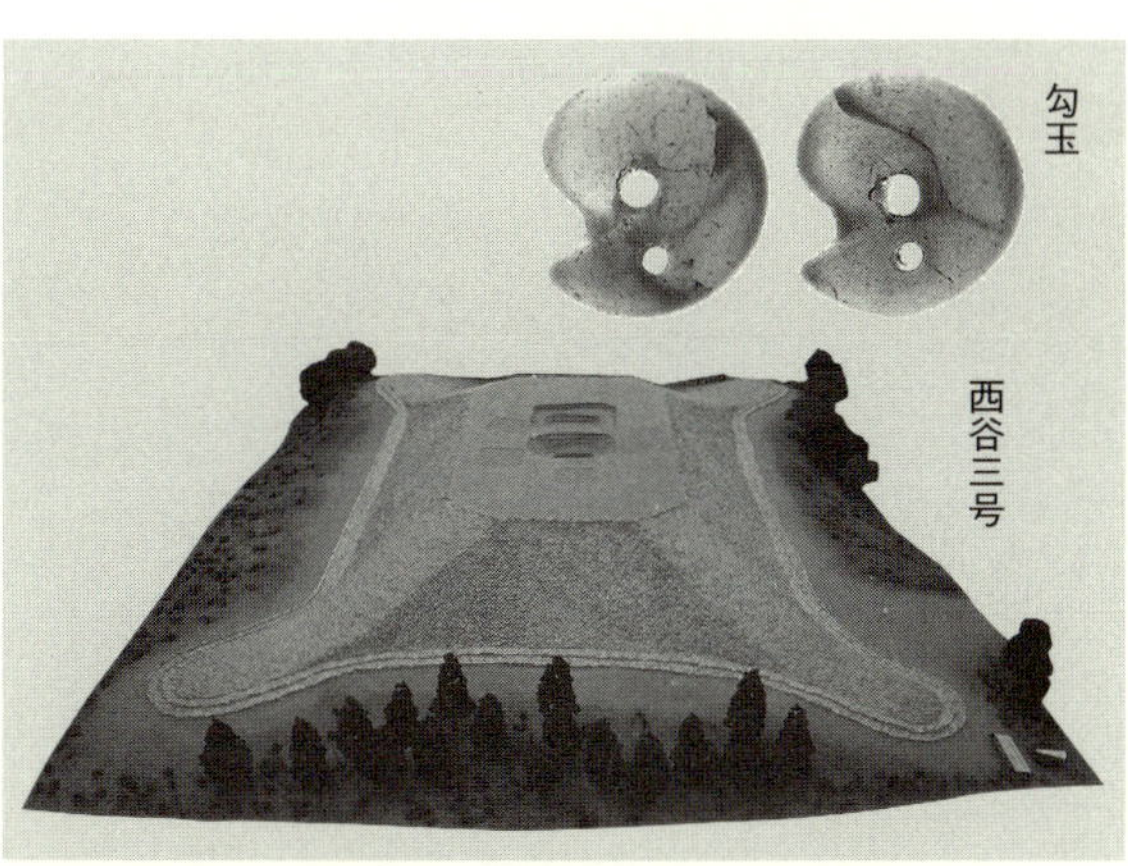

11

●西谷三号復元模型と副葬品
四隅の突出部の先端は円くふくらんでいる。副葬された濃紺のガラス勾玉（長さ二・一cm）は、通常の勾玉よりも巴形に近い変わった形をしている。

因幡と越の大酋長

ただし、楯築《たてつき》と違って、西谷《にしだに》三号と同じかそれ以上に大きい四隅突出型墳丘墓《よすみとつしゆつがたふんきゆうぼ》は、西谷四号、西谷九号など、近隣にいくつも築かれている。とくに四号は、発掘調査がなされていないので埋葬の内容は不明だが、周辺で発見された土器の特徴などを見ると、三号とあまり遠くないときに築かれたらしい。三号の主だけが傑出した大酋長《だいしゆうちよう》というわけではなかったようだ。

西谷以外でとくに大きな四隅突出型墳丘墓は、東へ一二〇キロメートルばかり離れた鳥取市の西《にし》桂見《かつらみ》にある。惜しいことに、すでに三分の二近くが採土のために壊されていて詳しいことはわからないが、突出部の長さを抜きにして一辺は四〇メートル、高さは五メートルある。楯築や西谷三号の主と同じころの、山陰東部の因幡《いなば》を代表する大酋長の墓だったことは疑いない。

四隅突出型墳丘墓は、日本海沿いに東の兵庫県や京都府に入るとみられなくなるが、さらに若狭《わかさ》湾《わん》を越え、福井・石川・富山の北陸三県まで行くと、また姿を現わす。北陸の四隅突出型墳丘墓は、斜面の貼《は》り石がないことを除けば山陰のものと同じような形で、山陰から日本海ルートに沿って伝わってきた情報をもとに営まれるようになったと考えられる。北陸三県で最大級の四隅突出型墳丘墓は、福井市にある小羽山《おばやま》三〇号で、突出部を除いた墳丘の規模は約三三×二八メートルある。木《も》棺《かん》の底には朱が敷かれ、管玉《くだたま》の首飾りと短剣という、楯築や西谷と同様の副葬品があった。木棺を埋め終えたのちに、飲食を示す土器のかけらが集め置かれていることも同じだ。吉備《きび》や山陰の大酋長たちとも通じていた、北陸、すなわち越《こし》の地域きっての大酋長の墓とみていいだろう。

丹後と但馬の交易者たち

四隅突出型墳丘墓《よすみとつしゆつがたふんきゆうぼ》のない京都府や兵庫県の日本海沿岸では、山の上に四角い台状の墳丘をつくったり、尾根を階段状に削り出したりして平たい面をつくりだし、そこにいくつもの木棺《もつかん》をつぎつぎと埋葬していく墓地が流行する。これまで述べてきた楯築《たてつき》や西谷《にしだに》や小羽山《おばやま》などと大きく違うのは、その墓の中心的な存在といえる人物の傑出の度合いがずっと弱く、同じ程度の埋葬が複数あって、なおかつ、一つひとつの棺《ひつぎ》に入れられた副葬品の量が豊かだということだ。玉《たま》ならば、何千個ものガラスビーズを入れる例もあるし、鉄器も、短剣一振りにとどまらず、矢じりや、ヤリガンナ（ヤリ先のような形の刃先をもつ鉋《かんな》）のような工具をあわせもつ例が多くみられる。

　このように、丹後《たんご》・但馬《たじま》などと呼ばれるこれらの地域では、墳丘や棺に凝《こ》るよりも、たくさんの副葬品を入れることでその人の地位や役割を演出し、しかもそれが特定の人物にあまり集中しないという、少し変わったパターンの有力者の墓づくりが流行した。紀元後二世紀のことだ。たくさんのムラびとたちの信服と依存に押されて鉄の差配や外交の窓口に

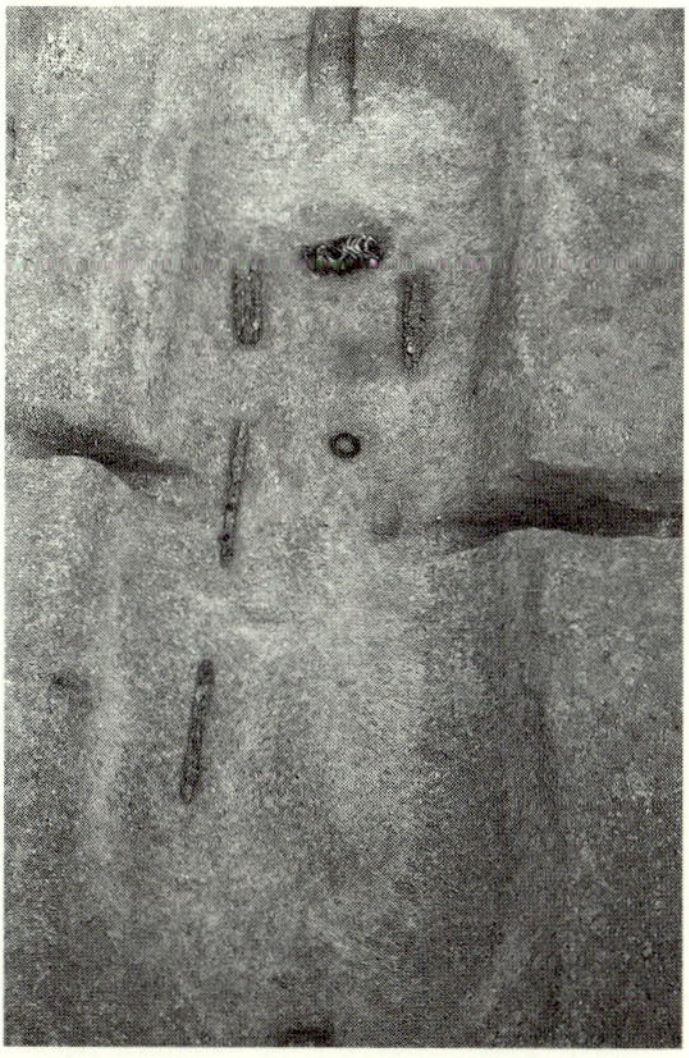

12

◉豊富な副葬品
京都府与謝野町の大風呂南《おおぶろみなみ》墳墓群一号墓は丹後最大級の墳丘墓で、二七×一八mの長方形の墳丘をもつ。見つかった木棺のひとつには、鉄剣一一、鉄鏃《てつぞく》四、銅・ガラス・貝の各種の腕輪計一五、多数の玉類など、豊富な副葬品があった。

立ったひとりの代表者が、凝った演出で葬られるという、同じ時期の吉備《きび》や山陰や北陸のあり方とは異なっている。

なぜ、このような違いが生じたかという問題は、たいへん難しい。ただ、丹後や但馬はあまり広い農地に恵まれないかわりに、水晶をおもな素材とする玉生産の跡が集中的に残されていることには注目すべきだろう。それを元手に、集団ぐるみで、鉄を軸とする日本海の交易に直接乗り出していった人びとが、これらの墓の主になった可能性も考えられる。

鉄器普及の先進地域

瀬戸内中部の吉備《きび》と、日本海沿いの山陰や北陸で、高く凝《こ》った墳丘《ふんきゆう》を尾根上や山上に営み、手の込んだ棺《ひつぎ》に朱や副葬品を入れ、そこで飲食した跡を残す大きな墓を営むことが、紀元後二世紀になって流行する様子をみてきた。自分たちの代表者である大酋長《だいしゆうちよう》の威信を、上・下の関係性の認識を含んだモニュメントとして、景観のなかに刻み込む動きが、これらの地方で盛んになったのである。

このような、物質文化によって個人を顕彰し、演出することが流行する地方は、二世紀の段階では、ほかにあまりみられない。北部九州でも、弥生《やよい》時代中期までの須玖岡本《すぐおかもと》や三雲南小路《みくもみなみしようじ》の大酋長墓の影響とみられる、たくさんの鏡を入れた甕棺《かめかん》が紀元後一世紀までは残る。二世紀になると甕棺そのものがすたれ、石を組み合わせた棺（箱形石棺《はこがたせつかん》）や木棺《もつかん》からなる集団墓地が現われる。これらのなかに、一～二点の鉄器や玉《たま》類を入れた埋葬がしだいに目立つようになるが、高さや大きさでもって景観のなかで格別にきわだった個人の墓は出てこない。三世紀になってそのような墓づくりの中心地となっていく近畿でも、二世紀の墳丘墓はまだ低調だ。

のちの古墳《こふん》につながっていく動きは、楯築《たてつき》のある吉備を除くと、初めは日本海の沿岸地域で始まったことが明らかである。とくに山陰では、一九九〇年代以降に本格化した大型開発のなかで、それまでは土に埋もれてはっきりしなかった弥生時代の遺跡がつぎつぎと見つかった。それらの調査成果のなかでもっとも注目されたのは、先進的と思われていた瀬戸内よりもむしろ早く豊かに、鉄器が行きわたっていたことがわかった点だ。

これらの成果の白眉《はくび》ともいえる鳥取市の青谷上寺《あおやかみじ》地《ち》遺跡では、低湿地という立地条件もあって、土器ばかりではなく、豊富な木製品・骨角《こつかく》製品・金属製品が良好な状態でたくさん見つかった。人の頭蓋骨《ずがいこつ》の中に脳さえ残っていたことは、私たちを大いに驚かせた。弥生のタイムカプセルともいわれるこの遺跡からは、矢じり・斧《おの》など多量の鉄器が出ている。これほどの鉄器を集中して出す遺跡は、同じ時期の瀬戸内や近畿にはほとんどない。二世紀の山陰が、すでにほぼ完全に、鉄器に頼る社会になっていたこ

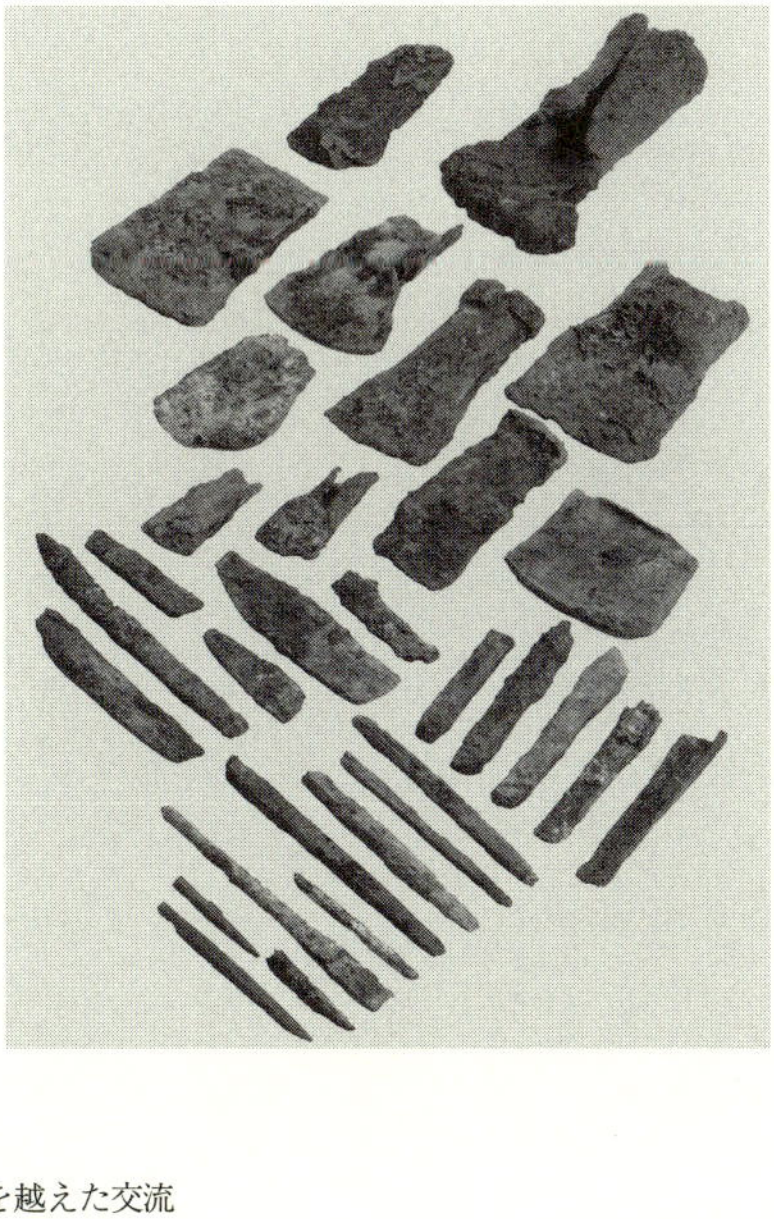

13

◉青谷上寺地遺跡の鉄器
斧・ヤリガンナ（先をヤリのように尖らせた鉋）・矢じりなど、多量の鉄器が出土した。生産用具や武器の鉄器化は、山陰地方で早く進んだことが明らかになってきた。

とは明らかだ。日本海の交易ルートに直接参加できる地理条件が、このように速やかで豊富な鉄器普及の要因になっていたことは確実だろう。

ただ、青谷上寺地遺跡では、弓矢や刀剣などの武器で殺された人を含む約一〇〇人の男女の遺骸《いがい》が、溝の中におり重なった状態で発見されている。手厚く葬ってくれる人もいないまま捨て置かれた様子から考えて、仲間うちでない「よそ者」どうしのトラブルで殺戮《さつりく》されたような事情が想定できる。さまざまな人が行き交う交易ルートに直面することは、物資を容易に手に入れられるという強みをもたらすいっぽうで、リスクも大きかったということだろうか。

古墳の思想は日本海から

鉄が速やかに行きわたった日本海沿岸で、個人を顕彰・誇示する大がかりな墓づくりがいち早く発達したことは偶然ではない。先に考えたように、外部資源である鉄を軸とした流通経済のシステムでは、おのずと、それを差配する窓口としての条件と力に恵まれた一部の人物や集団に、威信が集中していく傾向が現われる。人びとに信服され、依存されたこのような人物こそが、のちの古墳《こふん》の主になっていったと考えられる。

死という大きな節目で、こうした人物の権威を演出することは、その跡継ぎをもくろむ人たちにとっては不可欠だっただろう。いっぽう、その墓づくりを労働で支えた人びとにとっても、自分たちの生活や生存を保障してくれる代表者は、強く立派であったほうがよい。そのような人びとの望みも、大酋長《だいしゅうちょう》の墓をより大きく凝《こ》ったものにしていく力として働いただろう。墓づくりや葬儀の執行者と、それを支える人びとの意思が相乗的に合致したところに、古墳を出現させた力の源《みなもと》がある。この力は、人びとがその生活や生存を代表者に強く依存すればするほど大きくなり、さらに古墳を発達させていくエネルギーとなった。古墳を生み出す第一の力だ。

特定個人の墓をとくに大きく凝るという動きをうながし、古墳の出現を導いたもうひとつの力は、鉄を軸とする遠距離交渉の実体化が、外部社会とのつき合いや競合を本格化させたことに発している。先にも述べたように、経済・政治両面での窓口に立つ代表者として遠距離交渉を差配する人物は、そのような存在として外部の社会から認知されるための、いいかえれば、外の社会の人びとにも理解が可能な、外向けの地位の表示が必要だ。あとで述べるように、当時すでに大陸では、個人の地位を墓に表現する風習が定着していた。この風習が、日本海を隔てて大陸に面し、そことの交流を深めていた山陰地域にまず伝わり、酋長たちの地位を外部向けに表示する方法として取り入れられたと考えられる。古墳を生み出す第二の力だ。

14

◉絵を線刻した遺物
青谷上寺地遺跡からは、サメを線刻した土器(上)や、何艘も連なった舟を線刻した板材(下/舟の絵を写したもの)が出土している。舟は、物資や文物を積んだ交易船だろうか。山陰地方の日本海の交易ルートへの関与を示唆する。

鉄の価値と墳墓

以上のように、石から鉄へという社会の大変化が北部九州から東へ進むなかで、鉄を得るための交易ルートや東アジアの政治的世界に直面することになった日本海沿岸地域で、つぎの古墳《こふん》社会への潮流が最初に生み出された。山陰を核とするこれらの地域は、弥生《やよい》時代後期後半にあたる二世紀の時点では、大陸の文化をいち早く受け入れる先進的な位置にあったようだ。

山陰に比べると後背にある瀬戸内では、そのような動きが遅れてしかるべきだろう。こういうところに、楯築《たてつき》のような、日本海のもの以上に大きい墓が現われたのはなぜだろうか。確かな答えを出すのは難しいけれども、古くからある山陰と山陽とのルートをつてに、目先のきく瀬戸内の有力者が鉄を求めて日本海に接触し、西谷《にしだに》の大酋長《だいしゅうちょう》などを通じて、吉備《きび》一円の鉄の流通を差配する政治的、経済的代表者としての地位を勝ちえたことなどが想像できる。西谷の墓に立てられた吉備の特《とく》殊器台《しゅきだい》の背景には、そのような事情があるのかもしれない。

具体的にいうと、鉄を軸とする新しい流通経済への移行に際して瀬戸内が後背に位置したことに、楯築の大酋長が、山陰の盟友たちよりも広く独占的な威信を得た理由が求められるだろう。ひとつには、初めは競争相手がいなかったから、楯築の主が「ひとり勝ち」の状態で、短い間に支配力を拡大できたという想定が可能だ。もうひとつは、鉄の流通量が少ない後背地域のほうが、その「価格」すなわち交換対価が高くなるというレートの問題がある。対価が高ければ、それだけたくさんの交換物を集める力が必要だ。また、鉄の価値が高いほうが、その供給の窓口に寄せる信服や依存も大きい。この、鉄の「有り難さ」の問題は、少しのち、鉄の流通においてさらに後進的な近畿の地に最大の墳墓が現われた理由を考えるときの、大きなヒントになる。

古墳への道

青銅器の分布の変化

紀元後一～二世紀にかけて、石から鉄へという基幹資源の交替が、北部九州から東に向けて進行した。遠距離交易による外部資源の獲得を経済的な基盤とする、新しい社会が広がっていったのである。

この大きな社会変化を反映するもうひとつの材料が、青銅《せいどう》製のまつりの道具だ。北部九州以外では石がまだ基幹資源の座にあった紀元前二～一世紀の弥生《やよい》時代中期後半、北部九州には中広形《なかびろがた》と呼ばれる銅矛《どうほこ》が、山陰には出雲《いずも》型と呼ばれる銅剣《どうけん》が、瀬戸内西部～中部には平形《ひらがた》と呼ばれる銅剣が、瀬戸内東部には平形が変化した東部瀬戸内系と呼ばれる銅剣が、大阪湾沿岸地域には近畿型と呼ばれる銅戈《どうか》が、近畿から中国・四国地方の東部には銅《どう》鐸《たく》が、というように、地域ごとにそれぞれ特徴をもった、さまざまな青銅製の祭器が生み出された。これらは、直径一〇〇キロメートル内外の比較的小さな分布域をつくっているものが多いことから、石材と同じように、近隣どうしの物の流通経路に乗ってやりとりされたと考えられる。

ところが、紀元後一～二世紀の弥生時代後期には青銅製の祭器の種類が減り、一種類の祭器が直径数百キロメートルもの大きな分布域をつくることが多くなる。とくに、中期の中広形銅矛が武器として実用できないまでに大型化した広形《ひろがた》銅矛は、北部九州を中心に、朝鮮半島南部および対馬《つしま》、さらには九州東岸から四国西南部といった太平洋寄りの地域に及ぶ延長四〇〇キロメートルに近い広大な範囲に分布する。銅鐸もまた大型化して鳴らす鐸（かね）としての機能を完全に失い、近畿と東海を中心に、これも紀伊《きい》半島から四国東南部に至る延長約四〇〇キロメートルもの範囲に広がる。これら後期の青銅製祭器は、鉄を軸として活発化した遠距離交

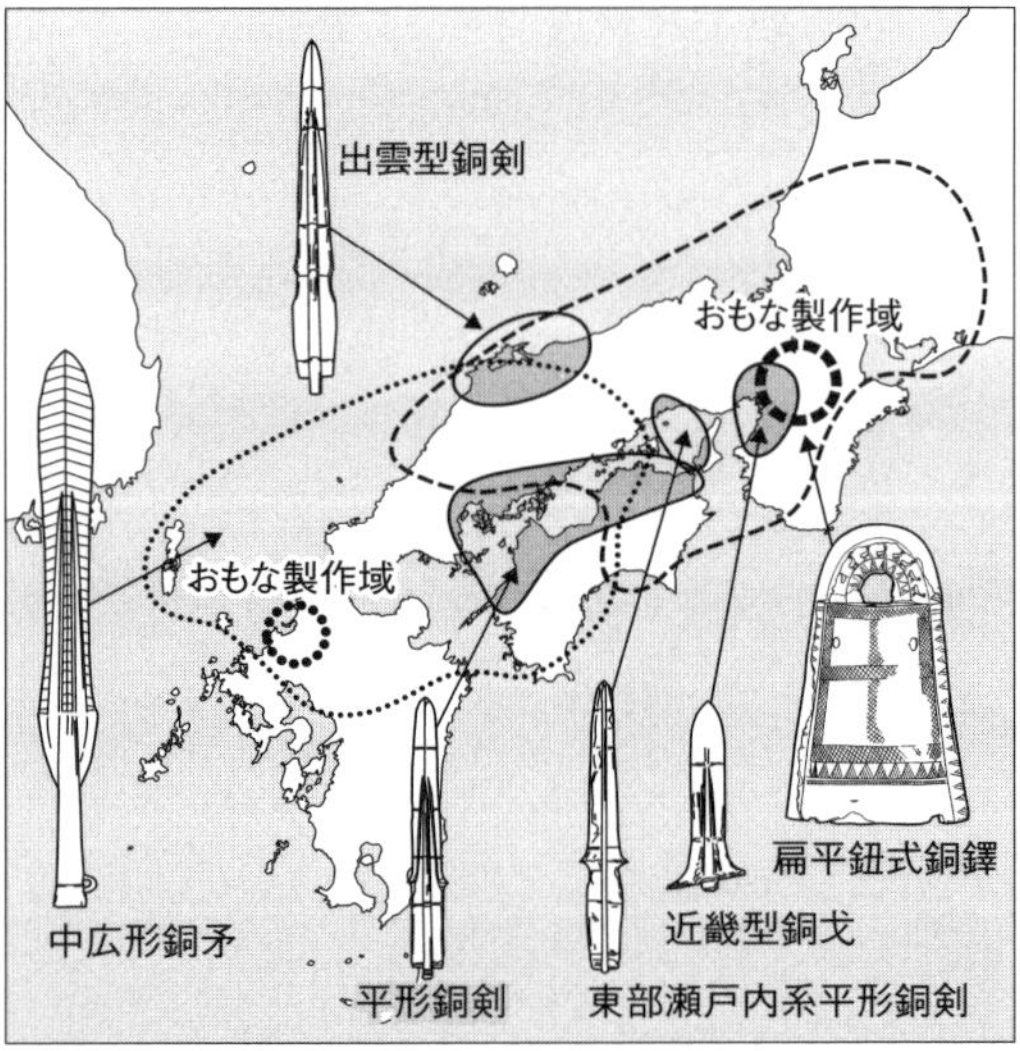

◉紀元前一世紀の青銅器の分布
各地固有の青銅器が、石材の供給圏とほぼ同じ直径一〇〇km内外の分布圏を形成するが、銅鐸のように、細かい地域差のある小分布圏が複数あり、広範囲に分布するものもある。

易ルートに乗って流通した可能性が高い。

そのいっぽう、個人の墓を大きくつくる風習が発達した山陰を中心とする日本海沿岸地域や、吉《き》備《び》を中心とする瀬戸内では、後期に入ると青銅製祭器がみられなくなる。島根県斐《ひ》川《かわ》町神《かん》庭《ば》荒神谷《こうじんだに》遺跡で発見された出雲型銅剣三五八本および銅矛一六本・銅鐸六個や、島根県加茂《かも》町加茂《かも》岩倉《いわくら》遺跡の三九個の銅鐸は、いずれも中期までの段階の青銅製祭器を地中に埋めたもので、山陰の人びとが青銅器によるまつりをやめたときのなんらかの事情をものがたるものと考える人が多い。

墳墓のまつりと青銅器のまつり

このように、弥生《やよい》時代後期になると、中期から引き続いて青銅器《せいどうき》によるまつりを発達させた地域と、それを排して墳墓をまつりの中心とする地域とが、はっきりと分かれてくる。

この過程で、山陰を中心とする日本海沿岸の諸地域では、日本海の物資流通ルートに直結した人びとがたくさん出て、それぞれの地域で代表者としての信服や依存を受け、大きな墓をつくりだした。ただし、二世紀の段階では、出雲《いずも》の西谷《にしだに》、因幡《いなば》の西桂見《にしかつらみ》、越《こし》の小羽山《おばやま》三〇号など、ひときわ大きな四隅突出型墳丘墓《よすみとつしゅつがたふんきゅうぼ》に葬られる有力者たちは出たけれども、

15

●神庭荒神谷遺跡の銅剣の大量埋納 人里から離れた山の斜面に、総計三八〇点もの銅剣・銅矛・銅鐸が、種類ごとに分けて埋納されていた。とくに、同形同寸の三五八本の銅剣が整然と方向をそろえて置かれたさまは壮観だ。

吉備《きび》の楯築《たてつき》の主のように、広い範囲に名が聞こえた圧倒的な大酋長《だいしゆうちよう》はいない。但馬《たじま》や丹後《たんご》では、もっとたくさんの人が遠距離交易や鉄の流通に直接かかわっていた様子が、墓からうかがわれる。さらに、後期に入って中期以上に鉄がふんだんに行きわたった北部九州では、鉄の「有り難さ」は低下し、それをもたらす窓口への信服や依存度は相対的に弱まったようだ。福岡県前原《まえばる》市井原鑓溝《いわらやりみぞ》遺跡では紀元後一世紀の、同じく平原《ひらばる》遺跡では紀元後二世紀の、鏡を多数副葬した墓が見つかっているが、山陰や瀬戸内の大酋長墓のように、大がかりな墳丘をもつことはない。

なお、北部九州は、広形銅矛《ひろがたどうほこ》と、同じく後期に入って大型化した広形の銅戈《どうか》からなる青銅製祭器の分布範囲に入っているが、福岡平野などの中心地ではあまり使われた形跡がなく、むしろ鋳型が出土することが多い。みずから用いるよりも、それを必要とするほかの地域に供給する役割を帯びていたようである。

いっぽう、大陸に面した日本海側の背後にあたり、鉄の獲得にやや不利だった瀬戸内地域では、それだけに鉄の価値が上がり、その窓口への依存度も高くなって、楯築のような大きく凝《こ》った墳墓に葬られる大酋長が出てくる社会的な素地が醸《かも》し出されていた。鉄の「有り難さ」が、大きな墳丘をつくることにつながったのだろう。

新・二大文化圏論

これら、二世紀になっても青銅器《せいどうき》によるまつりに固執していた九州東岸から四国西南部の太平洋寄りの地域や近畿以東でも、日本海側や瀬戸内ほどではないが、紀元後になると鉄器が徐々に行きわたっていったことは間違いない。だが、地域によっては遅くまで石器が残る一角もあるなど、鉄の流通を軸とした経済や社会の新しい仕組みには、なかなか移行しきれずにいたようだ。その点にこそ、遅くまで青銅器によるまつりが残った最大の原因がひそんでいるだろう。

紀元後になって大型化した銅矛《どうほこ》や銅鐸《どうたく》などの青銅器は、対馬《つしま》以外では、個人の墓には副葬されない。個人の住居に置かれることもない。どこでつくられてどう使われたのか、考古学からあとづけることは難しいが、最終的に、ムラから少し離れた山腹などに穴を掘って埋納されたことは明らかだ。おそらく、それを用いた儀礼や最終的な埋納は、ムラびとたちの共通の祈りや、そこからくるムラの一体感を醸《かも》し出すべく行なわれた、ムラぐるみのまつりだっただろう。

このような行為がいつまでも残った太平洋寄りの地域、および近畿や東海が、弥生《やよい》のエッセンスともいうべき「文明」型文化の遺伝子をもつ「外からの弥生化」の波を、まともにかぶら

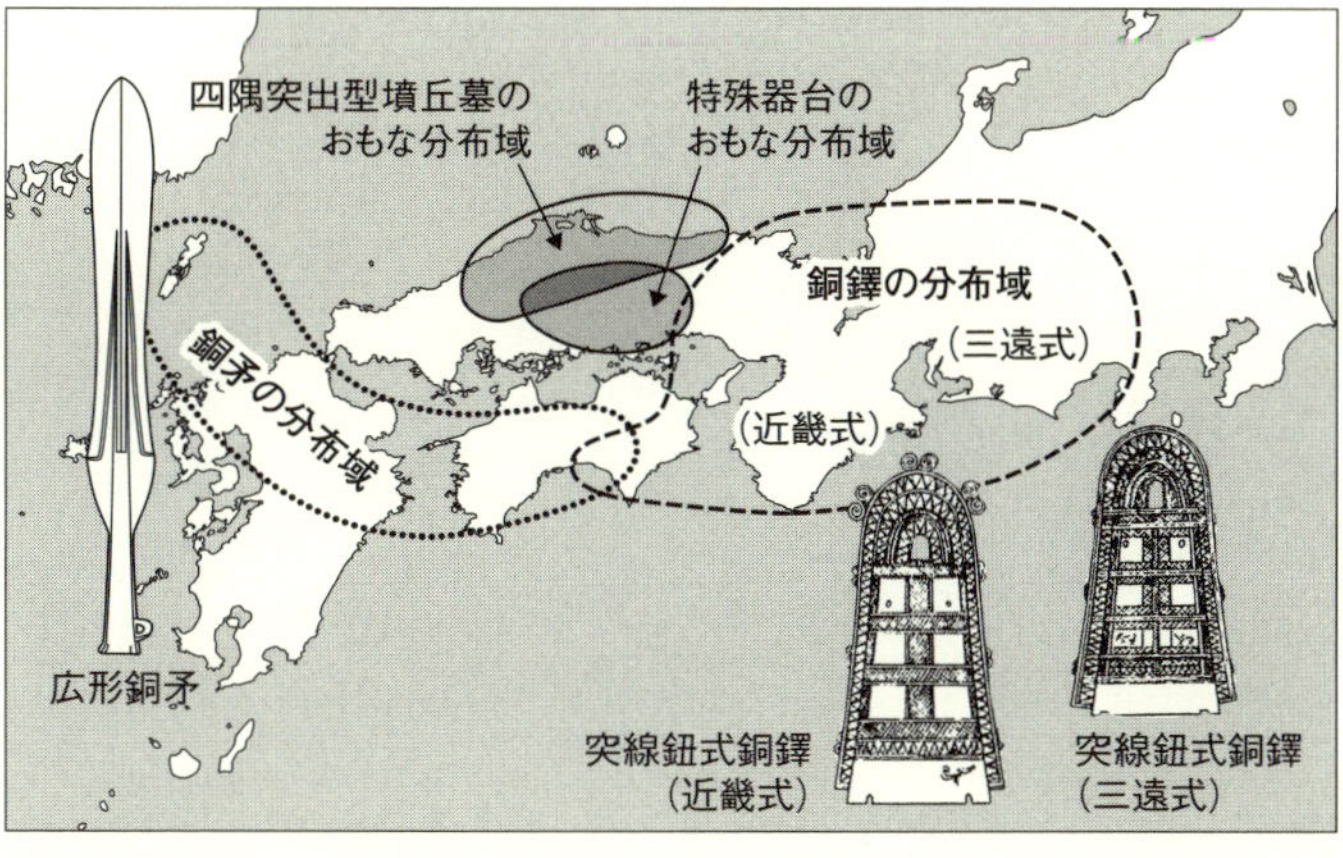

◉紀元後二世紀の青銅器と墳墓の分布
日本海沿岸の四隅突出型墳丘墓、瀬戸内海沿岸の特殊器台、太平洋岸寄りの地域から近畿・東海の青銅器というように、同じまつりの要素を共有する範囲が、東西方向に長く展開する。

なかった地域であることには注意しなければならない。とくに、近畿や東海では、縄文《じようもん》の伝統が物質文化に色濃く残り、社会の構造さえもが縄文時代と共通していたことは、先に述べたとおりだ。ムラぐるみの一体性を演出する環濠《かんごう》集落、物を副葬したり棺《ひつぎ》に凝《こ》ったりしない集団墓地というような、個人の傑出や人びとの序列を演出しない物質文化と、そこではぐくまれた人間関係が、一部の人物が物資を差配して力を得る仕組みの発達をはばんだ可能性があるだろう。もしそうなら、このこと自体が、青銅器地帯ともいうべき太平洋寄りの地域や近畿・東海での円滑な鉄器流通を遅らせる要因になったかもしれない。このような文化の特性と、そもそも大陸や朝鮮半島からは奥まっていて鉄の獲得にはきわめて不利な地理的条件とが相乗的に働いて、これらの地方では古い社会や経済の仕組みが遅くまで残ったと考えられる。縄文の遺産といってもいいだろうか。

かつて、哲学者の和辻哲郎《わつじてつろう》は、銅鐸《どうたく》の分布範囲と銅矛《どうほこ》の分布範囲とが東西に対峙《たいじ》する様子に注目して、列島を二分するような大文化圏の対立の反映とみた。しかし、今みたように、これら青銅器の分布範囲は、鐸・矛という種類の差を超えて、むしろ共通した心性に根ざす文化や社会を営んでいた可能性が高い。そして、もっと本質的で大きな対立軸、ないしは和辻ふうにいうと文化圏の対峙は、墳墓という個人の威信や地位を演出する物質文化をもった日本海沿岸および瀬戸内と、青銅器のまつりという形で個人よりも集団の一体性を物質文化に表現する太平洋寄りの地域および近畿・東海との間に見いだすべきだろう。それは、それまでの文化的伝統や地理的な条件が異なる二つの地域が、鉄という新しい基幹資源への移行に際して見せた反応の違いからきたものといえる。

青銅器よさらば

とはいうものの、三世紀に入ると、太平洋寄りの地域から近畿・東海に広がっていた青銅器《せいどうき》文化圏は消え去ってしまい、とくに近畿を中心に、日本海側や瀬戸内と同じ墳墓文化圏への急激な転換が起こる。鉄に対する希求が高まるにつれて、個人が傑出しない旧来の社会的、経済的関係のもとで、外交窓口や富の集約力を必要とするスムーズな鉄の差配に対応していくことが、いよいよ難しくなったからだろう。中国や朝鮮半島の人びとにとっては蛮族の異様な風習に映ったに違いない巨大な青銅器によるまつりも、鉄器を使い、有力者を凝《こ》った墓に葬るという東アジアの風習を取り入れて、そこと関係を深めていくためには足手まといになったと考えられる。このように、墳墓に比べて「国際性」が著しく低かったことも、青銅器のまつりがついに淘汰《とうた》されて消えてしまう大きな要因だった。

近畿が墳墓文化圏へと転換するときの焦点になったのは、奈良盆地の東南部だ。ここには、田原《たわら》本町《もと》の唐古《からこ》・鍵《かぎ》遺跡という、紀元前から続く大きな環濠《かんごう》集落があって、近畿の環濠集落が軒並みおとろえる紀元前後よりのちも、盆地の中心的なムラでありつづけたことがわかっている。そもそも奈良盆地は、唐古・鍵以外にも、紀元前からのたくさんの環濠集落がすたれることなく紀元後にも続いていて、縄文《じょうもん》色を濃厚に残した近畿弥生《やよい》文化の牙城《がじょう》といった感が強かった。

しかし、この唐古・鍵の大ムラも、三世紀に入るころにはにわかに衰退し、それにかわるかのように、唐古・鍵から東方一〇キロメートルほどの三輪山《みわやま》のふもと、桜井《さくらい》市の北郊に、纏向《まきむく》遺跡群という大規模なムラが現われる。まだ全貌《ぜんぼう》が明らかになったわけではないが、二平方キロメートルほどの範囲に、たくさんの竪《たて》穴《あな》住居や掘立柱《ほったてばしら》建物のほか、運河ともいわれる水路などがつくられていることがわかっている。三世紀の日本列島では最大級のムラだろう。

纏向の大ムラの景観で目をひくのは、ムラのまわりに、いくつもの大きな墳丘墓《ふんきゅうぼ》が築かれていることだ。それらのほとんどは、円形の墳丘の一方向に短い方形の突出部がつく前方後円《ぜんぽうこうえん》形と呼ばれるものである。石塚《いしづか》、勝山《かつやま》、ホケノ山《やま》など全長九〇メートル級の前方後円形墳丘墓のほか、やや北のはずれには、方形の墳丘に突出部がついた、前方後方《ぜんぽうこうほう》形墳丘墓が築かれた場所もある。

墳丘をもつ大きな墓のまわりに、環濠をもたないムラが広がるという空間構成は、吉備《きび》の楯築《たてつき》のところでみたのと同じような、クニの中心部の景観だ。環濠をもつ唐古・鍵から、環濠はなく大酋長《だいしゅうちょう》たちの大きな墓をもつ纏向へという奈良盆地社会の中心の移動は、ムラからクニへ、青銅器のまつりから墳墓のまつりへ、平等原理の物質文化から序列原理の物質文化へという社会の構

16

◉ホケノ山の墳丘墓
墳丘の長さ約九〇mの前方後円形の墳丘墓。円形部分の中心には、石で囲まれた二重構造の木棺があり、鏡・鉄製武器・青銅製の矢じりなど、多数の品々が副葬されていた。

造変革に向けての潜在力が、さらに多くの鉄に対する人びとの希求に押され、なだれを打つように表面化した状況ととらえることができるだろう。

墳丘の地域差

纏向《まきむく》のクニ景観の焦点となった前方後円《ぜんぽうこうえん》形や前方後方《ぜんぽうこうほう》形の墳丘墓《ふんきゅうぼ》は、奈良盆地にのみ限られるものではない。そのうち、とくに前方後円形のものに注目した寺沢薫《てらさわかおる》は、それらが、短い時間幅の間に、西は九州から東は東北南部にまで現われることを明らかにした。従来にない広い範囲で、墳丘の形を同じくしようとする、人びとの思考の疎通と共有が行なわれたのである。

ただし、これらの前方後円形や前方後方形の墳丘と呼ばれるものは、地域によってさまざまな姿・形をしている。紀元前後から山の上に墓をつくるようになっていた瀬戸内以西では、これらの墳丘墓も山上などの高いところに築かれ、前方後円形をとるものが目立つ。平地の方形周溝墓《ほうけいしゅうこうぼ》が発達していた近江《おうみ》や東海、関東南部では、それにそのまま突出部をつけた前方後方形の周溝墓とし、ムラと同じ低いところに営まれた例が多い。さらに細かくみていくと、たとえば四国北東部の香川や徳島では、土ではなく、石を積んで墳丘をつくり、突出部はやや長くて細い前方後円形積石塚《つみいしづか》がみられるなどといった地域色を見いだすことができる。

そうだとすると、この時期にみられる前方後円形や前方後方形の墳丘墓ないし周溝墓の広がりは、どこかで確立した墳丘の型式がほかの地域に伝わった結果ではなさそうだ。むしろ、ひとつの方向に突出部をつけるというアイディアが流布し、おのおのの地域で従来からつくられていた墳墓にそれが取り入れられた結果が、さまざまな地域色につながったとみるべきだろう。この点は、細かいところまで確立した墳丘の型式が厳密な形で各地に伝わり、設計図の配布すらあったのではないかといわれる、のちの大型前方後円墳と大きく異なるところである。

前方後円形の視覚上の特性

前方後円形《ぜんぽうこうえん》・前方後方形《ぜんぽうこうほう》の墳丘墓《ふんきゅうぼ》などに表われた、突出部を一方向につけるというアイディアには、どのような視覚上の特性がみえてくるだろうか。

それまでの墳丘墓のように、たんなる方形や円形だったり、楯築《たてつき》のように突出部が二つあったり、山陰や北陸の四隅突出型《よすみとつしゅつがた》のように四つあったりするものには、墳丘そのものの方向性はまだはっきりと表示されていない。突出部をたったひとつだけつけたことによる知覚上の最大の変化は、前と後ろ、あるいは正面と背面といった方向性、つまり「向き」が明確になることだ。高さをもつ墳丘そのものによって演出されていた「上・下」の関係性に、さらに「前・後」「表・裏」という関係性が加えられたものということができる。

文明社会に多い、神殿・聖堂・神社など「上・下」の関係性を演出したモニュメントには、前と後ろ、裏と表という、一定の方向性を明確に示す構造が組み込まれているのがふつうである。たとえば、古代ギリシャの神殿には壮麗な正面があり、日本の神社の本殿には一方に向拝《こうはい》や拝殿がついている。モニュメントが、私たちの身体の構造と同じ前後や表裏という向きをもつことによって、初めて私たちはそれと対面する感覚を得ることができる。旧石器《きゅうせっき》時代以来の前後の方向性がない円環の原理に別れを告げた、人とモニュメントとの新しい関係性の誕生だ。

さらに、神社に参る人の身体や目の動きが、鳥居から向拝または拝殿に至って、そこから奥の本殿をのぞむという具合に定まっているように、モニュメントがひとつの方向をもつことによって、そこでなされる人の行為や視線にも一定の経路や決まりが生まれやすくなり、やがてそれが儀式として定型化していく。このように、モニュメントの形は、人びとの認知や行為を規定することを通じて、その社会と密接に結びついているのである。

そう考えると、二方向に突出部をもち、いちばん上には円環原理のストーンサークルまである楯築と、突出部はひとつで前後や正面・背面という方向性が明らかな前方後円形・前方後方形の墳丘墓との間には、それが醸《かも》し出す認知や行為のあり方において、大きな飛躍があることがうかがえるだろう。後者の成立は、墳丘墓での儀礼における人の視線や動きを明確に統制する特性を格段に高めたに違いない。

運ばれる土器

三世紀の前半になって、一方向だけに突出部をもった前方後円形《ぜんぽうこうえん》や前方後方形《ぜんぽうこうほう》の墳丘墓《ふんきゅうぼ》が広く普及することは、今みたような、より統制された動きや視線からなる儀礼行為が行きわたった様子を示す。このことには、どういう背景があったのだろうか。

ひときわ大きな前方後円形・前方後方形の墳丘墓が築かれたおひざもとの纏向《まきむく》遺跡群では、近畿産だけでなく、西は瀬戸内以西から東は東海や北陸までの各地からもたらされたり、その地方産そっくりにつくられたりした土器が出土する。搬入土器とか外来系土器などと呼ばれるこれら他地域系の土器は、遺跡から出る土器の三割にも達し、とくに伊勢湾《いせわん》沿岸のものが多い。纏向は、地元の奈良盆地の人びとだけではなく、瀬戸内以西から東海までのさまざまな地域の人びとが訪れたり、逗留《とうりゅう》したり、住みついたりする場所だったようだ。

搬入土器や外来系土器を多数出す大きなムラは、ほかの地域にもある。北部九州の博多湾《はかたわん》に面した福岡市西新町《にしじんまち》遺跡や博多遺跡群、およびやや内陸の比恵《ひえ》・那珂《なか》遺跡群などでは、三世紀の前半から中ごろにかけて、近畿や山陰に由来する土器が一～二割の比率を占める。また、とくにそうした土器が集中して出土する住居や区域が、ムラのなかに認められるという。近畿や山陰の人びとが、北部九州の中核をなすこれらの大きなムラに滞在していたということだ。那珂遺跡群のなかにある那珂八幡《なかはちまん》の墳丘墓のように、前方後円形をした大きな墓が築かれて、クニの中心としての景観を見せているところもある。

かつて楯築《たてつき》の眼下に広がっていた吉備《きび》のクニの中心は、三世紀になると、一キロメートルほど上流部の岡山市津寺《つでら》遺跡に移動している。五世紀に列島第四位の巨大前方後円墳・造山《つくりやま》が築

●弥生時代終わりごろの各地の甕
三世紀前半の土器は、ほぼ文様が消え、広い範囲で形が共通してくる。しかし細部を検討すると、口縁部の形、外面の調整（焼成前に粘土中の空気を抜き表面を整えるために撫《な》でたり叩いたりすること）などに地域色が残っていて、土器の産地や系統を知る手がかりとなる。

かれた場所の近くだ。津寺のムラに多くみられるのは、南に瀬戸内海を隔てた讃岐《さぬき》と、北に中国山地を越えた山陰に由来する土器である。中国・四国地方からの人びとが、吉備のクニの中心に集まっていた様子がうかがえるだろう。四国側では、松山《まつやま》平野の松山市宮前川《みやまえがわ》遺跡から、近畿・讃岐・吉備などにゆかりをもつ土器がたくさん出ている。南四国の高知では、近畿系の土器が増える。山陰側でも、三世紀になると近畿系の土器が主体になるという。

　奈良盆地以外の近畿にも、搬入土器や外来系土器を出すムラが出てくる。当時、大阪湾の奥にさらにもうひとつの深い入り江（河内潟《かわちがた》）があり、近畿の一大ウォーターフロントになっていた。それに面する吹田《すいた》市垂水南《たるみみなみ》、大阪市の崇禅寺《そうぜんじ》や大阪市と八尾《やお》市にまたがる加美久宝寺《かみきゅうほうじ》、八尾市中田《なかた》、八尾南などのムラに、吉備・讃岐・山陰・近江《おうみ》・北陸・東海に由来する土器や朝鮮半島からの搬入土器が集まっている。入り江の北のほうでは東海などの東の土器が、南のほうでは吉備・四国などの西の土器が多いという傾向がある。山陰の土器は、入り江の南北を問

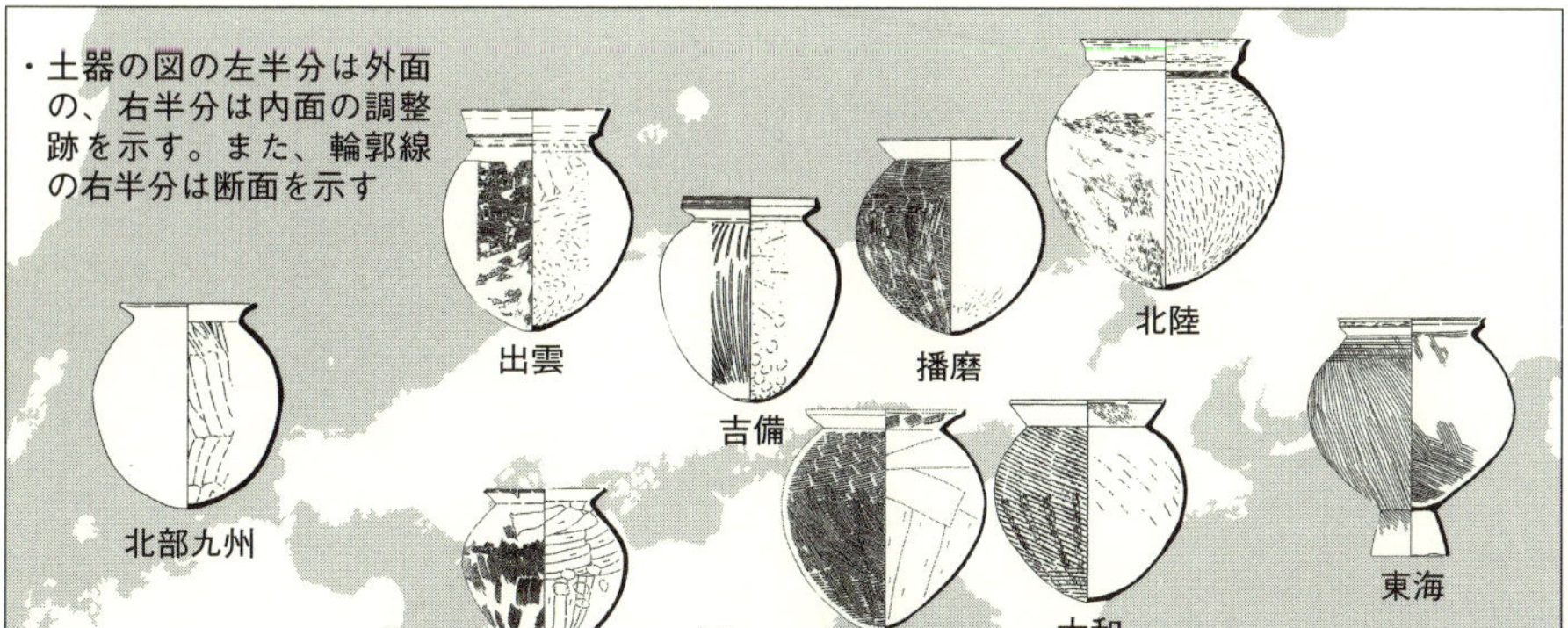

わず、よりまんべんなく出るようだ。

東日本の土器の流れ

さらに東日本に目を移してみよう。近畿から東日本への窓口のひとつにあたる琵琶湖《びわこ》湖畔の近江《おうみ》では、米原《まいばら》あたりより北の湖北地方に、搬入土器や外来系土器をたくさんもつムラが現われる。北陸や東海の土器が多いという。近江は、前方後方形《ぜんぽうこうほう》や前方後円形《ぜんぽうこうえん》の墳丘墓《ふんきゅうぼ》もたくさん築かれるところで、とくに前者が多い。北陸の土器は信州や北関東にもみられる。

やや不思議なのは、濃尾《のうび》平野から伊勢《いせ》湾《わん》沿岸にかけての地域だ。ここから出ていった土器は、九州から関東までの広い範囲でたくさん見つかるのだが、この地域に外から入ってくる土器はきわめて少ない。出る人は多いが、来る人は少ない地域だったということだろうか。ちなみに、これと逆のパターンを見せるのは北部九州で、土器は入るが、ほとんど出ていかない。もっぱら人が集まってくる地域だったのだろう。

東日本でもっとも目立つのは、濃尾から伊勢湾沿岸にかけての地域の土器が、大量に関東南部に入る動きである。千葉県木更津《きさらづ》市の高部《たかべ》三〇号・三二号の二つの前方後方形墳丘墓は、このような動きに伴って現われたものだが、どちらも濃尾地方由来の土器が大量に供えられている。濃尾からやってきた人びとのリーダーの墓だった可能性が高い。いっぽう、少し北にある市原《いちはら》市の神門《ごうど》四号・五号の二つの前方後円形墳丘墓には近畿系の土器が供えられていて、その主が近畿ゆかりの人物だったことを示唆する。近畿や東海から関東南部に、たくさんの人びとがこぞってやってきていたようだ。

濃尾を中心とする東海系の土器はさらに北上し、福島県太平洋岸の浜通り地方を経て岩手県の三《さん》陸《りく》海岸にまで及んでいる。ここには北海道の土器も南下してきていて、東海系や関東系の土器と一緒に出る。北海道の土器は、日本海側では新潟付近まで達しており、関東系や近畿系の土器と共存する。関東や東海、近畿の人びとが、長い移動の果てに、北海道の人びとと交流をもつ機会をもった可能性が高い。

土器の動きからわかるネットワーク

三世紀に入ってにわかに活発になる土器の移動の様子をみてきた。〇〇系土器、と呼んだものには、現地でつくられて持ち運ばれた土器も、別の場所でそっくりにつくられた土器も含むが、いずれにしても、その背後には人そのものの移動があったと考えられる。土器を運んだか、情報や技術を運んだかだ。三世紀に入るころ、九州から北海道の広い範囲で、それまでにないダイナミックな人の移動現象が生じていたことは疑いない。

土器の動きが人の動きを反映しているとすれば、そこからいくつかのパターンを読みとることができる。地域ごとにみると、近畿のように出入りともに盛んなところ、九州のように来るけれども出ていかないところ、濃尾《のうび》のように出ていくけれども来ないところという三パターンだ。そして、当然のことながら、たくさんの人びとが集まる大きなムラができるのは、出入りが盛んな地域、人びとがよく来る地域である。

　これらの大きなムラは環濠《かんごう》をもたないことも多く、それぞれの正確な規模をとらえるのは難しい。ただ、これまでの各地の調査の成果をふまえると、やはり奈良盆地の纏向《まきむく》遺跡群が、予測されるムラの面積、住居や建物の密度、遺物の量や種類、景観を演出するモニュメントすなわち墳丘墓《ふんきゅうぼ》の大きさなどからみて、このダイナミックな人の動きの、最大の核をなしていたことは間違いない。それに次ぐのが、おそらく博多《はかた》湾《わん》に面する博多・比恵《ひえ》・那珂《なか》の遺跡群だっただろう。大きな遺跡群が林立する大阪湾沿岸も、重要な位置を占めていたようだ。さらに、中国・四国の土器が多く集まる吉備《きび》の津寺《つでら》のような、地域の拠点とでもいうべき遺跡がある。

　このように、纏向を最大の中心的存在、博多湾や大阪湾の沿岸の大きなムラをそれに次ぐ存在とし、瀬戸内など各地の拠点がそれに連なって、列島規模のネットワークが三世紀には形成された。

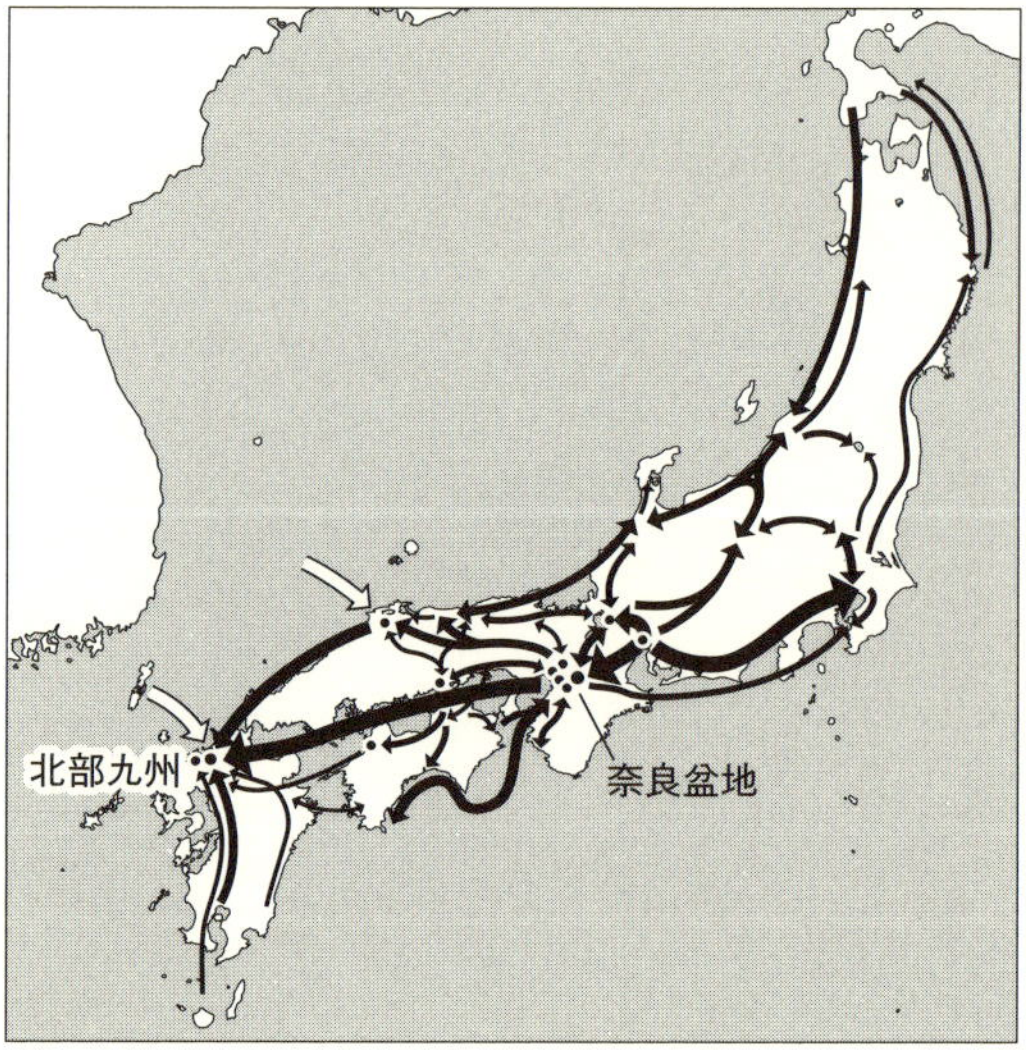

◉三世紀前半の人の動き
矢印は、各地で出土した土器などから推定した人の動きを示したもの。とりわけ、大陸からの鉄や先進的文物の陸揚げ地点であった北部九州と、列島全体の物資の集散地だった奈良盆地が、人びとの動きの二大拠点になっていたようだ。

これを伝って人や物や情報の流れが一気に活性化した様子を、土器の移動という現象から推測できる。一方向に突出部をつけた墳丘墓のアイディアも、このネットワークを伝って各地に広まったのだろう。

北部九州から近畿への中心の移動

では、なぜこのネットワークのなかで、近畿・奈良盆地の纏向《まきむく》遺跡群が中核的な位置を占めるに至ったのだろうか。近畿に経済や政治の重心が置かれるという空間構造は、日本列島社会の空間構造の骨組みとして、こののち千数百年の間続くことになる。それより前には、日本列島社会に明らかな中心はなく、しいていえば、大陸や朝鮮半島にもっとも近い北部九州が、そこからの人や物や情報の流れの玄関口として、文化的な先進地の役目を果たすという構図がみられた。近畿が経済や社会の中核になった三世紀は、その後の千数百年間にわたる日本列島社会の空間構造が定まったという点で、列島史上の大きな画期といってもよい。

この、北部九州から近畿へという中心の移動がなぜ生じたのかという問題に、これまで、たくさんの歴史学や考古学の研究者たちが挑戦してきた。ある人は、北部九州の勢力が東進して近畿を制し、そこに政治的な拠点を打ち立てたと述べた。またある人は、この本でも重視してきた鉄の流通に目をとめ、それをもともと押さえていた北部九州と、新たにそれを牛耳《ぎゅうじ》ろうとした近畿・瀬戸内とが争った末に、後者が勝利して政権を樹立するというシナリオを描いた。さらに別の人たちは、さまざまな地域勢力の合意のもと、物資流通や防御に都合のいい奈良盆地に政権の本拠が共立されたと考えた。

北部九州東進説や、北部九州対近畿・瀬戸内の対立説は、それを反映するような、武力による進攻や抗争の跡を考古資料に見いだしがたいという弱点がある。とくに前者は、なぜ北部九州の勢力が東をめざさなければならなかったのか、という社会的、経済的な要因が説明できておらず、科学的な歴史叙述としては、説得力に欠ける。

ネットワークの中心的存在となった纏向や、それに次ぐ博多湾岸《はかたわん》・大阪湾岸、さらに各地の拠点となったムラは、すでにみてきたように、ほかのムラを征服したり支配したりして大きくなったのではない。環濠《かんごう》などの防御施設をもたず、はなはだ開放的である点からみても、さまざまな地域からそこをめざして集まってきた人びとによって、それらは巨大化したことが明らかだ。紀元前一世紀頃の北部九州の中心的存在だった須玖《すぐ》や三雲《みくも》のムラと同じように、経済上の利益や、より大きな安全保障が、たくさんの人びとを集める求心力になったのだろう。紀元前一世紀頃に北部九州という限られた範囲で起こったプロセスが、およそ三〇〇年の時を経て、さらに東に舞台の中心を移し、九州から関東・東北までというはるかに広い範囲に規模を拡大して繰り返されたのである。

この動きのなかで、奈良盆地が最大の中心となった理由は、多くの人が考えるように、やはりその地理的な条件にあるだろう。奈良盆地は、西に川を下れば河内潟《かわちがた》に出て、瀬戸内海につながる。東に峠を抜ければ、伊勢《いせ》で東海道に直結する。南に低い山並みを越えれば紀ノ川《きのかわ》の河谷《かこく》伝いに太平洋ルートの海路に出る。北は京都の盆地を経て日本海側への街道に達する。三世紀、動きを強めた人の移動の波は、列島中央の大交差点である奈良盆地を洗わずにはおかなくなっただろう。交差点を通過する人びとと物資の量が一気に増えたことによって、それまで、環濠集落や青銅器《せいどうき》に演出される古い形の社会関係を保ってきた奈良盆地も、地の利に根ざした新しい社会の中心地への開化を余儀なくされたと考えられる。

日本列島の「民族大移動」

人や物や情報の流れの活発化と広域化が、近畿の奈良盆地を中心に据えて、列島内各地を結ぶ広域のネットワークをつくりあげていった様子をみてきた。そこで、つぎに問わなければならないのは、このような流れが、三世紀になって活発化・広域化した真底からの理由だ。

弥生《やよい》時代の後半、紀元後に入るころから気候が寒冷化し、農業生産にも危機が訪れた可能性が高いことは先に述べた。新たな耕地や物資を求め、時にはそれまでのムラを捨てて、人びとが移動したり、新たなムラを開いたりした様子もみた。弥生から古墳《こふん》時代への社会変化を導く人・物・情報の広域流通網が織りなされていった根本的な要因は、紀元前後から古墳時代を経て奈良時代のころまで長く続いた気候の寒冷化と、それに直面し、対応した人びとの生存戦略のなかにあったと考えられる。

この寒冷化は世界的なもので、ユーラシアの西の端ではいわゆるゲルマン民族大移動をもたらしたと考えられている。また、ユーラシアの東の端でも人口の流出や社会不安を生み、黄巾《こうきん》の乱《らん》などの混迷の末、紀元後二二〇年に後漢《ごかん》王朝が滅びる要因をつくった。西ではローマ、東では後漢というそれまでの社会体制を崩すもとになった地球規模の環境変動と人の動きの流動化に対して、日本列島も例外ではいられなかったということだ。物や情報を伴う人びとの広域移動は、根本的には、そのような流動化が、日本列島でも三世紀に頂点を迎えたことの反映である。

　地球規模での人の動きの流動化は、むろん、北海道を中心とする列島北部でも明確にみられる。東北以南の社会が弥生時代から古墳時代へと移り変わるころ、北海道でも、それまで続いてきたムラが途絶え、定住性の高い生活から、ひんぱんに移動する生活へと移り変わった可能性が高い。寒冷化や、それに伴う海流の変化などによって、定住による集中的な資源獲得がうまくいかなくなり、新たな資源を追って移動する人びとが増えたと考えられる。その一部は、先にみたように東北の海岸沿いに南下し、三陸《さんりく》や新潟まで北上してきていた関東・東海・近畿

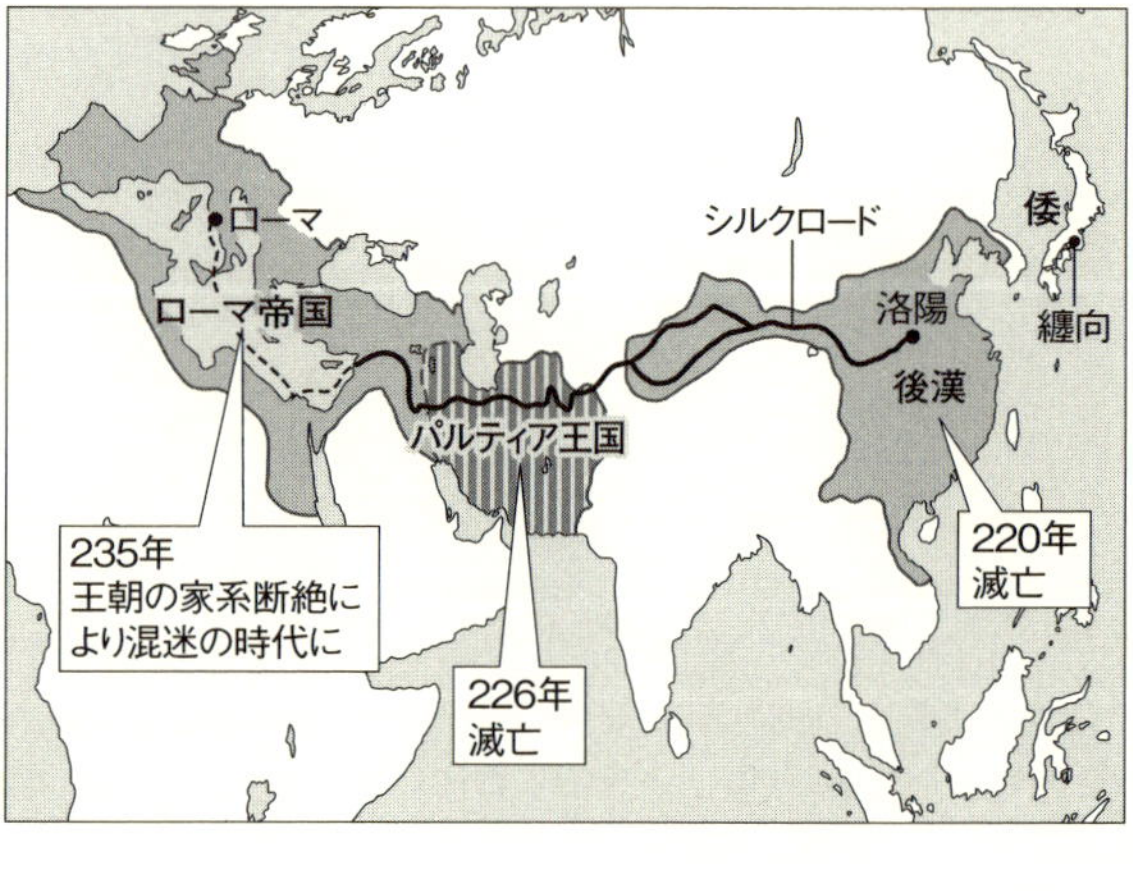

●三世紀の世界的な動き
ユーラシア大陸各地の国々が、三世紀前半にそろって滅亡したり衰退したりしたのは、偶然ではなく地球規模の環境変化の影響によるものだろう。日本列島でも同じ時期に人びとの動きが流動化し、纒向を中心とする列島規模のネットワークが成立した。

にゆかりをもつ人びとと接触して、さまざまな経済活動を行なっていたようである。

物質文化の多様化と斉一化

寒冷化という環境変動に直面した日本列島の人びとは、それまでの文化や行為の伝統を守ることをしだいにやめ、個々人やグループごとの才覚で、生存と成功を求めてさまざまな試行や競争を繰り広げた。その痕跡《こんせき》は、一～二世紀にみられるめまぐるしいムラの盛衰、石から鉄への資源の切り替え、大きな墳丘墓《ふんきゅうぼ》の出現、青銅器《せいどうき》の大型化と消滅など、二〇〇年そこそこで起こったとは思いにくいほどの、多彩で激しい物質文化の変転に刻み込まれている。

それが、三世紀になると、纏向《まきむく》を核とする新しいムラのネットワーク形成、石から鉄へのほぼ全面的な移行、墳丘墓の広域展開など、ひとつの方向に物質文化がそろっていく動きがはっきりしてくる。この動きは、これらの物質文化が反映する経済や社会の仕組みが、そのときの自然・国際関係・技術などの環境や条件にもっとももかなうものとして生き残り、たくさんの個人や集団によってつぎつぎと模倣されたこととの反映だろう。

すなわち、外部の資源である鉄に頼り、それを主とする諸物資を遠距離交渉によって獲得したり、列島内外の諸地域に出向いて手に入れたりする、対外的な経済活動の比重がきわめて高い経済の仕組みが広まったということだ。三世紀に勢いを増す人と物と情報の広域流動は、こうした状況を映し出したものである。

さらに、外部資源依存型ともいえるこのような経済体制のもとでは、対外交渉の窓口となって利益をもたらす代表者への信服が強まり、そこから階層的な社会への道が開ける。同じく三世紀に広まる前方後円形《ぜんぽうこうえん》や前方後方形《ぜんぽうこうほう》の墳丘墓は、こうした階層形成を下支えする思想と、それを物質文化に表現する方法とが、列島の広い範囲に伝わったことの現われだろう。

このような経済体制と人間関係、すなわち対外交渉とそれをつかさどる代表者の権威のうえに、つぎの古墳《こふん》時代社会は築かれていった。その意味で、環境の変動に対してさまざまな新しい生活戦略が芽生え、それらがめまぐるしく競い合って盛衰し、ついにはひとつの方向にそろいはじめた一世紀～三世紀前半の弥生《やよい》時代後期は、つぎの社会に向けての基盤づくりが進む大きな変動期だったといえるのである。

いよいよ、人類社会での屈指の規模と築造密度を誇るモニュメントとして、日本列島に古墳が出現する。つぎの章では、日本列島史、東アジア史、そして人類史という三段階の視点から古墳出現の意味を考え、それが築かれた時代、すなわち列島における最後にしてもっとも複雑に発達した前文字社会の仕組みを解明し、その歴史的な意義づけを行なってみよう。三世紀中ごろから六世紀までの古墳時代が対象となる。

第六章

石と土の造形

古墳時代

古墳の創出

箸墓登場

三世紀の中ごろ、奈良県桜井《さくらい》市の纏向《まきむく》遺跡群の南の端に、それまでにない威容を誇る超大型の構造物が現われた。箸墓《はしはか》（または箸中山《はしなかやま》）と呼ばれるこの巨大前方後円墳《ぜんぽうこうえんふん》は、五段に築かれた直径一五〇メートルほどの円形墳丘《ふんきゅう》の一方向に、三味線のバチのような平面形をした長さ約一三〇メートルの突出部がつき、墳丘の長さはおよそ二八〇メートル、高さは二九メートル以上ある。

箸墓の原形が、すでにその少し前に生み出されていた前方後円形の墳丘墓にあることは確かだろう。しかし、それらと箸墓との間には、はっきりとした規模の違いがある。箸墓以前の前方後円形墳丘墓の代表格といえる近くのホケノ山《やま》と比べてみると、墳丘の長さはおよそ三・五倍、高さは約四倍。体積だと二〇倍以上になるだろう。このことからまずいえるのは、箸墓の造営には、それまでの墳墓とは比べものにならないほどの労働力がかかっているということだ。

箸墓について、その大きさとともに特筆すべきは、以前から注目されてきたように、箸墓と相似形で、規模が箸墓の二分の一や三分の一になる前方後円墳が各地に出現することである。また、前方後円墳の円形の部分を方形に置き換えた前方後方墳《ぜんぽうこうほうふん》も存在する。都出比呂志《つでひろし》は、古墳《こふん》の規模と形によって葬られた人の身分を表示する政治秩序が、箸墓の出現とともに形成されたと考え、これを

「前方後円墳体制」と称した。このような政治体制が列島各地の有力者の間につくられたことが、弥生《やよい》時代とは異なる古墳時代の特質だと説いたのである。そして、こうした体制のもとでつくられた日本列島の墳墓を、弥生時代までの墳丘墓と区別して「古墳」と呼ぶ考えも、多くの研究者に受け入れられている。

箸墓の登場は、このような体制の頂点に立ち、その葬送にのぞんで莫大な労働力を集めることが可能であった人物が現われたことを示している。では、この人物とは何者だったのだろうか。箸墓の内容を詳しくみることによって、それを明らかにしてみよう。

1

◉幾何学的な建造物
箸墓古墳の復元模型。後円部を五段に、前方部前面を三段に整え、斜面に石を葺《ふ》いた幾何学的な建造物である。最近の周辺部の発掘調査の結果、墳丘のすその細い周濠の存在が判明した。

箸墓の内部

箸墓《はしはか》は、宮内庁が皇族の墓と認定して管理しているため、天皇陵と同様に、学術的な発掘調査の道は閉ざされている。そこで、箸墓と近い時期のほかの大きな古墳の例から、その内部を類推してみることにする。なお、口絵の復元図も、五世紀のものなので時代的にはあとになるが、共通する部分もあるので参照していただきたい。

まず、主の遺骸《いがい》は、後円部の土の中の長さが四～五メートルにもなる木の棺《ひつぎ》の中に横たえられている。衣服などは残っていないためわからない。頭のまわりには一〜数面の鏡が置かれる。多くは布につつまれたり、巾着《きんちゃく》に入れられたりしていたようだ。胸元あたりを中心に、玉《たま》飾りや玉製品がある。胴体の横には、一〜数本の刀や剣《けん》が置かれている。抜き身ではなく、布につつまれたり、鞘《さや》に収められたりしている。鉄の道具も少しある。このような棺の中身は、弥生《やよい》時代の後期に出てきていた墳丘墓《ふんきゅうぼ》の副葬品とは、やや点数が増えているほかは、ほとんど変わりがない。四世紀中ごろになると、大型の前方後円墳《ぜんぽうこうえんふん》などでは、棺は石でつくられるようになる。

　遺骸や副葬品を入れた木や石の棺は、やはり土の中に石を組み上げてつくった長さ五〜六メートル、幅一メートル前後、深さ一〜二メートル程度の部屋（竪穴式《たてあなしき》石室）の中に収められている。注目すべきは、棺と石室の壁の間に置かれた、おびただしい品物だ。まずは鏡。棺内のものが、紀元後一〜二世紀の中国製の古い鏡であることが多いのに対して、棺外の鏡は、三世紀に中国か日本列島のどちらかでつくられた三角縁神《さんかくぶちしん》獣鏡《じゅうきょう》であることが多く、数も大量である。奈良県天理《てんり》市の黒塚《くろづか》古墳では、三三面もの三角縁神獣鏡が棺外に並べられていた。ただし、四世紀も末になると、ここに多量の鏡を並べる例はまれになってくる。

●古墳に副葬された鏡
左の古い時代の中国鏡（京都府京丹後市大田南《おおたみなみ》五号墳出土）は、棺の内部、とくに遺骸の頭のまわりに置かれることが多い。これに対して、右の三角縁神獣鏡（黒塚古墳出土）は、遺骸の足もとや棺外に並べられる傾向がある。

棺の側面と石室の壁との間には、多量の刀剣も置かれている。四世紀までは短剣やヤリが多いが、五世紀になると長い刀や矛《ほこ》が増える。矢の束や弓もしばしばそれらに伴う。棺の前後と石室の壁との間には、甲《よろい》や冑《かぶと》が置かれている。初めは冑だけが鉄製だが、四世紀には鉄製の甲も現われて、五世紀に入るころには複数の甲・冑のセットを入れるものも出てくる。五世紀の後半になると馬具も加わり、おもに足もと側に置かれる。これら武器や防具のほか、鉄製のナイフ・斧《おの》・鎌《かま》・鍬《くわ》・鋤《すき》などの農具や工具もたくさん入れられる。五世紀の農具や工具はミニチュアが多く、さらにそれらを滑石《かっせき》（蠟石《ろうせき》）で模造したものが流行する。

以上をまとめると、遺骸に接して鏡・刀剣・鉄器・玉類を少しずつ配した棺の外側に、さらに多数の鏡や刀剣や鉄製農工具、武器・防具・馬具などの品々がおびただしく置かれる。そのあとに石室に石の蓋《ふた》をかけていき、粘土で封印して埋め戻す。上には埴輪《はにわ》を立て並べて埋葬の完成だ。埴輪は各段のテラス（古墳の斜面の段になった平坦《へいたん》なところ）にも立て並べられ、埋葬された古墳の主をいくえにも護《まも》っている。

たくさんの美麗な品を副葬したり、趣向を凝らした各種の埴輪を立て並べたりすることは、五世紀に頂点に達する。あとで述べるように、墳丘の規模がピークを迎えるのも五世紀のことである。

3

◉黒塚古墳の竪穴式石室
長さ八・三mの竪穴式石室に収められた木棺。棺の内部には二世紀の中国鏡一面と刀剣各一本が、外側には三世紀の三角縁神獣鏡三三面と武器多数が置かれていた。

このようにしてひとりの人物を美や威厳で飾り立てることがもっとも盛んになる時期、すなわち、そうした物質文化によって人びとの間の序列がもっとも華やかに演出される、文字以前の複雑社会が完成の域に達した段階を、日本列島では五世紀におくことができる。

古墳の主の神格化

今みてきた遺骸《いがい》の葬り方で弥生《やよい》時代の墳丘墓《ふんきゅうぼ》と比べてもっとも大きく異なっているのは、棺《ひつぎ》の外側に膨大な品々を配置する点だろう。このことは、箸墓《はしはか》に葬られた人物の性格をさらに詳しくさぐるうえでも重要である。

そのための最良のヒントは、九州の玄界灘《げんかいなだ》に浮かぶ沖ノ島《おきのしま》だ。福岡から七七キロメートルのところにある、周囲およそ四キロメートル、最高地点二四三メートルの孤島で、ふつうの日常生活を営むのは難しい。切り立った崖が続くなかで唯一開けた浜になっている南の岸から少し登ったところに、宗像《むなかた》大社の沖津宮が鎮座する。この宮の裏側には、とくに大きな十数個を中心にした巨石群があって、それらのすき間や上面に、人びとが品物を奉献した跡が十数か所ほど確認されている。島の位置からみて、日本海航路の守護や安全を、航海者や交易者が祈った聖地だったことは疑いない。

奉献された品々の年代から、品物の供献は四世紀に始まり、古代を経て中世の室町時代まで続いたことがわかっている。そのうち、古墳《こふん》時代にあたる四世紀から六世紀までの品々を見ると、鏡・刀剣・玉《たま》類・滑石《かっせき》製の農工具・甲冑《かっちゅう》・馬具などで、古墳の棺の外側に置かれた品々と共通する。もっとも古いとされる一七号遺跡では、三角縁神獣鏡《さんかくぶちしんじゅうきょう》を含む二一面もの鏡が置かれていた。こうした大量奉献も、古墳棺外の状況と同じだ。このことは、沖ノ島の巨石に宿って海上通行の安寧を護《まも》ることを期待されていた超自然的存在《スーパーナチュラル・ビーイング》と、大型古墳の主とは、同等のものとして扱われていた可能性を示す。沖ノ島の超自然的存在を神と呼んでいいなら、死せる古墳の主もそれに準じる存在と認識されていたことになる。箸墓に葬られたのは、このような神格を与えられた最初の人物だったと考えられる。

古墳とは何か

箸墓《はしはか》が、それまでの墳丘墓《ふんきゅうぼ》とどのような点で異なっているかが、しだいに明らかになってきた。ひとつは、それまでとは比較にならないほどの労働力を要する巨大な墳丘をもち、墳丘の形と規模とで示される秩序の頂点に立つことだ。そしてもうひとつは、葬られた人物が、遠距離交易を支える航海の「守り神」と同等の神格を与えられていたことである。

4

◉沖ノ島の祭祀遺跡模型
中央下のほうにある建物が沖津宮。その背後に斜面を転落して堆積した巨石群が並ぶ。そのすき間や上面などに、鏡・刀剣など古墳の副葬品と同じ品々が供献されていた。

このように整理すると、箸墓に埋葬された人物は、それまでに、纒向《まきむく》をはじめとする各地で前方《ぜんぽう》後円《こうえん》形や前方後方《ぜんぽうこうほう》形の墳丘墓に葬られてきた大酋長《だいしゅうちょう》たちの、さらに上に立つ代表者としてまつりあげられた存在とみていいだろう。つまり、鉄を軸とする外部の諸物資や、それをもたらす遠距離交易の支配権をめぐって競争的関係にあった各地の大酋長たちは、お互いの利害をうまく調整して対立を避け、物資取得のためのさまざまな活動を共同で行なうための、対外的な旗印となる人物を共同で擁立するに至ったものと推測される。

こうして擁立された人物は、日本列島の広い範囲の利害を代表し、そこに寄り集まった人びとのアイデンティティを体現し、対外交渉の先頭に立つ、経済・文化・政治の各面にわたる代表権者だ。神格化された可能性が高いことから、その座を王位と呼んでもよい。外部の社会からも、倭《わ》を代表する王、すなわち倭王と見なされる存在だっただろう。

倭王と地方の王

箸墓《はしはか》のあと、その規模と形を踏襲《とうしゅう》する大型前方後円墳《ぜんぽうこうえんふん》が、六世紀の中ごろまでの約三〇〇年の間、十数代にわたって近畿に築かれる。これは、倭王《わおう》の位が保たれ、代々その地位を占める人物が輩出した様子を示す。また、箸墓の場合と同じように、倭王の大型前方後円墳と同じ設計

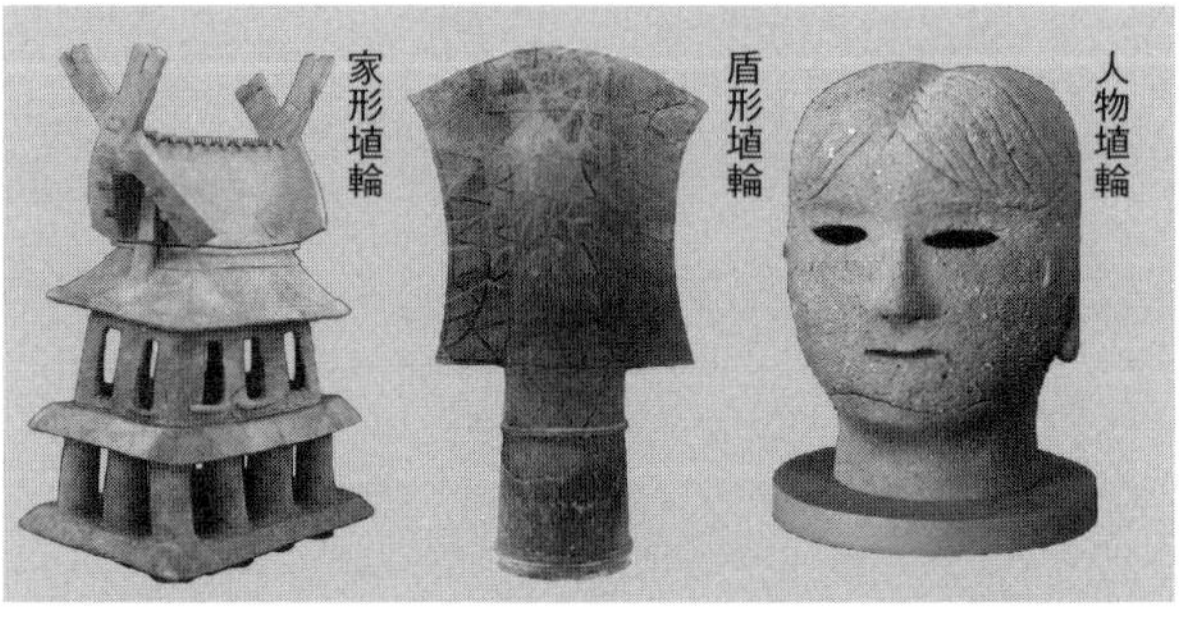

5

で規模を縮小したものが、各地に営まれる。これらはおそらく、倭王との密接な関係を誇示する各地の大酋長《だいしゅうちょう》によるものだろう。このような大酋長は、倭王の威信を背景にそれぞれの地域の支配をめざした、地方の王ともいうべき存在だったと考えられる。

ただし、北條芳隆《ほうじょうよしたか》が強調するように、弥生《やよい》以来の前方後円形・前方後《ぜんぽうこう》方《ほう》形の系統をひいた墳丘墓《ふんきゅうぼ》も、ほぼそのままの形で箸墓以後も各地に残る。たとえば讃岐《さぬき》では、細長くて低い突出部をもった前方後円形積石塚《つみいしづか》と呼ばれる墳丘墓が、四世紀の終わりごろまで継続して築かれた。また出雲《いずも》では、四隅突出型《よすみとつしゅつがた》墳丘墓の伝統をひく大型方墳が残った。在地での伝統的な威信を演出することを重視した大酋長も、当初はまだ少なくなかったようだ。さらに、それら各地の酋長をいただく人びとは、弥生時代以来の小さな方形・円形の墳丘墓や、墳丘をもたない木棺《もっかん》や箱形の簡素な石棺《せっかん》に葬られつづけたのである。

だが、四世紀の後半になるとこうした在地的酋長墓はおとろえはじめ、五世紀の前半にかけて、近畿の大型前方後円墳を各地で再現する気運が広まる。倭王との関係の深さを誇示して、地方の王としての威信を確立しようとした大酋長が、各地で数を増やしたことの反映だろう。できるだけ多くの鉄や先進的文物を地元にもたらして威信を保つためには、個別に競争するより、倭王を旗印とし、その名目で行なう対外活動に参与するほうが有利と考えた大酋長が増えた様子がうかがえる。

◉埴輪
古墳表面や古墳を取り巻く堤に並べられる埴輪は、吉備の楯築《たてつき》で生まれた特殊器台が近畿に伝わり、箸墓などの古墳表面に立てられたのが発祥といわれる。埴輪には、馬などの動物・人物（右）、盾などの器財（中）、家・柵などの建物（左）などの各種がある。写真は、大阪府高槻市の今城塚《いましろづか》古墳（墳丘の長さ約一九〇ｍ）の堤から出土した埴輪の数々。今城塚古墳は、六世紀前半の倭王の墓と考えられている。

墳墓の威信競争

高句麗と百済の墳丘墓

鉄を軸とする諸物資やそれをもたらす遠距離交易をめぐる大酋長《だいしゅうちょう》たちの競争のなかから、代表者としての倭王《わおう》の位が生み出され、かれらが大型前方後円墳《ぜんぽうこうえんふん》の主になった可能性を述べた。日本列島史という視点から見た古墳《こふん》出現の理由は、以上のとおりだ。だが、同じころ、朝鮮半島でも同様に、墳墓の発達という現象がみられることには注意しなければならない。箸墓《はしはか》のような巨大古墳が列島に現われた理由を、列島内部の事情だけからでは説明しきれない可能性を示すからだ。

現在の朝鮮民主主義人民共和国（北朝鮮）から中華人民共和国東北部の吉林省《きつりん》にかけての地域では、青銅器《せいどうき》時代の積石塚《つみいしづか》などを祖型に、切石《きりいし》や割石《わりいし》で基壇を組み、その上に段を重ねる「方壇階梯《ほうだんかいてい》積石塚」が三世紀頃に現われた。中朝国境を流れる鴨緑江《おうりょくこう》のほとり集安《しゅうあん》（現在は中国吉林省）付近で、これらはとくに大型化する。四世紀後半のものといわれる千秋塚《せんしゅうづか》は、八五×八〇メートル、高さ一五メートルの巨大積石塚だ。今は上段が崩れているが、柱のような切石をまっすぐに組んだ基底部の長さは見る人を圧倒する。また、五世紀前半の将軍塚《しょうぐんづか》は、一辺の長さは三一・五八メートルとやや小さいが、切石をさらに巧みに組んで、高さ一二・五メートルの見事な七段のピラミッド形墳丘《ふんきゅう》をつくる。そのほか、太王陵《たいおうりょう》、西大塚《さいだいづか》など、四世紀後半から五世紀前半にかけての巨大積石塚が集安付近に集中し、高句麗《こうくり》の歴代王陵と考えられている。

少し南のソウル近辺では、複数の木棺《もつかん》や甕棺《かめかん》にかぶせて大型の墳丘を盛り、葺石《ふきいし》をほどこし、さらに上に土をかぶせる「葺石封土《ふうど》墳《ふん》」と呼ばれるものがつくられていたが、四世紀になると、北方の高句麗から方壇階梯積石塚が伝わった。ソウルの市街地にある石村洞《ソクチョンドン》古墳群には大型の方壇階梯積石塚が集まっていて、うち最大の三号墳は、積石は一部しか残っていないが五〇・八×四八・四メートルの規模を誇る。四世紀の後半のもので、百済《くだら》初期の王陵とされている。

ソウル以南の朝鮮半島西岸地域では、日本列島の方形周溝墓《ほうけいしゅうこうぼ》に似た低い方形の墳丘墓がつくられる。さらに南の全羅南道《チョルラナムド》地域では、それに加えて、楕円形《だえんけい》やくさび形の平面をもった比較的高い墳丘墓が三〜四世紀までには現われている。五世紀になると、大型甕棺を中心とする方形の大型墳丘が築かれた。繭《まゆ》を思わせる巨大な甕棺は、この地方の中心都市光州《クワンジュ》にある光州国立博物館の見もののひとつになっている。

新羅と加耶の墳丘墓

いっぽう、朝鮮半島の南部から南東部にかけての地域では、紀元前一世紀頃から、斧《おの》・矛《ほこ》・剣《けん》などの多数の鉄器・土器・鏡などを副葬した木《もつ》

6

◉集安の将軍塚
柱状に成形した切石を七段に組み上げ、上段に横穴式の石室をつくる。高句麗中興の祖・広開土王《こうかいどおう》(好太王《こうたいおう》)の墓との説もある。

棺墓《かんぼ》がさかんに営まれるようになる。紀元後二世紀頃、木棺をつつむ外箱である木槨《もっかく》が取り入れられ、副葬品はますます豊かになるが、大きな墳丘《ふんきゅう》はまだない。この地域の墳墓を中心としたまつりは、大墳丘を築くことよりも、たくさんの品物を副葬することが重んじられたらしい。この点は、副葬品が少ない高《こう》句麗《くり》や百済《くだら》とは対照的だ。

ただし、朝鮮半島の東辺に近い慶州《キョンジュ》を中心とする地域では、木槨のまわりや上に石を積んだ「積石《つみいし》木槨墓」が三世紀に現われ、さらに四世紀の後半には、それにかぶせて円形や瓢形《ひょうけい》（瓢箪《ひょうたん》形）の高い墳丘が盛られるようになった。五世紀前半の新羅《しらぎ》王陵といわれる皇南大塚《ファンナムデーチョン》は、全長一一四メートル、高さ二二・六メートルの巨大な瓢形墳で、内部の積石木槨の中には、貴金属をふんだんに使った冠《かんむり》、飾り大刀《たち》、馬具、金属やガラスの器、多量の鉄器や鉄鋌《てってい》（板状の鉄素材）などといった、豪華な副葬品があった。皇南大塚のまわりは大小の円墳や瓢形墳が取り巻き、世界遺産にも指定された圧倒的な王陵区の景観を見せている。

7

●新羅の王陵
慶州の市街地に広がる四世紀後半～五世紀の新羅の支配層の墓域。中央にあるもっとも大きな墳墓が皇南大塚。一部の墳墓は、二〇世紀前半の侵略統治時代に日本人が発掘した。

いっぽう、加耶《かや》と総称される南部の海岸沿いや内陸寄りの地域では、最後まで大きな墳丘は発達しないが、四世紀の後半には、列島のものと似た竪穴式《たてあなしき》石室が現われ、五世紀にかけて武器や農工具を中心とするたくさんの鉄器を副葬するようになった。とくに、鉄の産地ならではの鉄鋌の大量埋葬は印象的だ。

東アジアからみた古墳の出現

日本列島の墳丘墓《ふんきゅうぼ》から古墳《こふん》に至る歩み、すなわち、クニの頂点に立つ大酋長《だいしゅうちょう》の墳墓のまつりにいちだんと多くの富や労力をつぎこんでいったのと同じ過程が、中国の東北部から朝鮮半島にまでわたる東アジアの各地域でも認められることを述べた。これら各地の墳墓を中心としたまつりが、互いに影響を与えあい、刺激しあいながら発展したことは疑いない。

その背景には、気候が寒冷化し、生活の安定を求めて人びとの流動が激しくなるなか、鉄などの物資やその権益をめぐる酋長たちの競争が、東アジア全体で強まったという事情があっただろう。そうした競争の激化に押されて、日本列島だけでなく、朝鮮半島の各地でも同じように、遠距離交渉や対外経済活動を威信の源《みなもと》とする酋長たちが結集を強め、倭《わ》と同様、旗印となる人物を擁立して政治勢力を形成しようとしていた可能性が高い。

今みてきた朝鮮半島各地の墳墓の発達は、それぞれの政治勢力が、旗印としてかついだ人物を盛大に埋葬することによって、みずからの威信を東アジア一円に誇示しようとした結果だろう。東アジア史の視点からは、箸墓《はしはか》を嚆矢《こうし》とする日本列島の古墳の出現もまた、そのような動きのひとつとして理解することができる。

巨大墳墓の世紀

同じように東アジア史の視点からみたときに、もうひとつ朝鮮半島と日本列島に共通する現象がある。朝鮮半島で墳墓の発達が頂点を迎えていた四世紀後半から五世紀前半にかけて、日本列島の古墳《こふん》も巨大化していったことだ。

この時期に、近畿の大型前方後円墳《ぜんぽうこうえんふん》の様式に準じたものが、各地でもさかんにつくられはじめたことは、先に述べた。関東や吉備《きび》で、それまでになかった墳丘《ふんきゅう》の長さが二〇〇〜三〇〇メートル級の前方後円墳が現われたのもこの時期だ。おそらくそのためだろう、五世紀の前半から中ごろ過ぎにかけて、近畿に築かれる倭王《わおう》の前方後円墳はそれ以上に巨大化し、大阪府堺市《さかいし》陵山《みささぎやま》（伝履中《りちゅう》陵）の三六五メートル、大阪府羽曳野市《はびきのし》誉田《こんだ》御廟山《ごびょうやま》（伝応神《おうじん》陵）の四二〇メートル、堺市の大山《だいせん》（伝仁徳《にんとく》陵）の四八六メートルというように、世代ごとにほぼ五〇メートルずつ墳丘の長さがのびていく。

これに対して、四世紀の間は、箸墓《はしはか》の二八〇メートルが規範になっていたらしく、三〇〇メートルを大きく超えないものが五代にわたって奈良盆地に築かれていた。王位のシンボルとしての最大前方後円墳の規格を決める指針が、四世紀と五世紀の間で変化したらしい。

朝鮮半島と日本列島を鳥瞰《ちょうかん》してみると、五世紀の前半には、大墳丘《ふんきゅう》と豪華な副葬品で知られる慶《キョン》州《ジュ》の皇南大塚《ファンナムデーチョン》、東洋のピラミッドといわれる集安《しゅうあん》の将軍塚《しょうぐんづか》、多量の鉄器を入れる加耶《かや》諸地域の竪穴《たてあな》式《しき》石室、二重の水濠《すいごう》に三段の大墳丘を映す近畿の御廟山・大山、列島第四位の規模を誇る岡山平野の造山《つくりやま》など、地域ごとに固有のモニュメントが、それぞれに莫大な富と労力を盛り込まれてしのぎを削っていた。

それぞれの地域で結集した各勢力が、自分たちの政治的な権威を宗教や神話上のアイデンティティに託して演出しながら、東アジアを舞台に競合を繰り広げていた様子がうかがえる。

これらの諸勢力のなかから、集安・慶州・近畿、および五世紀には壮大な墳丘をつくる段階をすでに脱しつつあったソウルが、それぞれ高句麗《こうくり》・新羅《しらぎ》・倭・百済《くだら》という、のちの古代国家の中心へと育っていった。いっぽう、そのほかの加耶諸地域や吉備などは、モニュメント造営の核を形成しながら、独自の古代国家の中心になること

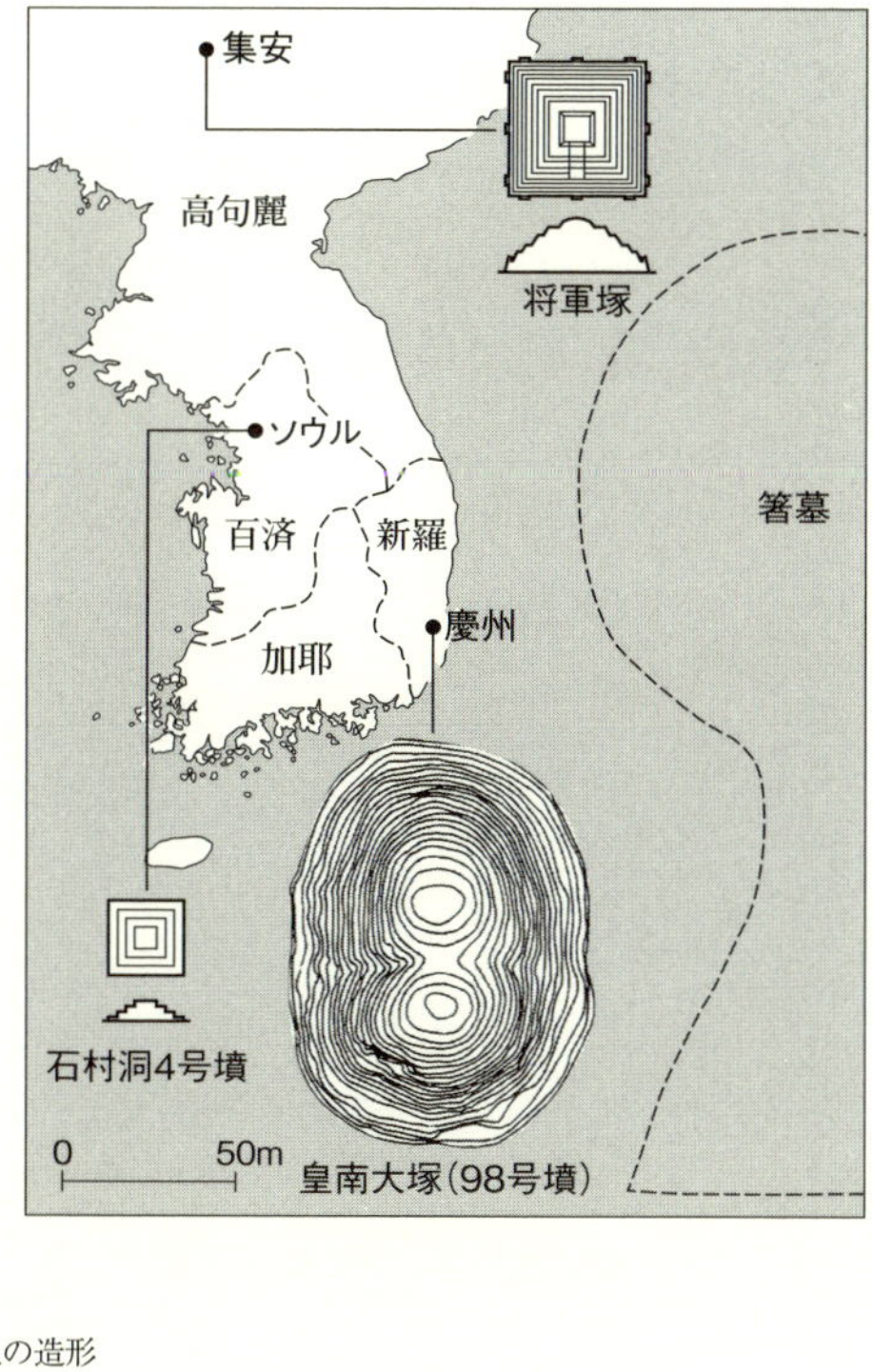

●発達する東アジア各地の墳墓
東アジア各地の墳墓が最大に達するのは四世紀後半～五世紀前半である。大きさでは日本列島の古墳が群を抜いていることがわかる。各政治勢力は固有の形の墳墓を築くことで、それぞれの権威やアイデンティティを誇示していた。(『図解・日本の人類遺跡』より作成)

ができないまま、ついにはほかの古代国家のなかに組み込まれていく。だが、それはあくまでも、以後の歴史が決めた結果だ。五世紀前半のこの時点では、各勢力は自律性を保ち、おのおのを中心とした国家形成の可能性をはらみながら、競合や連携の動きを繰り広げていたのだろう。

人類史のなかの巨大古墳

人類社会とモニュメント

日本列島史と東アジア史という二つの異なった視点から、箸墓《はしはか》を嚆矢《こうし》とする古墳《こふん》が出現した理由を考えてきた。しかしながら、旧石器《きゅうせっき》時代からの四万年の列島史のなかに古墳を位置づけたり、列島の古墳が世界でも最大級の規模を誇るまでになった要因を解き明かしたりするためには、さらに大きく視野を広げ、心の科学を武器にして、ヒトとモニュメントとの関係を分析することも必要だ。「はじめに」で述べたように、ピラミッドや神殿のような人目をひく巨大な建造物が社会のなかで重要な役割を占める社会は、地球上の各地に現われるが、日本列島では、箸墓のような巨大前方後《ぜんぽうこう》円墳《えんふん》がつくられた三世紀中ごろ以降の古墳時代の社会がそれにあたる。こうした建造物が、なぜ、どのようにして現われるのかを追究することによって、古墳時代の社会、ひいてはそれをゴールとして四万年の歩みを進めた日本列島の先史時代の特質を、はじめて明らかにできるだろう。

　物理的な機能ではなく、心に働きかけることを主目的としてつくり整えられた構造物をモニュメントと呼ぶことはこれまでにも述べてきた。縄文《じょうもん》時代後期の環状列石《かんじょうれっせき》はその代表だ。縄文前〜中期の環状集落、弥生《やよい》時代中期の環濠《かんごう》集落なども、生活の場という機能を失ってはいないが、その円い形や守りを固めた姿などに、集団の絆《きずな》を誇示しているという点では、モニュメントとしての性格を兼ね備えた施設といえる。人工物に機能以外の「凝《こ》り」を盛り込んでさまざまな社会的メッセージを表出するというホモ・サピエンスの特質からして、モニュメントやその性格を備えた構造物は、程度の差はあれ、歴史上どのような社会でも認めることができる。

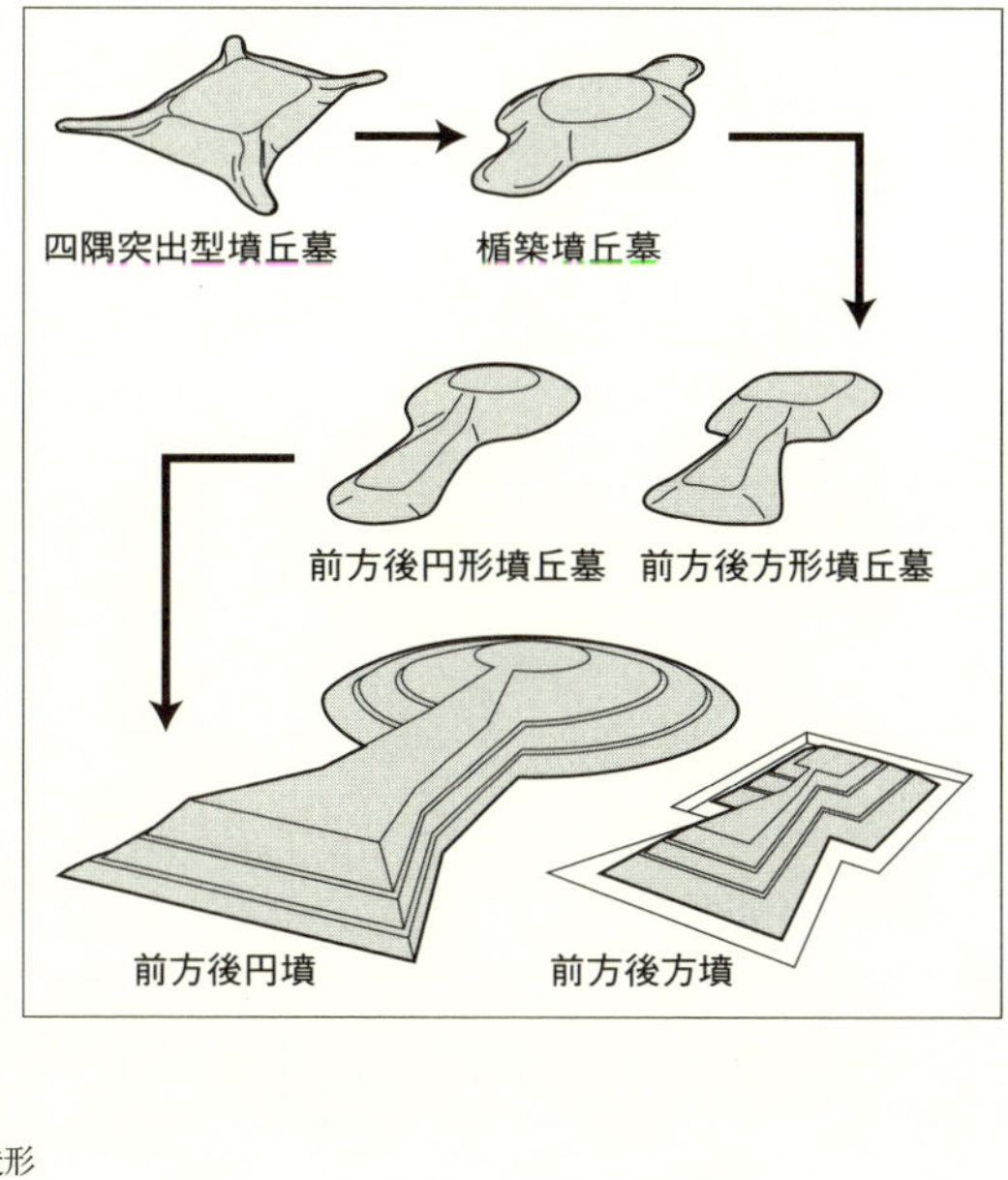

●弥生時代から古墳時代への墳丘の発達
一方向だけに突出部をつけた前方後円形・前方後方形の墳丘の出現は、「前・後」「表・裏」という明確な方向性が墳墓に現われたことを示す。墳丘の高さと規模を飛躍的に拡大し、段やテラスで形のメリハリをつけ、幾何学的な建造物に仕立てたことが、古墳の特徴である。

モニュメントの進化

ただし、そのなかでも、エジプトやマヤのピラミッドや神殿など、とくに大きく、高く、人目をひくようにつくった格別のものがあることには注意しなければならない。縄文《じょうもん》時代など、集団の絆《きずな》が強く、個人の傑出がまださほど著しくない社会のモニュメントは、円を基本形とし、造形も素朴だ。これに対して、ピラミッドや神殿は、規模を拡大し、高さを強調し、直線を明確にした幾何学的な立体形を志向する。さらに、面には石材を葺《ふ》いたり彩色をほどこしたりして、独特の質感や色彩を演出する。

これらは、形態・質感・色彩とも自然界にない姿を人工的につくりだすことによって、それまでにない視覚的効果を企図して美的表現を盛り込んだ構造物といえる。モニュメントのなかでもとくにこのような性質を帯びたものを、美的《エステティック》モニュメントという。箸墓《はしはか》を嚆矢《こうし》とする大型の前方後円《ぜんぽうこうえん》墳《ふん》や、それに準じる前方後方墳《ぜんぽうこうほうふん》もまた、視覚的効果を得るために美的表現を飛躍的に著しく盛り込んだ構造物であるという点で、その原形となった前方後円形や前方後方形の墳丘墓《ふんきゅうぼ》と区別され、美的モニュメントの範疇《はんちゅう》に含めることができるだろう。

美的モニュメントがもっともさかんに築かれる社会は、文字をもたない、あるいは文字が現われるか本格的に使われはじめる直前の、「文明」型文化の社会だ。王墓や神殿という形で、それらのモニュメントは、特定の個人の権威や、その後ろ盾となる宗教的な威信を演出するという役割を帯びているのである。箸墓に始まる前方後円墳が、倭王《わおう》の権威と、沖ノ《おきの》島《しま》にまつられた存在に通じる神性を演出するものであったことは、先に推測したとおりだ。

巨大古墳出現の人類史的要因

社会のなかに格差ができ、人と人との序列が複雑になったり、入れ子状になったりして肥大化してくると、それを安定させ、維持するための仕組みが現われてくる。上位の人びとの地位を保障するとともに、下位の人びとの不利益を補償するシステムだ。

たとえば、民族例で知られているように、上位の人が宴会を開いて配下の人びとに大盤振る舞いをするような行為は、下位の人びとの不利益を経済的に補う意味をもつ。いっぽう、上位の人が生まれや能力において特別な存在だと信じさせたりすることは、心理的な合理化の一種だ。このような、上位の人の「偉さ」を演出し、下位の人の不満を麻痺《まひ》させる合理化が、人工物の知覚を通じてもっともエスカレート

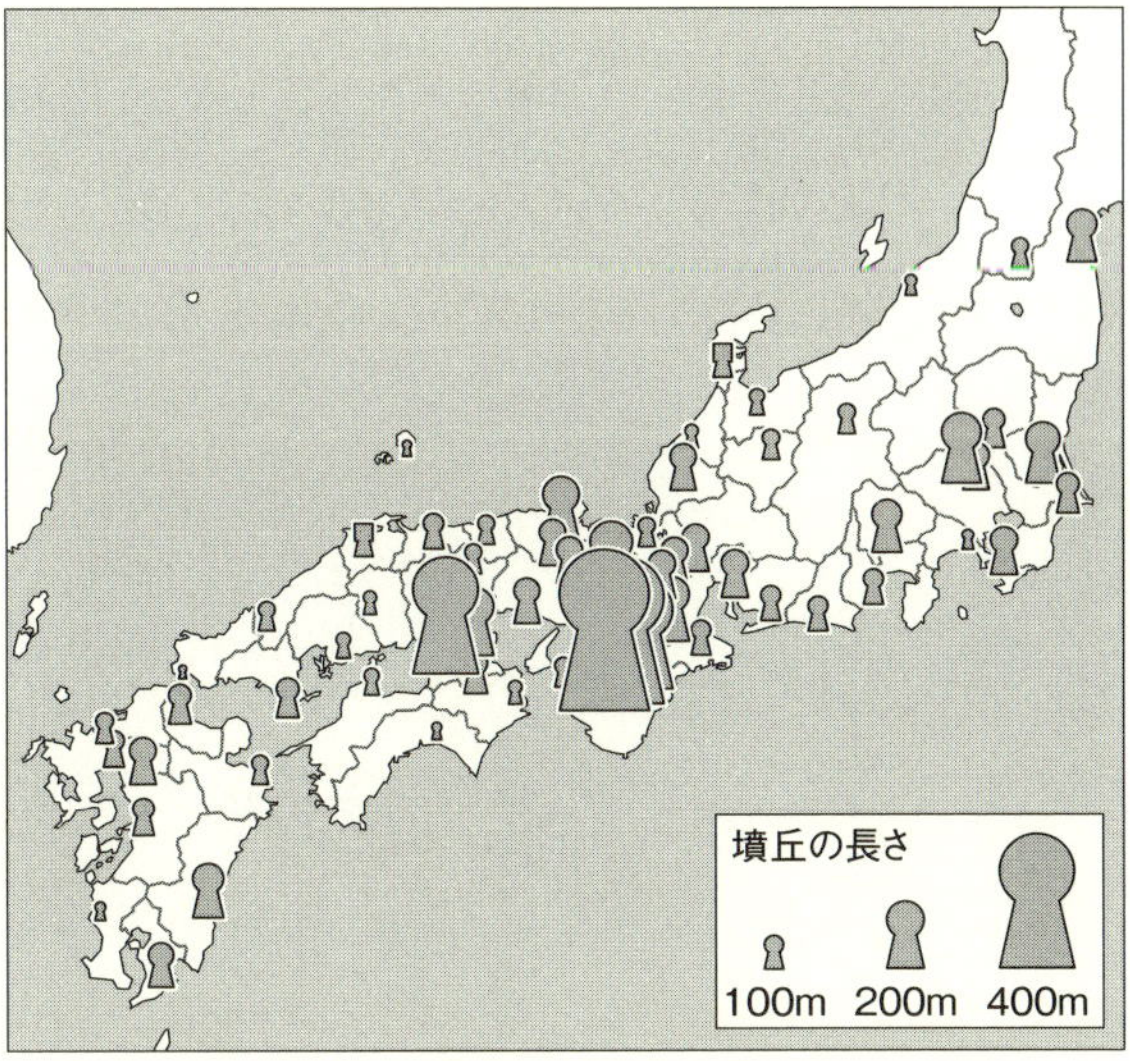

◉旧国別の最大規模古墳
大規模な前方後円墳は、近畿地方を中心に、吉備や関東などに分布する。鉄の供給が豊富だった北部九州や山陰地方はあまり大きくない。奄沖や東北北端部・北海道には前方後円墳はないが、南九州（宮崎）、東北（宮城）など分布圏の最外縁部に、周囲よりやや大きい前方後円墳があることは注目される。また、出雲と能登はいちばん大きい古墳が前方後方墳である。（新納泉「王と王の交渉」より作成、一部改変）

したもの、それが美的モニュメント《エステティック》の造営だということができるだろう。

あとでみるように、文字が出現することによって、上位の人の権威の由来にかかわる思想や、それに基づく複雑な身分の制度を、言葉の情報という形でたくさんの人びとが体系的に共有できるようになると、人びとの間の上下関係を人工物に表現し、知覚に訴えて納得させる必要は薄れていく。逆にいえば、文字をもとにした言葉の情報による支配の制度が未熟だからこそ、美的モニュメントのような人工物に多大な労力を注ぐ必要が生じるのである。

日本列島に、美的モニュメントの典型のひとつといえる巨大前方後円墳《ぜんぽうこうえんふん》が現われたもっとも根本的な要因、ないし人類史的な理由は、文字が本格的に使われるようになる以前に社会の格差が先行して進んだために、人工物の知覚を通じてそれを合理化する必要性がどこよりも著しく高まったからだろう。このことに加え、日本列島の美的モニュメントの規模が世界的にみても大きくなった副次的な理由としては、つぎに述べる三つが考えられる。

日本列島の古墳はなぜ大きいか

第一の理由は、日本列島では、美的《エステティック》モニュメントを生み出した序列関係が、遠距離交渉を通じて鉄などの必需物資や先進的文物を獲得する競争のなかから形成されたという事情に根ざすものだ。とくに大きな意味をもったのは、それらの物資や文物が得られる場所までの距離である。朝鮮半島や大陸から切り離され、海に囲まれた日本列島からそれらを求めようとすると、運搬や技術に大きな負担がかかる。

そうなると、多数の人がおのおのみずからそれらを求めるよりも、少数の人による交渉にほかの人びとが依存するという流通の仕組みができやすい。いいかえれば、多数の小さな窓口が、少数の大きな窓口にしぼられやすいのである。

これまでに述べてきたように、窓口を占めた人や集団は、鉄や諸物資の差配を梃子《てこ》に威信を獲得していくので、窓口が大きくなればなるほど威信は広がり、かれを頂点とした集団間や個人どうしの序列は、より大きく複雑になる。このように、島嶼《とうしょ》という地理的条件ゆえに肥大化した序列関係を安定させ、維持するために、より大規模で説得力をもった美的モニュメントが必要になったということだ。

第二は、集団性の問題である。大型の前方後円墳《ぜんぽうこうえんふん》は、早くから「文明」型文化の洗礼を受け、個人や集団のタテ・ヨコの序列を軸とした弥生《やよい》社会がつくられた北部九州ではなく、個人が突出せず、ムラの同列性が遅くまで維持された近畿の社会で生み出されたことに注意しなければならない。とくに奈良盆地

8

◉**古墳をつくる人びと**
群馬県高崎市八幡塚《はちまんづか》古墳（五世紀後半築造。墳丘の長さ九六m）の築造風景の復元模型。墳丘の構築がほぼ終わり、斜面に石を葺いている段階。古墳築造はまつりの意味合いももった集団労働だった。

は、箸墓《はしはか》築造の直前まで、唐古《からこ》・鍵《かぎ》を筆頭とする数百年来の環濠《かんごう》集落がムラの集団的アイデンティティを演出しながら保たれ、青銅器《せいどうき》祭祀《さいし》も最後まで残った地域である。このような集団の一体性や共同性、つまり大勢で集まって何かをしようという伝統的な行動のパターンが、それまでの巨大環濠集落の造営・維持や青銅器によるまつりから、新たに受け入れた墳墓を中心とするまつりにそのままあてはめられた結果、古墳《こふん》づくりに膨大な労働力が集中し、巨大古墳が生み出されるに至ったという説明だ。縄文《じょうもん》以来の集団関係が完全に解体されないまま、美的モニュメントの社会に移行したことが、墳丘《ふんきゅう》の巨大化につながったというわけである。

第三として、集団性と密接にかかわる技術の質の問題がある。同じころに大型化した高句麗《こうくり》の古墳は、最大のものでも一辺が八五メートルと、日本列島のものよりは小さい。しかし、その内容を見ると、切石《きりいし》や石組みの技術で精妙につくられ、四世紀以後の王陵は上部に瓦葺《かわらぶき》の建物を載せる。高いレベルの技術者集団の高度な編成がなければ、このような建造物の造営は困難に違いない。

これに比べて、列島の前方後円墳は、技術の高低、労働の質と量でいえば、土や石の採掘・運搬・積み上げという比較的低いレベルの単純労働が集積された結果といえる。高句麗の王陵は王権お抱えの技術者集団による注文建設、列島の大古墳は、それ自体がまつりとしての意味合いももった集団労働、というような色彩が、それぞれ濃かったと考えられる。こうした「質より量」という労働の特質も、日本列島の古墳を結果的に巨大にした一因だろう。

古墳と社会

朝鮮半島文化の流入

日本列島史、東アジア史、そして人類史という三つの視点をふまえながら、日本列島の古墳《こふん》が巨大化した理由を考えてきた。ここからは、壮大な前方後円墳《ぜんぽうこうえんふん》を仰ぎながら、人びとが日々の暮らしを営んでいたムラには、どのような変化が起こったのかをみていこう。

三世紀の前半に形成された、奈良盆地の纏向《まきむく》を中心地として広域流通の拠点となったムラとムラのつながりは、四世紀に入ると、その動きがやや追いにくくなる。理由のひとつは、三世紀以来の人と物と情報の広域交流によって、三世紀まではまだ部分的ながらも明確に残っていた土器の地域色が完全に薄まったことにあるだろう。九州から東北南部までの広い範囲で、一見して同じような土器をつくりはじめるので、土器の移動は、かりにそれが存在しても、きわめて見えづらくなるというわけだ。その背景として、土器づくりの専業化を想定する意見もある。

広域流通のつながりがとらえにくくなったもっと本質的な理由として、纏向や吉備《きび》の津寺《つでら》などの重要な拠点そのものが四世紀の後半には衰退するという事情がある。それらにかわって新たに拠点となったようなムラも見あたらないことを考えると、人や物の流通そのものに大きな変化が生じた可能性が高い。

いっぽうで、そのことと深くかかわって重要なのは、朝鮮半島から持ち込まれた土器が、九州から近畿までの西日本を中心に、五世紀頃から目立つようになることだ。列島内の相互交流よりも、むしろ朝鮮半島との交流のほうが密になった状況がうかがえる。さらに、近畿を中心に、壁柱《かべばしら》建物（溝を掘って柱を立て並べ、それらを支柱として埋め込んだ壁で屋根の重みを支える建物）、オンドル・かまど・土製の煙突管など、朝鮮半島に由来する住まいや暮らしの設備が現われ、それらが集中する地域も出てくる。朝鮮半島から日本列島に移り住んだ人が、五世紀頃には増えた様子がうかがえる。

ちょうどこのころ、斜面にしつらえた登り窯で堅く焼き締めた陶器（須恵器《すえき》）の生産が日本列島でも始まる。朝鮮半島からの人びとがその技術を伝えたことは疑いない。そのほか、より高度な鉄器製作、馬の飼育、および物的証拠は残りにくいけれども文字に関する知識など、五世紀に始まったさまざまな新技術のほとんどすべては、朝鮮半島からの人びとがもたらしたものである。

9

●陶器の出現
高杯《たかつき》などの小型器種（左手前）、大型器台（左奥）・甕《かめ》（右奥）のような大型器種といった、各種陶器を焼く技術が朝鮮半島から伝わった。（大阪府堺市大庭寺《おばでら》遺跡出土）

古墳時代の館とムラ

これらの移住者と、古墳《こふん》の主となる人物、そして大きな墓に葬られることのない一般の人びとは、実際の暮らしの場面でどのような関係をもっていたのだろうか。古墳そのものよりも、むしろそのことの詳しい検討のほうが、古墳時代社会の生きた姿を明らかにするためには有効かもしれない。

奈良盆地南西部の山すそに広がる御所《ごせ》市南郷《なんごう》遺跡群とその周辺は、五世紀前半に墳丘の長さ二三八メートルの宮山《みややま》、後半に墳丘の長さ一五〇メートルの掖上鑵子《わきがみかんす》塚《づか》という、近畿の最大前方後円墳《ぜんぽうこうえんふん》に準じる二代にわたる大型古墳を生み出した有力集団の居住地だ。奈良県立橿原《かしはら》考古学研究所や地元御所市の教育委員会によるたびたびの発掘調査を経て、この地域を王として統括する大首長《だいしゅうちょう》のもとに組織された人びとやその暮らしの実態が、しだいに明らかになってきた。調査担当者のひとりである坂靖《ばんやすし》らの考えに従って、その様子をみてみよう。

まず、遺跡群全体を見下ろすひときわ高いところに、石垣と堀で囲んだ二〇〇〇平方メートルほどの敷地があり、その内部に、塀や門に囲まれた大きな掘立柱《ほったてばしら》建物や広場がつくられている（極楽寺《ごくらくじ》ヒビキ遺跡）。この建物は、赤く塗った板状の九本柱で屋根を支え、広い縁側をもった特別な構造物らしい。これは、大型前方後円墳に葬られた王の居宅そのものではないけれども、かれがまつりごとを執りおこなう場所だったと坂《ばん》は考える。

王の居宅は未発見だが、それを支えてこの地域の生活と生産を実際につかさどっていた土着の首長たちの住まいとみられる場所は見つかっている（多田《おいた》檜木《ひのき》本《もと》遺跡、名柄《ながら》遺跡）。これらの場所では、しばしば石垣と堀で囲んだ区画の中に、掘立柱建物と竪穴《たてあな》住居があって、土器などの生活用具のほか、鍛冶《かじ》の金《かな》クソ・砥石《といし》・機織《はたおり》具などの各種生産活動の跡が見つかる。酋長が、いろいろな生産活動に携わる技術者や従者を従えて日々の暮らしを送っていた屋敷地だろう。この酋長たちは、数十メートルからせいぜい一〇〇メートルくらいまでの中・小型の前方後円墳や大型の円墳などに葬られたと考えられている。また、屋敷地からしばしば朝鮮半島系土器が出ることから、技術者のなかには朝鮮半島出身の人がいた可能性が高い。

これらよりもやや小さな屋敷地のなかに、壁柱《かべばしら》や掘立柱の建物があり、鉄器生産の痕跡《こんせき》が残されているところがある（南郷柳原《なんごうやなぎはら》遺跡、井戸《いど》井柄《いがら》遺跡など）。これらは、手工業を指導した技術者のかしらの住まいと考えられている。こうした技術者のかしらたちの階層を、坂《ばん》は「親方層」と呼び、朝鮮半島から各地の王に迎えられ、手工業を指導していた様子を想定する。しばしば鍛冶の道具や金クソなどを副葬する小規模な古墳に、親方たちは葬られたようだ。

さらに、低い丘の上などに四〜五軒から十数軒の竪穴住居がまとまる小さなムラは、一般の人びととの生活の跡らしい（下茶屋《しものちゃや》カマ田《た》遺跡、井戸《いど》

◉王のまつりごとの場
極楽寺ヒビキ遺跡の発掘の結果、大型建物は板状の柱九本で支えられていたことがわかった。同じ構造の家形埴輪（左）をもとに、王がまつりごとを行なった建物（右）が復元された。

池田《いけだ》遺跡など）。古墳時代の列島各地にごくふつうにみられるムラだ。ただし、南郷遺跡群の場合、これらのムラのなかにも鉄器・玉《たま》・木器《もっき》などをつくった跡が少なくないことをみると、多くの住人は、農耕をおもな生業にするというよりも、親方たちの指揮下で各種手工業の労働にあたる場面のほうが多かったようである。

五世紀の経済と社会

朝鮮半島から移り住んだ人びとの居所《きょしょ》、朝鮮半島伝来の技術による鉄器・陶器、馬の飼育などの活動の跡、およびその生産物、親方層とみられる人びとの墓などは、五世紀には列島の広い範囲で認められる。さらに、高度な技術でつくられた大型の鉄器・陶器・かまど、コメを蒸すための甑《こしき》、それを支える胴の長い厚手の甕《かめ》など、朝鮮半島ゆかりの生活文化は一般のムラムラにも広く深く行きわたっていて、なかには東日本でとくに色濃くみられる要素もある。

こうした状況は、各地の王たる大酋長《だいしゅうちょう》やその下の酋長たちが、対外活動を経て鉄素材や先進的な文物、朝鮮半島からの技術やそれをもつ人びとを受け入れ、各種の生産活動をつかさどって、人びとの暮らしにもその実りを還元していた様子を示している。南郷《なんごう》遺跡群のような生産と生活の仕組みが、各地の王クラスの大酋長を頂点として列島各地域に並立する構造が、巨大古墳《こふん》が最盛期を迎えた五世紀社会の軸になっていたと考えられる。

倭王《わおう》ないし各地の王の古墳を中心に、酋長たちや親方たちの墓が集まった大古墳群がそれぞれの地域の中心に築かれるのは、かれらに対する人びとの信服や、そうした生活の安寧と隆盛への願いとともに、みずからの勢力の威信を演出する意味もあったに違いない。大阪平野の古市《ふるいち》・百舌鳥《もず》、岡山平野の造山《つくりやま》古墳周辺などの大古墳群が、しばしば交通路に面して誇示するように築かれているのは、そのためだろう。

三世紀の中ごろ、鉄を軸とする外部の資源・文物・技術などをより効率的に得るために、各地の大酋長たちは、列島内の広域流通の中心地になった奈良盆地を本拠として王位をつくりだし、それを旗印に結集して、多くの対外活動を共同して行なうようになった。そのことで、王位のもとに集まった各地の王やそれを在地で支える酋長たちは、資源や文物の源《みなもと》である朝鮮半島などの外部地域との間に、それぞれが太いパイプをもつようになっただろう。九州から関東に至る列島の各地域が、大きな時間差なく、朝鮮半島の新技術や生活文化に浴することができた背景には、そのような事情が考えられる。

こうして、各地域それぞれが、生活や生存に必要な資源や物資を得るパイプをもちえたことによって、列島内部での活発な物資交換のなかから生み出された、纏向《まきむく》を拠点とする三世紀の広域流通網が使命を終えるに至った可能性が高い。

各地の王がそれぞれの流通域をつかさどって分立するこうした体制は、自由で活発な交換に基づ

11

◉馬冑
五世紀以降、古墳の副葬品に馬具が出てくる。写真は埼玉県行田《ぎょうだ》市将軍山古墳出土の馬冑《ばちゅう》（馬のかぶと）。日本列島・朝鮮半島に数例しかない、めずらしいもの。

く都市の形成も、ひとりの王が専制的な支配体制を握るところにできる王都の造営も、さまたげる方向に働いた。こうして、古墳時代の社会には、都市というべき存在が、最後まで生み出されることはなかったのである。

前文字社会の終焉

巨大古墳の落日

近畿に築かれる倭王《わおう》の前方後円墳《ぜんぽうこうえんふん》の規模は、五世紀なかば過ぎの大山古墳《だいせんこふん》（伝仁徳《にんとく》陵）をピークに縮小していく。五世紀後半には墳丘《ふんきゅう》の長さが二〇〇メートル台に落ち、六世紀前半の大阪府高槻《たかつき》市今城塚《いましろづか》古墳の段階で、いちど二〇〇メートルより小さくなる。各地の王の古墳も同じで、吉備《きび》では、五世紀の後半になると一〇〇メートル級の古墳すら姿を消してしまう。

その背景には、倭王や地方の王の前方後円墳を核にした大古墳群が解体するという現象がある。吉備では、在地の酋長《しゅうちょう》たちは、自分たちの前方後円墳を王の墓の近くに集めることをやめ、みずからの本拠地に営むようになった。それらの前方後円墳の大きさはみな同程度で、群を抜いたものはない。酋長たちに共同で擁立されていたとみられる吉備の王の位そのものが、維持されなくなった可能性があるだろう。

各地の大古墳群のこのような衰退は、倭王や、それを支える地方の王、王を仰ぐ酋長たちへの依存と信服に従って、かれらの埋葬にエネルギーを投入しようとする人びとの意志が、低下してきた様子を示している。

倭王を頂点とし、各地の王・酋長・親方層などが営んできた流通と経済の仕組みによって、鉄・陶器・馬などに代表される生活と生存のための必需品は、五世紀の後半までには、列島の広い範囲の需要をほぼ満たすまでに行きわたった。高度な鍛冶《かじ》技術でつくられたU字形の大きな鍬《くわ》先は、新たな耕地を開いて耕すのに力を発揮しただろう。十分な鉄の供給と、素材の成形・切断・鋲留《びょうどめ》などの技術の進歩によって鉄の甲《よろい》と冑《かぶと》が量産されるようになり、地方の小さな古墳に葬られる人びとまでもが、それらをもてるようになった。

だが、物の価値と流通量とは反比例の関係にある。量が少なく貴重なうちは、経済的な価値も高く、認知的な価値、すなわち人びとがそれを求めようとする心の強さも、高いレベルにある。いっ

12

◉甲冑
長野県飯田市溝口《みぞぐち》の塚《つか》古墳出土。奥二つは鉄板を鋲で留めた短甲。その下は、首を保護する頸《あかべ》甲《よろい》（左）と冑（右）。手前は肩甲。

ぽう、その量が増えて豊富になるにつれ、経済的な価値も、求めたいとする認知的な価値も低下していく。「有り難さ」が失われていくのだ。

弥生《やよい》時代後期以降、外部社会との窓口に立った大酋長の威信が、資源や文物や技術などの利益誘導を梃子《てこ》に形成・強化されてきたことはすでに述べた。その威信を保つため、かれらが倭王の位を共同で擁立し、それを旗印として対外的活動を強めた結果、利益は列島全体に十分に行きわたった。だが、引き換えとしてその「有り難さ」はしだいに低下し、それに根ざした倭王や地方の王たちへの人びとの依存度は小さくなって、かれらを顕彰し、威信を演出する古墳の造営は下火になっていったのである。ただし、関東のように、広大な領域への鉄の普及がやや遅れ、その「有り難さ」が長続きしたところでは、大古墳群はいま少しの命脈をのばしたようだ。

その後、六世紀に鉄素材の列島内生産が本格化したことで、古墳の衰退傾向は最終的に決定づけられた。今のところ、最古の鉄生産の証拠は六世紀の中ごろだが、鉄器の量や技術からみて、列島内での鉄生産の本格的開始が五世紀にさかのぼると推測する人は少なくない。外部から入ってくる鉄の供給者として威信をのばしてきた倭王や地方の王たちは、新たな権威のよりどころを求めて、その存立基盤を築きなおさなければならなくなった。

こうして、六世紀以降に始まる倭王や地方の王たちの支配体制の再編過程の結果として、あとで触れる、古墳消滅後の社会体制である律令国家が生み出されていくのである。日本列島史という視点からみた古墳衰退の要因は、以上のとおりだ。

変わる古墳の性格

巨大古墳《こふん》群が下火になり、各地で墳丘《ふんきゅう》が縮小する動きをみてきた。この動きと並行して認められ、古墳の変質をさらに如実に物語るのは、まず石室をしつらえたあとに墳丘を盛るという、それまでとは逆の手順をもった古墳のまつりの方式が浸透してくる現象である。

もともとは百済《くだら》、新羅《しらぎ》、加耶《かや》などで発達したこの方式がいち早く伝わったのは、朝鮮半島に近い北部九州だった。石組みの石室《せきしつ》に、外とつながるトンネル状の通路（羨《せん》道《どう》）をつけた横穴式《よこあなしき》石室は、すでに四世紀の後半から北部九州の古墳に取り入れられた。当初は墳丘を掘って石室をしつらえていたが、やがて石室の構築を先行させる本格的な横穴式石室へと発展し、五世紀後半には南部を除く九州一円に普及した。それとの関係はまだわからないが、地面にまず竪穴《たてあな》を掘ってから横に掘り進めて墓室とする「地下式横穴」や、地面を掘り込んで板石《いたいし》積みの石室を埋める「地下式板石積石室」など、埋葬空間の造営を墳丘に優先させる墓は、日向《ひゅうが》や薩摩《さつま》などの南九州にも広がった。さらに、九州よりも東の地域では、竪穴式石室をつくって埋葬をすませたあと、上に高い墳丘を盛る円墳や小型前方後円墳《ぜんぽうこうえんふん》が、瀬戸内・近畿・中部などに点々と現われる。五世紀の後半のことだ。

六世紀に入ると、西日本を中心とする広い範囲のおもだった古墳に、

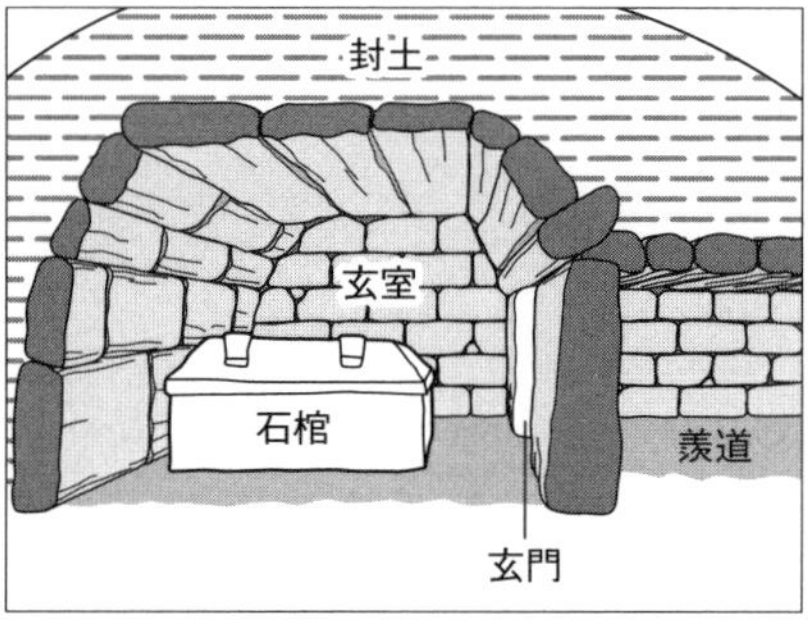

●横穴式石室
石室にトンネル状の通路（羨道）を設けたことで、棺の追加が可能となった横穴式石室は、一族の墓としての色合いが強いといえる。

横穴式石室が採用された。これとともに、周濠《しゅうごう》・葺石《ふきいし》・埴輪《はにわ》など、五世紀には墳丘の大きさや美しさを華々しく演出した要素や道具立ては、徐々に省かれ、姿を消していくことになる。前方後円という墳丘の形そのものが、六世紀のなかば過ぎについにすたれたのは、その終着点といえるだろう。

かわりに六世紀の古墳では、横穴式石室を大きくしたり、壁の巨石の段や目地《めじ》をそろえたり、石材を加工して面をスムースにするなど、埋葬空間内部の造形に凝る傾向が、とくに近畿を中心にして強まる。六世紀中ごろの倭王《わおう》墓とみられる奈良県橿原《かしはら》市の見瀬丸山《みせまるやま》古墳や、六世紀後半の王族の墓と考えられる奈良県斑鳩《いかるが》町の藤ノ木《ふじのき》古墳などは、その代表だ。また、九州を中心に、石室内に絵を描くなどの装飾をほどこす装飾古墳が流行し、やはり埋葬空間に凝る動きが見てとれる。「凝《こ》り」を盛り込む対象が、墳丘から埋葬空間へ、外から内へと移行したことが、五世紀から六世紀にかけての古墳の変化の本質である。

◉王族の墓
藤ノ木古墳では、横穴式石室の中の真っ赤に塗られた未盗掘の石棺から、二体の人骨とともに、数々の豪華な副葬品が発見され、六世紀後半の日本列島の貴族の姿が浮き彫りになった。

13

モニュメントから墓へ

この変化は、何を意味しているのだろうか。墳丘《ふんきゅう》を大きく美しく飾った五世紀までの巨大古墳《こふん》は、それを仰ぐ地域の人びと、外からの来訪者、競合を繰り広げる近隣や遠方の勢力などに、自分たちの威信を誇示するという外向けのメッセージを発信することに大きな意義が求められた。外側を飾った大きいものを目立つところに配置する、という原則だ。

これに比べ、六世紀以降の古墳の埋葬空間内部に盛り込まれた「凝《こ》り」は、そこを舞台とする埋葬のまつりに参加する少数の人びとの知覚にしか、訴えることができない。限られた人びとを対象とした内向きのメッセージである。現代の墓に通じるもの、すなわち私たちが参る墓により近いのは、六世紀以降の古墳といえるだろう。

六世紀の後半には、こうした横穴式《よこあなしき》石室墳の小型のものが、西日本を中心とした広い範囲で無数に築かれるようになる。竪《たて》穴式《あなしき》石室と違って、横穴式石室には死者が出るごとに棺《ひつぎ》を追加していくことができるので、一族の墓としての色合いが濃い。歯の計測値をもとに葬られた人びと

14

◉装飾古墳
六世紀には、横穴式石室内にさまざまな絵や文様を描くことが、熊本県を中心にした九州で流行した。（熊本県山鹿《やまが》市チブサン古墳）

の血縁関係を調べた田中良之《たなかよしゆき》の研究によると、ひとつの横穴式石室に葬られた人びとの構成は、夫婦とその息子・娘たちという組み合わせが多いという。ただし、そのうち最年長の息子は、成長して婚姻すると、新たな家長としてつぎの代の古墳に葬られることになったらしい。いずれにしても、横穴式石室墳は、今の私たちの墓地と同じように、血縁集団の奥津城《おくつき》（墓所）としての性格が強かったことは明らかだ。

小型の横穴式石室墳が、血縁で結ばれた一族の墓だったとすれば、規模は違うが同じ構造をもった大型の横穴式石室墳もまた、基本的には一族の墓としての性格をもつものになっていたと考えられる。石室の規模やそれをつつむ封土《ふうど》（墳丘）の大きさは、一族の家格や出自を表わすメッセージとして働くように変わっただろう。墳丘の縮小、横穴式石室の採用という二つの大きな変革をくぐって、古墳は、政治勢力の威信やそこに集うさまざまな人びとの立場や願いを演出するモニュメントから、一族の格と伝統と表わす「墓」へと、その社会的役割を大きく変えたのである。

東アジア史からみた古墳の終焉

これまで述べてきた、壮大な墳丘《ふんきゅう》から精緻《せいち》な横穴式石室《よこあなしき》へ、外から内へ、モニュメントから「墓」へ、という動きは、日本列島だけに起こったことではない。墳丘の規模と美的レベルを日本列島と競っていた高句麗《こうくり》では、その王都が集安《しゅうあん》から平壌《ピョンヤン》へ移るとともに方壇階梯積石塚《ほうだんかいていつみいしづか》の築造は止まり、横穴式石室を小さな封土《ふうど》でつつむ方墳《ほうふん》が中心になる。石室内に絵を描く例も多い。いっぽう百済《くだら》では、方壇階梯積石塚の築造はすでに四世紀の段階で終わっており、五世紀以降に中心になるのは、横穴式石室をつつむ小さな円墳《えんぷん》だ。また新羅《しらぎ》でも、円形や瓢形《ひょうけい》の大墳丘をもつ積石木槨墳《つみいしもっかくふん》はほぼ五世紀末にはおとろえ、やはり横穴式石室をつつむ小さな円墳へと変わる。

　このようにみてくると、それぞれに特徴的な姿をもった大墳丘の誇示から、横穴式石室の採用と墳丘の小型化・没個性化という方向に、日本列島と朝鮮半島各地の墳墓は同じ道筋で変化していることがよくわかる。各地域の酋長《しゅうちょう》たちがみずからの勢力のアイデンティティや権威を演出するために築いたモニュメントから、個々の酋長たちが一族の家格や出自を表示するべく営んだ墓へという墳墓の変質は、東アジア全体に共通して生じた動きだったのだ。初めは地域ごと、政治勢力ごとに異なっていた墳墓の姿が、のちには列島・半島の地域にまたがって相似《あいに》るようになる。そのかわりに地域を横切って顕著になった規模の差が、広い範囲で普遍的に確立しつつあった身分や階層の違いを語る、東アジアの共通認識になっていった様子を読みとることができるだろう。

　この動きに並行して、おもに朝鮮半島から日本列島へ、鉄器・鉄生産・陶器・かまど・甑《こしき》・馬の飼育と利用など、さまざまな文化が流れ込んだことは先にみた。アクセサリーの色も、四世紀の青・緑主体から、

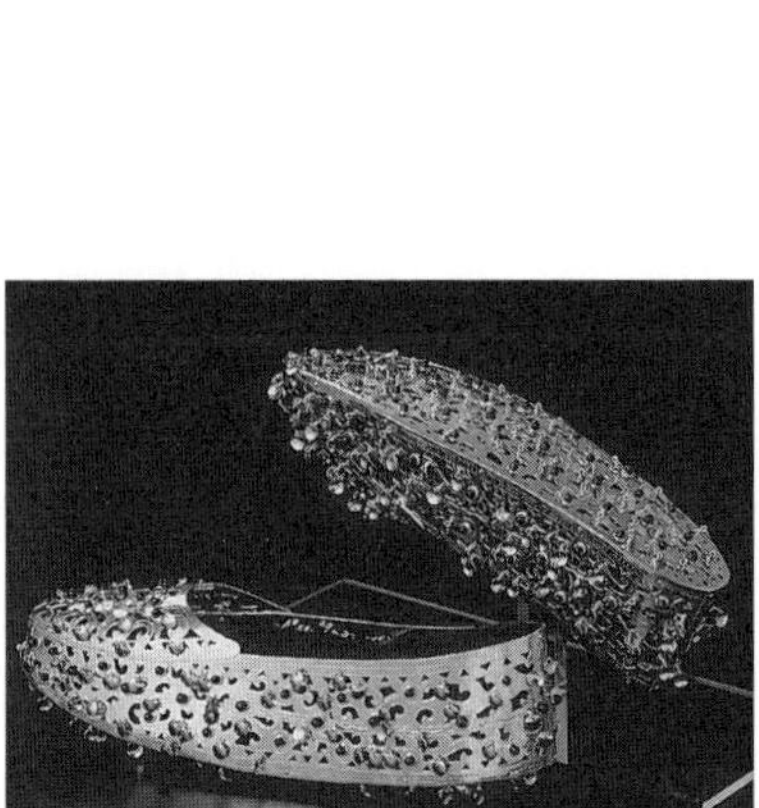

15

●金銅製の沓（復元品）
五世紀後半以降、日本列島と朝鮮半島各地の王や酋長たちの間で、服装やファッションの共通化が進んだ。この豪華な沓《くつ》もその一例。（群馬県高崎市谷ツ《やつ》古墳出土）

五世紀には金銀や赤・黄を含めた多色傾向へと変わるが、これも朝鮮半島由来の色彩感覚だ。墳墓の形やつくり方だけではなく、生活の場から景観、人びとのいでたちやファッションに至る人工物世界のほとんどすべての局面で、五世紀から六世紀にかけて、朝鮮半島と日本列島との間で相似化や相同化が進んだのである。東アジア史の視点からみた古墳《こふん》衰退の背景は、以上のとおりだ。

物質文化の役割

物の形や材質や色彩は、文化の正体ともいえる共有された「知」に発するものであることは、何度も述べてきた。また、そこから発した同じ人工物の世界で育ち、生きることが、その体験を共有した人びとの一体感や共通感覚を高めていくこともみてきたとおりだ。人びとの心と行為とが物を生み出し、生み出された物が人びとの心や行為を織りなしていく。ヒトと物とは、そのような双方向的な関係にある。

そうだとすれば、六世紀に朝鮮半島から日本列島にかけて物質文化の相同性が高まったことは、この広い範囲で、人びとの間にある種の共通感覚が形成された可能性を示している。同じ技術の水準や生活のしかたや行動の様式などの根底のところで、共有される知の基盤がつくられたということだ。こうした基盤は、たとえていえば、私たち現代日本人が、欧米や近隣の先進諸国の社会との間に感じる近さに似たものだろう。すなわち、飛行機や列車や自動車が行き交い、人びとは携帯電話を持ち歩き、街にはカフェやコンビニエンス・ストアがあり、旅行すればホテルに宿泊でき、というように、言葉の違いはあっても、同じルールや行動様式でとまどわず過ごせる、と思わせる共通感覚である。

では、この共通感覚のうえに、そのまま政治的な、あるいは民族としての一体性が構築されていくのかというと、そうではない。これ以降の歴史の展開については文献史学の助けを借りなければならないが、朝鮮半島と日本列島の各地域が、高句麗《こうくり》、百済《くだら》、新羅《しらぎ》、倭《わ》という明確な枠組みをもった古代国家へと分かれていくのは、むしろ六世紀になってからだ。それまで、これらの古代国家のもとになった政治勢力の権威を演出していた墳墓は、なぜこのときになって、そうした役割を終えたのだろうか。墳墓に演出されていた政治勢力のアイデンティティは、その後、何に表明されるようになったのだろうか。

文字出現前の文化伝達

美的《エステティック》モニュメントが、文字のない社会で、上位の特定の人びとの威信や宗教的権威を演出するべく「凝《こ》り」を盛り込まれた人工物であることは、先に述べた。また、美的モニュメントの造営がもっとも盛んになるのが、文字が本格的に使われはじめる直前の時期であることにも触れた。だとすれば、日本列島の古墳《こふん》が、政治勢力のモニュメントから墓へと変質した背景には、前文字社会から文字社会への移行という歴史上の大きな転換があったと考えられる。

鏡など、文字を刻んだり鋳出《いだ》したりした品物は、日本列島には弥生《やよい》時代から存在した。だが、列島のなかで文字を本格的に使いはじめた証拠が出てくるのは、埼玉県行田《ぎょうだ》市稲荷山《いなりやま》古墳出土の鉄剣《てっけん》や、熊本県玉名《たまな》市江田船山《えたふなやま》古墳出土の鉄刀に象嵌《ぞうがん》された銘文など、五世紀になってからだ。七世紀には文字が支配層のなかでほぼ全面的に使われていたことが確かなので、文字普及の画期となったのが、その間の六世紀であることは疑いない。

文字を用いることによって、文化の正体である「知」の仕組みや、それが世代や地域を超えて伝達されるやり方に、どのような変化が生じたのだろうか。また、それが物質文化にどのような影響を与えたのだろうか。

文化の正体である知には二種類ある。ひとつは、たとえば物語やニュースのように、言葉によって人から人へと伝えられる言葉の情報としての知である。もうひとつは、頭には思い浮かぶが言葉には置き換えられないイメージとしての知で、たとえばあるべきとされる物の姿、身ぶり、メロディなどだ。これらは、実際の姿や身ぶりを見たり、メロディを聞いたりなど、直接知覚することに

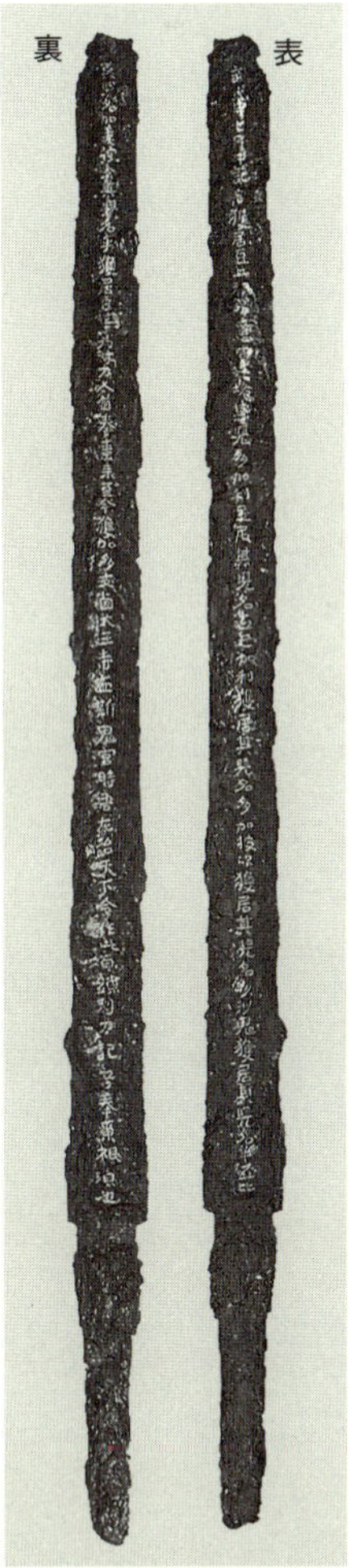

16

◉稲荷山古墳出土鉄剣
始祖「オホビコ」からの代々の系譜と当主「ヲワケ」の事績とが、剣の表裏に金象嵌文字で刻まれていた。列島での文字使用を示す最古の資料。

よってのみ、人から人へと伝えられる。

美的モニュメントの造営は、主として言葉にはならない知、すなわちイメージとしての知の伝達によって、上位の人びとの威信を広く社会に示し、維持・強化していく試みだ。しかし、このやり方では、美的モニュメントの造営やそのまつりに直接参加したり、それを実際に目にしたりできる限られた人数と空間に対してしか、その威信を表示することができない。威信の由来などを語る言葉の情報としての知も、モニュメントには付随していたに違いないが、文字の出現前の話し言葉だけしかない段階では、それを広い範囲に正しく伝えることは難しかっただろう。

モニュメントから文字へ、古墳から律令へ

ところが文字が現われると、上位の特定の人びとの威信をより詳しく論理的に説明し、それを広い範囲に正しく伝え、世代を超えて蓄積・拡充していくことが可能になる。文字によって裏打ちされた言葉の情報が、たくさんの人びとに対して威信を示す媒体としての比重を高めることによって、大がかりな美的《エステティック》モニュメントを営む必要性は、しだいに低下しただろう。さらに、日常的な行き来のない遠隔地にまで威信の内容や支配の論理を行きわたらせようとすると、実際に目にするという直接の知覚を通じてしかそれを表示することのできないモニュメントでは、どこかで限界を迎えることになる。

日本列島の古《こ》墳《ふん》の衰退をもっとも広い視点からとらえると、前文字社会から文字社会への転換に

伴って、倭王《わおう》や地方の王たちの威信の由来や支配の論理が、美的モニュメントによってではなく、文字を用いた神話や制度や法典によって、社会組織のなかに埋め込まれるようになったからだと説明できる。もちろんこのあとにも、仏教の寺院など、モニュメント的な要素をもつ建造物がなくなるわけではない。しかし、これら文字社会以降のモニュメントは、言葉の情報による威信や支配の論理を「絵解き」的に補助する役割のものとなって具象性を帯び、文字以前の巨大な美的モニュメントのような、社会全体をまとめる機能は低下していくことになる。

鉄や先進的文物をもたらす遠距離交渉者としての威信を弱めつつあった倭王や地方の王たちが、六世紀以降、新しい体制に向けての権威や支配の再編を迫られていたことは先に述べた。六世紀から七世紀にかけて進み、八世紀初頭に確立したとされる律令体制を、おそらくその帰結とみることができるだろう。詳しいことは第二巻以降に譲るが、制度や法典、神話や歴史書、度量衡《どりようこう》や貨幣、暦や年号など、文字に根ざした言葉による「知」が文化のなかで比重を高め、文字を軸とした社会の仕組みが日本列島に築かれていった。

残った前文字社会

ただし、文字に根ざした社会が広まったのは九州・四国から東北南部までであり、「はじめに」でも触れたが、東北北部と北海道、および奄沖《あまおき》と先島《さきしま》諸島は、六世紀以降もしばらくの間は前文字社会として残ったことには注意しなければならない。これらの地域は、なぜ文字社会へと移行しなかったのだろうか。

前文字社会として残った南北の地域は、321ページに掲載した「旧国別の最大規模古墳《こふん》」の図からも明らかなように、前方後円墳《ぜんぽうこうえんふん》などの古墳をつくらなかった地域と重なっている。それは、文字社会に移行した九州から東北南部までの列島中央部が、古墳によって上位の特定の人びとの威信を示す体制に組み込まれた地域であったのにたいして、文字社会に移行しなかった南北の地域は、そうした体制から外れていたことを意味している。

もちろん、南北の地域と列島中央部との間には、古くから交易などのつながりが存在し、人びとの交流も絶えなかった。だがそのいっぽうで、南の地域は台湾・中国や太平洋地域との、北の地域はロシアの沿海州《えんかいしゅう》やサハリン・千島《ちしま》との交流も活発で、これら隣接地域との間に、列島中央部との関係以上の一体性をもっていた時代もある。このような状況が、南北両域に、倭王《わおう》を中心として築きあげられた古墳社会やそのあとの文字社会に完全には取り込まれない、質の異なる社会を形成させたのだろう。

文字による社会体制が、画一的な支配のイデオロギーや身分編成が貫徹する強固な枠組みを列島中央部にかたちづくっていくなかで、そうした流れとは別の動きをみせた地域も存在した。それは、「日本」という枠組みがつくりあげられる過程を考えるうえで、忘れてはならない点だろう。

列島創世記

おわりに

旧石器《きゅうせっき》時代から古墳《こふん》時代まで、約四万年におよぶ日本列島の人びとの歩みをたどってきた。「はじめに」で掲げた三つの指針、すなわちヒューマン・サイエンスに根ざした人工物の分析、環境が社会に及ぼした影響の評価、日本という枠組みの形成過程の再考、といった視点で、この歩みを整理しておこう。

気候の変動と時代の推移

まず確認しておきたいのは、四万年の列島史を動かした根底の力が気候の変動だったことだ。この本で対象とした約四万年前から一五〇〇年前までの間に、寒冷化していく時期が三回あり、それらに挟まれる形で、温暖化していく時期が二回あった。これを整理すると、①第一寒冷化期（後期旧石器《きゅうせっき》時代後半の約二万年前まで）、②第一温暖化期（後期旧石器時代後半から縄文《じょうもん》時代前期の、約二万年前から七〇〇〇～六〇〇〇年前まで）、③第二寒冷化期（縄文時代前期から晩期の、七〇〇〇～六〇〇〇年前から二八〇〇～二七〇〇年前まで）、④第二温暖化期（弥生《やよい》時代前半の、二八〇〇～二七〇〇年前から紀元前後まで）、⑤第三寒冷化期（弥生時代後半から古墳《こふん》時代を経て奈良時代の、紀元前後から紀元後八世紀末ごろまで）、という五つの時期が設定できる。

すでにみてきたように、旧石器時代から縄文時代への移行は、第一温暖化期のなかで植物資源への依存が増し、定住という新しい形の社会が生み出されたことによって起こった。また、縄文時代から弥生時代への移行は、第二寒冷化期に入ってしばらくたった縄文時代後半に東日本を中心として動植物資源が減退し、それに依存して定着する集団的伝統の強い社会から、個人や小集団の才覚で資源を求めて動く機動的な社会へと移り変わったことが出発点になった。このような社会のもとで、西日本の多くの集団が農耕への傾斜を強め、朝鮮半島から渡ってきた水稲《すいとう》農耕の文化を取り入れた。さらに、弥生時代から古墳時代への移行も、第三寒冷化期に入って危機を迎えた農耕生産を立てなおすため、それを可能とする鉄の道具や、鉄をもたらす遠距離交渉の比重が高まったことに端を発するものだった。

このように整理すると、寒冷化・温暖化の波と時代の推移とは、密接にかかわりあっていることがわかる。縄文・弥生・古墳のいずれの時代の開始も、それに先行する時代の後半に顕著になった気候変動への人びとの対応のなかから出てきた、社会の解体と再編成の動きの帰結だったと理解できる。こうした、繰り返す気候変化と、それを乗り越えようとする人びとの動きが、四万年の列島社会の歩みの基調をなしていることは疑いない。

人口動態と物質文化の変化

その歩みを浮き彫りにするのが、ヒューマン・サイエンスに根ざした分析によって明らかになる物質文化の変化の波だ。土器などにみられる地域色の濃厚化と希薄化、集落の動きから読みとれる人口の定着と流動、人工物に「凝《こ》り」が盛り込まれる方向性、すなわち個人と集団のどちらのアイデンティティをより強く表現しているか、といった点から物質文化の動きを整理してみると、その動きが今述べた気候の変化と密接に連動し、時代の推移を鋭敏に反映していることがわかる。

具体的にいうと、土器などの什器《じゅうき》やそのほかの道具に、地域ごとに特徴的な形や文様の凝りがもっとも色濃く盛り込まれ、明瞭な地域色を醸《かも》し出すのは、約七〇〇〇～四五〇〇年前の縄文《じょうもん》前～中期および紀元前三～一世紀頃の弥生《やよい》中期という、温暖な気候が長く続いた時期だ。これは、温暖化によって動植物資源の量や密度が増し、生産を支える環境の力が高まったことで、人口の定着性が強くなったためだろう。いいかえれば、東日本の縄文前～中期の環状集落や近畿の弥生中期の環濠《かんごう》集落が示すように、多人数で一か所に定着する生活が長く続くことによって、同じ場所で世代から世代へと受け継がれるタテ方向の文化伝達が、人工物の凝りに反映された結果と考えられる。

これに対して、土器などの地域色が薄まって広い範囲で人工物の特徴が似通ってくる時期は、約四五〇〇年前から二八〇〇～二七〇〇年前の縄文後～晩期から弥生時代初頭、および紀元後一世紀以降の弥生時代後半から古墳《こふん》時代という、寒冷化が進んだ段階にあたっている。寒冷化によって、それまで生産を支えてきた動植物の資源に変動や減退が起こり、人口の流動性が高まったことがその根本的な要因だろう。縄文後期にみられる東日本から西日本への人びとの流入、弥生時代の開始を告げる大陸からの人びとの渡来、弥生後期に著しい近畿や伊勢湾《いせわん》沿岸から関東への人びとの移動など、寒冷化の時期に人の動きが活発化していた痕跡《こんせき》は少なくない。活発な人の動きが、タテ方向よりもヨコ方向、すなわち地域を超えた文化伝達をうながしたことによって、土器などの人工物の地域色が薄まり、広い範囲で形や文様の相似化が進んだ可能性が高い。

土器の文様や人工物に盛り込まれた凝りをみてみると、人口が定着する温暖な時期には、地域に共通する文様のパターンや環状集落・環濠集落にみられるムラの形の強調など、集団的なアイデンティティを示す方向に現われる。これに対し、人口が流動する寒冷な時期には、ムラとは別のところにモニュメントが造営されるとともに、個々の墓や住居を入念につくったり、威信を醸し出す道具が現われたりするなど、個人のアイデンティティを表示する物質文化が発達する傾向がある。第二寒冷化期に入った縄文時代後半には、モニュメントの発達と個別的な物質文化は並行して顕在化し、やがて前者が衰退するとともに後者がますます盛んになった。いっぽう、第三寒冷化期の弥生時代後半から古墳時代には、両者は古墳というひとつの構築物にまとめられる形で現われた。

日本列島と外部社会

温暖化と寒冷化の波が環境を変化させ、それに伴って人口の動態が変わり、物質文化の地域色や「凝《こ》り」のパターンを生み出すという流れが、四万年の列島史の基調にあることを確認した。しかし、それが気候の変動の波による同じパターンの繰り返しでなかったこともまた明らかだ。その理由のひとつは、ヒトは記憶された言葉や、つくりだされた人工物によって、世代を超えて知を蓄積し、それをふまえて過去の繰り返しでない行動をとる能力をもつからである。同じように、言葉や人工物によって、空間を超えて遠いところのヒトとも交流を深め、知の共有や技術の交換を行なう能力をもつことも、列島の四万年の歩みが着実な前進だったもうひとつの理由になるだろう。

たとえば、旧石器《きゅうせっき》から縄文《じょうもん》への移行を特徴づける定住化を後押しした技術のひとつに土器があるが、東アジアの最初の土器は日本列島からロシアの沿海州《えんかいしゅう》・シベリアにかけてのどこかの地域で生み出され、それが広まったものと考えられている。遠いところとの交流によって受け入れた技術が、新しい社会の形成に大きな役割を果たしたということだ。同じように、大陸から伝わった雑穀の栽培や水稲《すいとう》農耕が縄文から弥生《やよい》への移行を決定づけ、鉄の使用とそれをもたらす遠距離交易の発達が弥生から古墳《こふん》への移行を導いて、それぞれに、新しい社会を生み出していく大きな力となった。日本列島の社会は、その枠組みをつねに流動させながら外部の社会と絶え間なく交流し、そこから新しい技術や思想や文物をみずからの文化のなかに取り入れ、時には文化そのものを変革することによって、前進してきたのである。

新しい考古学と列島史をめざして

今整理してきたようなことは、私自身の仕事も含め、従来の考古学、とくに弥生《やよい》時代から古墳《こふん》時代にかけての研究でさかんに行なわれてきたような、文字記録（文献史料）を駆使した物質資料（考古資料）の解釈をふまえた歴史叙述では、明確にしにくかったに違いない。文字記録は多くを語ってくれるが、逆に、その雄弁さに覆い隠されて見えにくくなっている歴史の本質もある。歴史学（文献史学）との協力は今後も必要だが、そのいっぽうで、進展著しいヒューマン・サイエンスに根ざした新しい科学としての考古学を確立することもまた、取り組むべき課題だろう。このことはとくに、本書で試みたような、旧石器《きゅうせっき》時代から古墳時代、あるいはそれ以降の時代までをひとつの理論で貫く列島史を描き出していくためには、不可欠の仕事だ。

歴史学と考古学はともに、ただ過去のことを扱うだけの学問ではなく、現代のさまざまな矛盾、たとえば国家や民族、戦争、環境破壊などの問題に立ち向かい、人類のあるべき未来の姿を展望するという共通の使命をもっている。この本で述べてきたことも、たんなる過去の話ではない。私たちの心の基本的な仕組みは、七〇〇万年前の初期人類からホモ・サピエンスに至る進化の歴史を刻み込んでおり、現在日本列島に住んでいる私たちが身につけている言葉や習慣、知識や技術、そしてふだんは意識しない身ぶりや表情のつくり方なども、日本列島を中心とする社会の歩みのなかで世代を超えて受けつがれ、時に応じて変化してきた歴史的産物としての知に根ざしている。すなわち、私たちの心の中身そのものが人類史と列島史の産物であり、私たちが自分自身を見つめることは、そのまま人類や列島社会の歩みを見つめることなのである。

文字記録によって綴られた歴史と、物質資料によりつつ自分自身を見つめることで描き出されるもうひとつの歴史とを織り重ねていくことで、私たちは歴史的存在としての自分自身を自覚し、未来を見つめる手がかりを得ることができる。歴史学と考古学が互いにみずからの手法を磨きつつ、高い段階で統合されていくことが、両者に共通の使命を果たすうえで重要となっていくだろう。

• 土生田純之「国家形成と王墓」『考古学研究』52-4、2006年
• 坂 靖「葛城の集落構成と墓域」『日韓集落研究の現況と課題II』日韓集落研究会、2006年
• 北條芳隆「前方後円墳と倭王権」北條芳隆・溝口孝司・村上恭通『古墳時代像を見なおす』青木書店、2000年
• 弓場紀知『古代祭祀とシルクロードの終着地・沖ノ島』シリーズ「遺跡を学ぶ」013、新泉社、2005年
• レンチュラー, I., ヘルツベルガー, B., エプスタイン, D.(野口薫・苧阪直行監訳)『美を脳から考える 芸術への生物学的探検』新曜社、2000年

全編にわたるもの

• 秋元信夫『石にこめた縄文人の祈り・大湯環状列石』シリーズ「遺跡を学ぶ」017、新泉社、2005年
• 安斎正人『人と社会の生態考古学』柏書房、2007年
• 安斎正人編『縄文社会論(上・下)』同成社、2002年
• 国立歴史民俗博物館編『新弥生紀行—北の森から南の海へ—』朝日新聞社、1999年
• 国立歴史民俗博物館編『縄文文化の扉を開く 三内丸山遺跡から縄文列島へ』2001年
• 近藤義郎『前方後円墳の時代』岩波書店、1983年
• 佐原眞『大系日本の歴史1 日本人の誕生』小学館、1987年
• 高野陽太郎編『認知心理学2 記憶』東京大学出版会、1995年
• 嵩元政秀・安里嗣淳『日本の古代遺跡47 沖縄』保育社、1993年
• 田中 琢『日本の歴史2 倭人争乱』集英社、1991年
• 都出比呂志『日本農耕社会の成立過程』岩波書店、1989年
• 奈良文化財研究所編『ドイツ展記念概説 日本の考古学(上・下)』学生社、2005年
• 日本第四紀学会・小田静夫・小野昭・春成秀爾編『図解・日本の人類遺跡』東京大学出版会、1992年
• 林謙作『縄文社会の考古学』同成社、2001年
• 春成秀爾『縄文社会論究』塙書房、2002年
• 広瀬和雄編『考古学の基礎知識』角川選書409、2007年
• ホリオーク, K. J., サガード, P.(鈴木宏昭・河原哲雄監訳)『アナロジーの力 認知科学の新しい探究』新曜社、1998年
• 松井章『環境考古学への招待—発掘からわかる食・トイレ・戦争—』岩波新書、2005年
• 松本直子『認知考古学の理論と実践的研究—縄文から弥生への社会・文化変化のプロセス』九州大学出版会、2000年
• 松本直子・中園聡・時津裕子編『認知考古学とは何か』青木書店、2003年
• 道又爾ほか著『認知心理学 知のアーキテクチャを探る』有斐閣、2003年
• 安田喜憲『環境考古学事始 日本列島二万年』NHKブックス、日本放送出版協会、1980年
• Shennan,S.J. 2000. Population, culture history and the dynamics of culture change, *Current Anthropology* 41, pp.811-835.
• Shennan,S.J. 2003. Genes,memes and human history: *Darwinian archaeology and cultural evolution*. Thames and Hudson, London.

• 佐々木藤雄「環状列石と縄文式階層社会―中・後期の中部・関東・東北―」安斎正人編『縄文社会論（下）』同成社、2002年
• 瀬口眞司「関西縄文社会とその生業―生業=居住戦略の推移とそれに伴う諸変化―」『考古学研究』50-2、2003年
• 辻誠一郎「縄文時代から弥生時代への環境変動」国立歴史民俗博物館編『新弥生紀行―北の森から南の海へ―』朝日新聞社、1999年
• 中園聡『九州弥生文化の特質』九州大学出版会、2004年
• 春成秀爾『弥生時代の始まり』UP考古学選書11、東京大学出版会、1990年
• 松本直子「伝統と変革に揺れる社会―後・晩期の九州―」安斎正人編『縄文社会論（下）』同成社、2002年
• 松本直子『先史日本を復元する2　縄文のムラと社会』岩波書店、2005年
• 山崎純男「弥生文化の開始―北部九州を中心に―」広瀬和雄編『弥生時代はどう変わるか−歴博フォーラム 炭素14年代と新しい古代像を求めて』学生社、2007年
• 渡辺仁『縄文式階層化社会』六興出版、1990年
• Cauvin, J. (translated by Watkins, T.), 2000. *The birth of gods and the origins of agriculture*, CNRS and Cambridge University Press, Cambridge.

第四章

• 安藤広道「弥生時代『絵画』の構造」設楽博己編『原始絵画の研究　論考編』六一書房、2006年
• 伊都国歴史博物館編『伊都国歴史博物館常設展示図録』2004年
• 大阪府立弥生文化博物館編『みちのく弥生文化』1993年
• 大阪府立弥生文化博物館編『弥生のころの北海道』2004年
• 春日市奴国の丘歴史資料館編『春日市奴国の丘歴史資料館常設展示図録』2005年
• 木下尚子『南島貝文化の研究　貝の道の考古学』法政大学出版局、1996年
• 近藤義郎編著『楯築弥生墳丘墓の研究』楯築刊行会、1992年
• 財団法人北海道埋蔵文化財センター編『遺跡が語る北海道の歴史―(財)北海道埋蔵文化財センター二五周年記念誌―』2004年
• 阪口豊『尾瀬ヶ原の自然史　景観の秘密をさぐる』中公新書、1989年
• 設楽博己「南北精神文化の原点」国立歴史民俗博物館編『新弥生紀行―北の森から南の海へ―』朝日新聞社、1999年
• 下條信行編『古代史復元4　弥生農村の誕生』講談社、1989年
• 瀬川拓郎「縄文後期〜続縄文期墓制論ノート」『北海道考古学』19、1983年
• 高瀬克範「魚形石器の謎」国立歴史民俗博物館編『新弥生紀行―北の森から南の海へ―』朝日新聞社、1999年
• 橋口達也『弥生文化論　稲作の開始と首長権の展開』雄山閣、1999年
• 広瀬和雄『前方後円墳国家』角川選書355、2003年
• 藤尾慎一郎『弥生変革期の考古学』同成社、2003年
• Scarborough, V. L.,Valdez, F. Jr. & Dunning, N.(eds) 2003. *Heterarchy, political economy, and the ancient Maya*, The University of Arizona Press, Tucson.

第五章

• 石野博信『邪馬台国の考古学』歴史文化ライブラリー113、吉川弘文館、2001年
• 宇垣匡雅「特殊器台・特殊壺」近藤義郎編『吉備の考古学的研究（上）』山陽新聞社、1992年
• 柴田昌児「高地性集落と山住みの集落」寺沢薫責任編集『考古資料大観10　弥生・古墳時代遺跡・遺構』小学館、2004年
• 濱田竜彦「伯耆地域における弥生時代前半期の環濠を伴う遺跡について」『関西大学考古学研究室開設五十周年記念考古学論叢』2003年
• 福永伸哉『邪馬台国から大和政権へ』大阪大学新世紀セミナー、大阪大学出版会、2001年
• 福本明『吉備の弥生大首長墓・楯築弥生墳丘墓』シリーズ「遺跡を学ぶ」034、新泉社、2007年
• 村上恭通『古代国家成立過程と鉄器生産』青木書店、2007年

第六章

• 東潮・田中俊明編著『高句麗の歴史と遺跡』中央公論社、1995年
• 後藤直・茂木雅博編『東アジアと日本の考古学1　墓制(1)』同成社、2001年
• 田中良之『古墳時代親族構造の研究』柏書房、1995年
• 都出比呂志「日本古代の国家形成論序説―前方後円墳体制の提唱―」『日本史研究』343、1991年
• 寺沢薫『王権誕生』日本の歴史02、講談社、2000年
• 新納泉「王と王の交渉」都出比呂志編『古代史復元6　古墳時代の王と民衆』講談社、1989年
• 新納泉「巨大墳から巨石墳へ」稲田孝司・八木充編『新版古代の日本4　中国・四国』角川書店、1992年

参考文献

第一章

• 赤沢威編著『ネアンデルタール人の正体　彼らの「悩み」に迫る』朝日選書、朝日新聞社、2005 年
• 安斎正人「石器から見た人の行動的進化」『考古学』1、2003 年
• 稲田孝司編『古代史復元1　旧石器人の生活と集団』講談社、1988 年
• 小野有五「最終氷期の日本列島と東アジアの古環境」百々幸雄編『モンゴロイドの地球3　日本人のなりたち』東京大学出版会、1995 年
• 海部陽介『人類がたどってきた道　"文化の多様化"の起源を探る』NHK ブックス、日本放送出版協会、2005 年
• カートライト, J. H.（鈴木光太郎・河野和明訳）『進化心理学入門』新曜社、2005 年
• 河村善也「更新世と完新世の哺乳類」奈良文化財研究所編『ドイツ展記念概説　日本の考古学（上）』学生社、2005 年
• 木村英明『北の黒曜石の道・白滝遺跡群』シリーズ「遺跡を学ぶ」012、新泉社、2005 年
• クライン, G. R., エドガー, B.（鈴木淑美訳）『5 万年前に人類に何が起きたか？　意識のビッグバン』新書館、2004 年
• 小菅将夫『赤城山麓の三万年前のムラ・下触牛伏遺跡』シリーズ「遺跡を学ぶ」030、新泉社、2006 年
• 沢田敦「後期旧石器人の生活と文化」岡村道雄編『ここまでわかった日本の先史時代』角川書店、1997 年
• 篠田謙一『日本人になった祖先たち　DNAから解明するその多元的構造』NHKブックス、日本放送出版協会、2007 年
• 須藤隆司『石槍革命・八風山遺跡群』シリーズ「遺跡を学ぶ」025、新泉社、2006 年
• 長谷川寿一・長谷川眞理子『進化と人間行動』東京大学出版会、2000 年
• 馬場悠男監修『人類の起源』集英社、1997 年
• 松沢哲郎・長谷川寿一編『心の進化　人間性の起源をもとめて』岩波書店、2000 年
• ミズン, S.（松浦俊輔・牧野美佐緒訳）『心の先史時代』青土社、1988 年
• ミズン, S.（熊谷淳子訳）『歌うネアンデルタール　音楽と言語から見るヒトの進化』早川書房、2006 年
• 三井 誠『人類進化の 700 万年　書き換えられる「ヒトの起源」』講談社現代新書、2005 年
• Bar-Yosef, O. 2002. The Upper Paleolithic Revolution. *Annual Review of Anthropology* 31, pp.363-93.
• Kohn, M. J. & Mithen, S. J. 1999. Handaxes: products of sexual selection?, *Antiquity* 73, pp.518-526.
• Richerson, P. J.,Boyd, R. & Bettinger, R. L. 2001. Was agriculture impossible during the pleistocene but mandatory during the Holocene? A climate change hypothesis, *American Antiquity* 66(3), pp.1-23
• Semaw, S., Renne, P., Harris, J. W. K., Feibel, C. S., Bernor, R. L., Fesseha, N. & Mowbray, K. 1997. 2.5-million-year-old stone tools from Gona, Ethiopia, *Nature* 6614.

第二章

• 浅川滋男「竪穴住居の構造」奈良文化財研究所編『ドイツ展記念概説　日本の考古学（上）』学生社、2005 年
• 泉拓良「縄文時代集落研究の課題」『史林』89-1、2006 年
• 今村啓爾『縄文の実像を求めて』歴史ライブラリー 76、吉川弘文館、1999 年
• 今村啓爾『縄文の豊かさと限界』日本史リブレット 2、山川出版社、2002 年
• 大島直行「北海道の古人骨における齲歯頻度の時代的推移」『人類学雑誌』104-5、1996 年
• 岡村道雄責任編集『朝日百科日本の歴史・別冊　歴史を読みなおす1　縄文物語』朝日新聞社、1994 年
• 小林達雄『縄文人の世界』朝日選書、朝日新聞社、1996 年
• 新東晃一『南九州に栄えた縄文文化・上野原遺跡』シリーズ「遺跡を学ぶ」027、新泉社、2006 年
• 白石浩之『旧石器時代の社会と文化』日本史リブレット 1、山川出版社、2002 年
• 鈴木公雄編『古代史復元 2　縄文人の生活と文化』講談社、1988 年
• 谷口康浩『環状集落と縄文社会構造』学生社、2005 年
• 辻誠一郎「縄文時代への移行期における陸上生態系」『第四紀研究』36-5、1997 年
• 藤山龍造「氷河時代終末期の狩猟活動論」『古代文化』58-3、2007 年
• Cummins, D. D.,1998. Social norms and other minds: the evolutionary roots of higher cognition, (in) Cummins, D. D. & Allen, C.(eds.) *The evolution of mind*, Oxford University Press, Oxford.
• Dunbar, R. I. M. 2003. The social brain: mind language society in evolutionary perspective, *Annual review of anthropology* 32, pp.163-181.

第三章

• 泉拓良「縄文社会の限界」泉拓良・西田泰民責任編集『縄文世界の一万年』集英社、1999 年
• 小林達雄編著『縄文ランドスケープ』アム・プロモーション、2005 年

古学研究所）／3奈良県立橿原考古学研究所（撮影・阿南辰秀）／5高槻市教育委員会／6撮影：松木武彦／7提供：ＰＰＳ通信社／8・15かみつけの里博物館／9大阪府文化財センター／10奈良県立橿原考古学研究所（右の撮影：阿南辰秀）／11埼玉県立さきたま史跡の博物館／12飯田市教育委員会／13奈良県立橿原考古学研究所／14山鹿市立博物館／16文化庁

スタッフ一覧

本文レイアウト	姥谷英子
	片岡良子
校正	オフィス・タカエ
図版・地図作成	蓬生雄司
写真撮影	西村千春
索引制作	小学館クリエイティブ
編集長	清水芳郎
編集	田澤泉
	阿部いづみ
	宇南山知人
	水上人江
	一坪泰博
編集協力	青柳亮
	小西むつ子
	林まりこ
	山崎明子
月報編集協力	㈲ビー・シー
	関屋淳子
	藤井恵子
制作	大木由紀夫
	山崎法一
資材	横山肇
宣伝	中沢裕行
	後藤昌弘
販売	永井真士
	奥村浩一
協力	株式会社モリサワ
	小林謙一

写真所蔵先一覧

所蔵先と写真提供者、撮影者が異なる場合は、(　) 内にその旨を明記した。

口絵

1 個人蔵（撮影：小川忠博）／2 十日町市博物館（撮影：小川忠博）／3　鹿角市教育委員会（撮影：六田知弘）／4・5 東京国立博物館（撮影：六田知弘）／6（上）奈良県立橿原考古学研究所　(下) 東京国立博物館（提供：TNM Image Archives）／7 誉田八幡宮

はじめに

1 桜井市教育委員会／2 提供：Skyscan.co.uk／3 東京国立博物館（提供：TNM Image Archives）

第一章

1 Musée de l'homme／2 国立科学博物館／3 ©Photo Thomas Stephan, copyright Ulmer Museum／4 ©Christopher Henshilwood, University of Bergen／5 東京都教育委員会（提供：岩宿博物館）／6・8 野尻湖ナウマンゾウ博物館／7 千葉県教育振興財団（提供：岩宿博物館）／9 岩宿博物館／10 神奈川県教育委員会／11 提供：木村英明／12（左）個人蔵（撮影：小川忠博）（右）上田市教育委員会（提供：千曲川水系古代文化研究所）／（コラム）1・5 東京国立博物館（提供：TNM Image Archives）／2 個人蔵（提供：神戸市立博物館）／3 大阪歴史博物館／4 宮内庁書陵部

第二章

1 鹿児島市立ふるさと考古歴史館／2 奈良県立橿原考古学研究所／3・4 鹿児島県立埋蔵文化財センター／5 佐賀市教育委員会／6 東京都北区教育委員会／7・9 青森県教育庁文化財保護課／8 陸前高田市立博物館／10 佐倉市教育委員会／11（左）慶應義塾大学文学部民族学考古学研究室（右）読谷村教育委員会／12（上から反時計回りに）十日町市博物館、山梨県立考古博物館、鹿嶋市文化スポーツ振興事業団、東北歴史博物館、国立歴史民俗博物館／13 東京大学大学院人文社会系研究科附属北海文化研究常呂実習施設／14 倉敷考古館／15 長岡市立科学博物館／16 福井県立若狭歴史民俗資料館／17 茅野市尖石縄文考古館／18 岩手県／19 国立歴史民俗博物館

第三章

1・3 鹿角市教育委員会／2 撮影：松木武彦／4（左）・9 埼玉県立さきたま史跡の博物館／4（右）千葉市立加曽利貝塚博物館／5（左上）個人蔵　(右上) 大仙市教育委員会　(左下・右下) 大阪歴史博物館／6 撮影：大工原豊／7 函館市／8（左上）・10（左上）市原市教育委員会／8（左下）・18 青森県立郷土館（風韻堂コレクション）／8（右）千歳市教育委員会埋蔵文化財センター／10（左下）滋賀県教育委員会　(右) 東京大学総合研究博物館（撮影：上野則宏）11 東京大学総合研究博物館／12 撮影：京都大学霊長類研究所　渡邊邦夫／13 宮崎市教育委員会／14 岡山県古代吉備文化財センター／15 別府大学附属博物館／16 唐津市教育委員会／17 福岡市埋蔵文化財センター／19 東京国立博物館（提供：TNM Image Archives）／20 宜野湾市教育委員会／21 東京大学文学部考古学研究室（提供：沖縄県立博物館）／22・23 沖縄県立埋蔵文化財センター／（コラム）桜井市教育委員会

第四章

1 釧路市埋蔵文化財調査センター（副葬品の写真提供：大阪府立弥生文化博物館）／2 北斗市教育委員会（提供：大阪府弥生文化博物館）／3 伊達市噴火湾文化研究所（撮影：佐藤雅彦）／4 文化庁／5 九州大学総合研究博物館／6 春日市教育委員会／7・8 福岡県教育委員会／9 飯塚市歴史資料館／10 福岡市埋蔵文化財センター／11 山口県埋蔵文化財センター／12 辰馬考古資料館／13 弘前市教育委員会／14 田舎館村教育委員会／15 読谷村教育委員会／16・18 佐賀県教育委員会／17 東北大学大学院文学研究科／19 伊達市噴火湾文化研究所／（コラム）撮影：松木武彦

第五章

1 撮影：梅原章一／2 撮影：松木武彦／3 提供：Alamy / PPS通信社／4 田原本町教育委員会／5 高槻市教育委員会／6 大山町教育委員会／7 ノートルダム清心女子大学／8・10 岡山大学文学部考古学研究室／9 提供：山陽新聞社／11（上）島根大学考古学研究室　(下) 島根県立古代出雲歴史博物館（提供：島根県教育委員会）／12 与謝野町教育委員会／13・14 鳥取県埋蔵文化財センター／15 島根県教育委員会／16 奈良県立橿原考古学研究所

第六章

1・4 国立歴史民俗博物館／2（左）京丹後市教育委員会　(右) 文化庁（提供：奈良県立橿原考

4世紀後半 〜5世紀	古墳時代中期	5世紀初めごろから、朝鮮半島との交流が盛んになり、朝鮮半島の文化や技術が、列島の広い範囲に大量に伝わる。陶器もつくられはじめる。 425 倭王の讃、宋に朝貢。 このころ、古墳に鉄製の武器・武具類の副葬品が増える。 438 このころ倭王の讃没。弟の珍が王に立ち、宋に朝貢。 このころ、列島最大規模の前方後円墳が造営される（大阪府誉田御廟山古墳、大山古墳）。 443 倭王の済、宋に朝貢。 このころから竪穴住居に竈が増える。 大山古墳をピークに、大型の前方後円墳が少なくなる。 5世紀中ごろ、ヤマト王権の直轄とみられる大規模な倉庫群がつくられる（大阪府法円坂遺跡・和歌山県鳴滝遺跡）。大和・吉備で群集墳がつくられはじめ、以後、各地に普及。 このころ、北部九州の古墳に石製の埴輪である石人・石馬が現われる。九州の広い範囲に横穴式石室が普及する。 文字の本格的使用が始まる（埼玉県稲荷山古墳出土鉄剣）。 477 倭王の興没。弟の武が立つ。宋に朝貢。百済を救援。 480 このころ、群馬県で大規模な酋長の館がつくられる（三ツ寺Ⅰ遺跡）。 畿内の古墳に家形石棺が現われる。九州で装飾古墳がつくられはじめる。	五胡十六国・東晋 宋・北魏 斉・北魏	大移動。 384 百済、東晋から僧侶を迎えて仏教を入れる。 391 高句麗の広開土王（好太王）、即位。 414 高句麗の広開土王碑建つ。 420 劉裕（武帝）、宋を興す。南北朝時代始まる。 427 高句麗、丸都から平壌に遷都。 439 北魏、北涼を滅ぼし、華北を統一。 450 このころから、アングロ・サクソン族、ブリタニアに侵入。高句麗、新羅を攻撃。 453 アッティラ没。フン帝国滅ぶ。 457 百済、宋に朝貢。 463 高句麗、宋に朝貢。 475 高句麗、百済を攻撃し、都の漢城陥落。 479 蕭道成（高帝）、斉を興す。 481 高句麗、斉に朝貢。 485 北魏の孝文帝、均田制を実施。 494 北魏の孝文帝、洛陽に遷都。
6世紀	古墳時代後期	507 継体天皇、即位。 513 百済より五経博士来日。 527 筑紫国造の磐井、任那に向かう近江臣の毛野を遮る。 このころ、西日本を中心に、横穴式石室の古墳が主流になる。 528 物部麁鹿火、磐井を敗死させる。 531 継体天皇没。 このころ、多くの屯倉が設置される。 538 百済の聖明王より仏像・仏典が贈られる。 このころ、鉄材の生産が本格化する。 このころ、九州で装飾古墳が盛んになる。 585 蘇我馬子、大野丘に塔を建て、仏教を広める。物部守屋、塔・仏殿を焼く。 このころ、前方後円墳が終わりを迎え、方墳・円墳にかわる。 592 法興寺（飛鳥寺）の仏堂・歩廊がつくられる。蘇我馬子、崇峻天皇を殺害させる。推古天皇即位。 593 厩戸皇子（聖徳太子）、摂政となる。 600 最初の遣隋使を送る。	北魏・梁・東魏・西魏・北斉・北周・陳・隋	502 蕭衍（武帝）、梁を興す。 534 東魏興る。 535 西魏興り、北魏、東西に分裂。 550 東魏滅び、北斉興る。 556 西魏滅び、北周興る。 557 梁滅び、陳興る。 577 北周、北斉を滅ぼし、華北を統一。 581 北周滅び、隋興る。 589 隋、陳を滅ぼし、中国を統一。

西暦	時代区分	日本	中国	世界
前4世紀なかば ～紀元前後	弥生時代中期	雲出山遺跡など）。南島の貝殻が九州－本州－北海道まで伝わる「貝の道」ができる。 このころ、倭人が100余国に分かれ、一部が楽浪郡に朝貢。	前漢	朝鮮を滅ぼし、楽浪・真番・臨屯・玄菟の4郡を置く。 前100 このころ、高句麗興る。 前60 前漢、匈奴を滅ぼし、西域都護を置く。
紀元前後 ～3世紀前半	弥生時代後期	各地に新しいムラが出現する（大阪府古曾部・芝谷、大阪府観音寺山遺跡、鳥取県妻木晩田、鳥取県青谷上寺地遺跡）。鉄器が広く行き渡り、石器が消滅していく。このころから青銅器を用いた祭祀が衰退する地方がある。 57 倭の奴国王、後漢に朝貢し、光武帝から印綬を授けられる（福岡県志賀島出土の「漢委奴国王」の金印）。 2世紀頃、各地に個性的な大型の墳丘墓が出現（岡山県楯築、島根県西谷など）。吉備地方で墳丘墓に特殊壺・特殊器台が配置される。 2世紀末ごろ、倭の諸国が卑弥呼を女王とする。	新 後漢	8 王莽、前漢を滅ぼし、新を興す。 25 劉秀（光武帝）、後漢を興す。 36 後漢の光武帝、中国を統一。 48 匈奴、南北に分裂し、南匈奴、後漢に服属。 111 夫余、楽浪郡を侵す。高句麗、後漢に朝貢。 184 後漢、黄巾の乱起こる。 196 曹操、後漢の献帝を迎えて許を都とし、屯田制をしく。
		3世紀前半、土器が全国を移動し、地域色が希薄になる。奈良の纏向を中心とした列島のムラのネットワークがつくられる。前方後円形・前方後方形の墳丘墓が出現し、列島各地に広まる。 239 卑弥呼、魏の明帝への奉献を願う。 248 このころ、卑弥呼没。	魏・呉・蜀	220 曹操没。その子曹丕、魏を興す。 221 劉備、即位して蜀を興す。 222 孫権、呉を興す。 238 魏、楽浪・帯方の2郡を領土とする。
3世紀中ごろ ～4世紀後半	古墳時代前期	西日本各地に定型化した大規模な前方後円墳がつくられ（奈良県箸墓古墳）、竪穴式石室に多くの銅鏡・鉄製武器・農工具などが副葬される。 266 倭の女王、使いを西晋に送り、朝貢。 銅鏡がさかんに鋳造される。家形・鳥形・武具形などの埴輪がつくられる。	西晋	263 魏、蜀を滅ぼす。 265 司馬炎（武帝）、西晋を興す。 280 西晋、呉を滅ぼし、中国を統一。 291 西晋で八王の乱始まり、混乱状態。
		372 百済の肖古王、倭国に刀を贈る。 ムラのネットワークが衰退する。	五胡十六国・東晋	このころ、朝鮮半島南部で倭との交流を示す銅器などが現われる。 304 匈奴、漢を興し、五胡十六国時代始まる。 316 匈奴、西晋を滅ぼす。 317 司馬睿（元帝）、東晋を興す。 375 東ゲルマンの西ゴート族、フン族の西進のためローマ帝国内に
4世紀後半 ～5世紀	古墳時代中期	このころ、倭が朝鮮半島で軍事的活動を強める。 このころ、北部九州に横穴式石室がつくられる。乗馬の風習が伝わる。 4世紀後半以降、近畿の前方後円墳の様式にそった巨大古墳が各地につくられる（岡山県造山古墳）。		

1万1000年前 ～7000年前	縄文時代早期	定住が広まる(鹿児島県上野原遺跡)。奇妙な形の打製石器や、土偶に代表される土製フィギュアが現われる。貝塚が出現(神奈川県夏島)。イヌの飼育が始まる。環状集落が営まれはじめる(東京都恋ヶ窪南遺跡)。		1万年前　イラク北東部で初期の農耕・牧畜が行なわれる(カリム・シャヒル遺跡)。 7000年前　このころ、中国長江下流域で稲作始まる。
7000年前 ～5500年前	縄文時代前期	気候がさらに温暖化し、東日本を中心に人口が増える。狩猟や収穫・加工・貯蔵の技術が発達する(狩猟具、植物栽培など)。大規模な集落の出現(青森県三内丸山遺跡)。貝塚が広く分布する。九州で、朝鮮半島と関係のある曾畑式土器がつくられる。		
5500年前 ～4500年前	縄文時代中期	関東・甲信越・東北地方に、環状集落や環状貝塚が多数つくられる(岩手県西田遺跡、千葉県加曾利貝塚)。関東・甲信越・東北南部地方で、土器の装飾が派手になる。「縄文ヴィーナス」と呼ばれる土偶出現(長野県棚畑遺跡)。寒冷化が始まる。		5000年前　このころ、メソポタミア文明興る。 4600年前　このころ、エジプトで、ギザのピラミッド建造。 4500年前　このころ、中国で龍山文化が盛んに。 4300年前　このころ、インダス文明が成立(～3800年前)。
4500年前 ～3200年前	縄文時代後期	東日本を中心に環状列石(秋田県大湯遺跡)や、周堤墓(北海道キウス2号)がつくられる。環状集落が衰退していく。精製土器と煮炊き用の粗製土器がつくられる。ハート形・ミミズク形など奇妙な形の土偶が出現。中国地方で稲作が始まる(陸稲か?)。九州で黒色研磨土器がつくられる。西日本の人口増加。	殷	殷王朝が成立。ギリシャでミケーネ文明興る。 このころ、ヨーロッパで巨石文化が栄える。
3200年前 ～2800年前 (前800)	縄文時代晩期	東北地方に複雑な文様と精巧なつくりの亀ヶ岡式土器が現われる。遮光器土偶がつくられる。東北地方に中国製の青銅刀が、沖縄に明刀銭が伝わるなど、各地で大陸との交流が行なわれる。	周 春秋	前1050　このころ、殷が滅び、周が興る。 前770　周が洛陽に遷都し(東周)、春秋時代始まる。
前8世紀 ～前4世紀なかば	弥生時代前期	北部九州に朝鮮半島からの渡来者が流入。水稲農耕が行なわれる(佐賀県菜畑遺跡)。北部九州に大規模な環濠集落が現われ、以後西日本に広がる。 北部九州で人口増に伴い、ムラ同士の戦いが激化。北部九州に鉄器の普及が始まる。東北地方でも稲作が行なわれる(弘前市砂沢遺跡)。遠賀川系土器が広く分布。	戦国	前403　晋が韓・魏・趙に分裂し、戦国時代が始まる。 前300　このころ、南インドやセイロンに巨石文化(～100年)。
前4世紀なかば ～紀元前後	弥生時代中期	北部九州で前漢鏡を副葬した大酋長の墓が出現(福岡県須玖岡本・三雲南小路遺跡)。九州で銅剣・銅矛など武器型青銅器が、近畿地方では銅鐸が鋳造され、これらによる祭祀が行なわれる。北部九州に鉄器が広く普及。中期の終わりごろから、瀬戸内海地方に高地性集落ができる(八堂山遺跡・紫	秦 前漢	前221　秦の始皇帝、中国を統一。 前202　劉邦、項羽を滅ぼし、前漢を興す。 前194　燕の衛満、衛氏朝鮮を興す。 前108　前漢の武帝、衛氏

年表

西暦	時代区分	日本	中国	世界
約400万年前				アフリカに猿人(アウストラロピテクス)が現われる。
約250万年前				アフリカに猿人から進化したホモ・ハビリスが現われ、最古の石器オルドワンがつくられる。
約165万年前〜60万年前				アフリカの原人(ホモ・エレクトゥス)によって、アシューレアン石器がつくられる。
約60万年前〜25万年前				アシューレアン石器のなかにとくに丁寧につくられた精製品が現われる。
約25万年前〜10万年前				ヨーロッパに旧人(ネアンデルタール人)が現われる。ルヴァロワ石器登場。
約15万年前〜4万年前				アフリカに新人(ホモ・サピエンス=現代人)が現われ、ユーラシアなど各地に広がる。
約7万5000年前				最古の象徴的器物とされるオーカー片と巻貝製の玉飾りが南アフリカのブロンボス洞窟に出現。
約4万年前〜2万9000年前	後期旧石器時代前半	最古の石器がつくられる。 長野県信濃町の野尻湖周辺で、ナウマンゾウとオオツノジカの狩猟・解体が行なわれる。石器が広く使われるようになり、局部磨製石器が現われる。一時的なキャンプ地として、環状ブロックが営まれる。		5万年前　超自然を信じる認知の発達、進歩した技術、美の表現志向が総合された象徴的器物が本格的につくられはじめ、「ビッグバン」現象が起こる。
2万9000年前〜1万5000年前	後期旧石器時代後半	温暖化のため、ナウマンゾウ、オオツノジカなどの大型獣が消滅していき、シカ、イノシシ、ウサギなどの中小動物を獲物とする。これに応じて、尖頭器、細石刃(細石器)など、さまざまな石器が列島各地に現われる。大型の石ヤリや石斧が登場する(神子柴型石器)。		このころ、フランスのラスコー、スペインのアルタミラの洞窟壁画が描かれる。
1万5000年前〜1万1000年前	縄文時代草創期	九州から東北まで無文や隆線文の土器が使われる。南九州で竪穴住居やドングリ貯蔵穴ができ、調理道具も使われ、定住が始まる。石ヤリから弓矢へと狩猟形態が変わる。		

ま行

や行

ら行

わ行

な行

は行

た行

さ行

索引

000 —詳しい説明のあるページを示す。
000*—写真・図版のあるページを示す。

あ行

か行

全集　日本の歴史　第1巻　列島創世記

2007年11月14日　初版第1刷発行

著者　松木武彦
発行者　八巻孝夫
発行所　株式会社小学館
〒101-8001 東京都千代田区一ツ橋2-3-1
電話　編集　03(3230)5118
　　　販売　03(5281)3555
印刷所　凸版印刷株式会社
製本所　株式会社若林製本工場

造本には十分注意しておりますが、万一、落丁・乱丁などの不良品がありましたら、「制作局」(電話0120-336-340)あてにお送り下さい。
送料小社負担にてお取り替えいたします。
(電話受付は土・日・祝日を除く9:30〜17:30までになります。)

R〈日本著作権センター委託出版物〉
本書の全部または一部を無断で複写(コピー)することは、
著作権法上の例外を除いて禁じられています。
本書からの複写を希望される場合は、
日本複写権センター(電話03-3401-2382)にご連絡ください。

©Takehiko Matsugi 2007
Printed in Japan ISBN978-4-09-622101-3

全集　日本の歴史　全16巻

編集委員：平川 南／五味文彦／倉地克直／ロナルド・トビ／大門正克

1	旧石器・縄文・弥生・古墳時代 列島創世記	出土物が語る 列島4万年の歩み	松木武彦 岡山大学准教授
2	新視点古代史 日本の原像	稲作や特産物から 探る古代の社会	平川 南 国立歴史民俗博物館館長 山梨県立博物館館長
3	飛鳥・奈良時代 律令国家と万葉びと	国家の成り立ちと 万葉びとの生活誌	鐘江宏之 学習院大学准教授
4	平安時代 揺れ動く貴族社会	古代国家の変容と 都市民の誕生	川尻秋生 早稲田大学准教授
5	新視点中世史 躍動する中世	人びとのエネルギーが 殻を破る	五味文彦 放送大学教授 東京大学名誉教授
6	院政から鎌倉時代 京・鎌倉 ふたつの王権	武家はなぜ朝廷を 滅ぼさなかったか	本郷恵子 東京大学准教授
7	南北朝・室町時代 走る悪党、蜂起する土民	南北朝の争乱と 足利将軍	安田次郎 お茶の水女子大学教授
8	戦国時代 戦国の活力	戦乱を生き抜く 大名・足軽の実像	山田邦明 愛知大学教授
9	新視点近世史 「鎖国」という外交	従来の「鎖国」史観を 覆す新たな視点	ロナルド・トビ イリノイ大学教授
10	江戸時代（一七世紀） 徳川の国家デザイン	幕府の国づくりと 町・村の自治	水本邦彦 京都府立大学教授
11	江戸時代（一八世紀） 徳川社会のゆらぎ	幕府の改革と 「いのち」を守る民間の力	倉地克直 岡山大学教授
12	江戸時代（一九世紀） 開国への道	変革のエネルギーと 新たな国家意識	平川 新 東北大学教授
13	幕末から明治時代前期 文明国をめざして	民衆はどのように “文明化”されたか	牧原憲夫 東京経済大学講師
14	明治時代中期から一九二〇年代 「いのち」と帝国日本	日清・日露と 大正デモクラシー	小松 裕 熊本大学教授
15	一九三〇年代から一九五五年 戦争と戦後を生きる	敗北体験と 復興へのみちのり	大門正克 横浜国立大学教授
16	一九五五年から現在 豊かさへの渇望	高度経済成長、バブル、 小泉・安倍・福田政権へ	荒川章二 静岡大学教授

http://sgkn.jp/nrekishi/